SANGRE
de
BARRO

MARIBEL MEDINA

SANGRE

de

BARRO

A VECES LA AMBICIÓN
TIENE UN PRECIO
MUY ALTO

MAEVA

© Maribel Medina (Mardom Writers, S.L.), 2014
 Publicado por acuerdo con Pontas Literary & Film Agency
© MAEVA EDICIONES, 2014
 Benito Castro, 6
 28028 MADRID
 emaeva@maeva.es
 www.maeva.es

 ᵖBN: 978-84-15893-24-0
 ᵖsito legal: M-1.948-2014
 ᵖcánica: Gráficas 4, S.A.
 ᵖ y encuadernación: Huertas, S.A.
 ᵖspaña / Printed in Spain

Una primavera te desafié a elegir entre una vida audaz o nada. ¡Ay, mi valiente caballero!

Este libro está dedicado a Andrés Martínez Modrego, el alma y cuerpo de esta novela, sin cuya colaboración esta historia no hubiese sido posible. Uno de esos valientes que saben gritar y luchar. Nacido para correr —3:39.43 en 1.500 metros, 7:53.02 en los 3.000—, poseedor de un don excepcional, compitió limpiamente con esfuerzo, tesón y sacrificio ignorando los cantos de sirena que le prometían gloria y dinero a cambio de vender su cuerpo.

«¿Queréis tratarlos con semejante lenguaje y honrar lo mismo a la máscara que al rostro; igualar el sacrificio y la sinceridad; confundir a la apariencia con lo verdadero? ¡La mayoría de los hombres están hechos de un modo extraño! No se les ve nunca en su verdadero estado.»
—Molière

«Sueño con el silencio porque ya no suena.»

—Wislawa Szymborska

«De los pensamientos enterrados no salen lágrimas.»

—William Wordsworth

Los escenarios de la novela

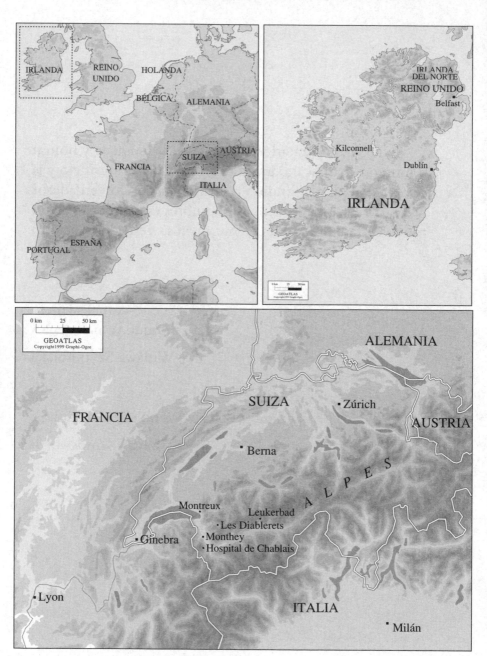

Entre el lago Lemán y Gstaad, a una altura de mil doscientos metros, se halla Les Diablerets. La pared del macizo de montaña que da al valle de Ormont fue considerada en la Edad Media como un lugar peligroso y maldito en el que reinaba el diablo. De ahí el nombre del pueblo: Les Diablerets.

1

Quiero llevarte pegada a mis piernas desnudas y correr,
para que sientas la fuerza de mis venas.
Anhelo llevarte pegada a mis manos y amar,
para que te estremezcas con mis caricias.
Ansío llevarte pegada a mi boca y susurrarte,
para que, tranquila, te quedes dormida.
Yo seré tus piernas, tus manos, tu boca.
Tú serás mi fuerza, mi amor, mi lecho.

La joven estaba sentada sobre la cama. Tenía entre sus manos un trozo de papel y no recordaba cuántas veces lo había leído. Se tumbó sin dejar de mirar el poema, volvió a leerlo e imaginó al autor de la misiva.

El día se arrugaba como la piel del melocotón maduro y, a sus pies, la niebla perezosa trepaba por la montaña. Después de varios días de lluvia, un frío azulado llegó la noche anterior, transformando el agua de los charcos en un cristal tan fino como las alas de mariposa.

Úna Kovalenko quedó extasiada por la luz del atardecer que atravesaba el papel cuadriculado del poema. Las palabras parecían bailar en su honor. Se tumbó sobre la colcha e hizo un ovillo con su cuerpo aferrando en la mano los versos de amor.

La noche extendía sus dominios sombra a sombra y se tragaba con avidez las cimas de los montes, las copas de los árboles. Cuando llegó a Les Diablerets, el suelo de hielo negro crujió a su paso. Entró por la ventana y, con delicadeza, se posó sobre la joven que dormía profundamente.

Ya no despertaría.

2

Thomas Connors se dirigía al trabajo tarareando «Who Wants to Live Forever», de Queen, mientras se abría paso entre el tráfico. El día era soleado y los dieciocho grados de temperatura anunciaban que, por fin, la primavera había llegado a Lyon después de una semana de frío y lluvia.

Decidió aparcar lejos de su destino. Tenía ganas de andar y disfrutar de la mañana. Caminó a buen paso por el Quai Charles de Gaulle, con el abrigo en la mano. A su lado, el río Ródano bajaba cargado de agua, fruto de las últimas borrascas. Echó una rama y, durante unos minutos, observó los remolinos y cómo, finalmente, se la tragaba el agua. Miró la hora, con pereza cruzó la avenida y llegó a una calle tranquila. Antes de entrar en el edificio cuadrado, de cristal opaco y acero, vio con envidia a unos jóvenes corriendo en el parque La Tête D'or, una de las zonas verdes más extensas de la ciudad. Junto a él, pasaron un grupo de turistas camino del Museo de Arte Contemporáneo. La guía inglesa que los acompañaba señaló a su derecha el edificio de la organización antidelictiva más poderosa del planeta.

Al no entrar directamente por el aparcamiento, Thomas tuvo que pasar por la puerta de acceso de los visitantes, que conducía hasta un pequeño edificio separado del principal. Una joven comprobó su identidad y le obligó a ponerse su acreditación que, como siempre, olvidaba en el bolsillo de la americana. Pasó por el enorme detector de metales después de depositar su móvil, llaves y demás objetos en una bandeja de plástico blanca. Cruzó la doble puerta de vidrio, accionada por un dispositivo de seguridad. Llegó a un pequeño jardín con un pasillo que unía la entrada al edificio principal; sobre el suelo se veía el emblema de la Interpol, un globo terráqueo rodeado de laureles y atravesado por una espada. A ambos lados del globo, dos balanzas representaban la justicia.

Thomas dio los buenos días a Rose mientras se encaminaba a su despacho.

—¿Han llegado ya?

—Todavía no. El aterrizaje del avión en el aeropuerto Saint Exupéry está previsto para las 12:40 horas. Aunque serán escoltados por dos coches, no creo que la reunión sea antes de las dos —comentó Rose.

—Bien, por favor, avíseme cuando salgan del hotel para tener preparada la reunión del segundo nivel.

Rose contempló la espalda de Thomas y deseó enredar sus dedos entre aquel cabello, olerlo, besarlo. Un sentimiento parecido a la tristeza la inundó; a veces el amor es de lo más caprichoso, se dijo, mientras volvía al trabajo.

Thomas repasó la agenda del día. La reunión de más alto nivel sería con el señor Hutchinson, director de la Drug Enforcement Administration (DEA), y el secretario general de la Interpol, Ronald K. Noble. Se trataba de sentar las bases para estrechar la colaboración entre estas dos entidades: el organismo antidroga más importante del mundo y la única organización policial de carácter mundial. Todos habían coincidido en que el acercamiento sería beneficioso para ambas partes. Vio que, en su breve gira europea, el director de la DEA iba acompañado por la señora Guhman, su asistente especial, así como por altos cargos de la oficina estadounidense. En la reunión celebrada hace un año en la sede de la Interpol en Nueva York, Guhman declaró que haría todo lo posible para poner a disposición de la Interpol un agente especial de la DEA, a fin de completar el apoyo analítico que ya se estaba prestando.

Pasadas las doce de la noche, Thomas llegó a casa. Se quitó el traje de Hugo Boss y escribió una nota para que Lupe, su asistenta, lo llevara al día siguiente a la tintorería. La ducha de agua caliente templó sus músculos. Se secó con una pequeña toalla azul y se sentó descalzo en el sofá relax. Cruzó los brazos por detrás de la cabeza, satisfecho. Todo había ido de maravilla.

Se habían conseguido acuerdos de cooperación no solo en materia de narcotráfico sino también para compartir bases de datos de las mafias. Uno de los principales objetivos del señor Noble era la lucha contra el tráfico de niños y mujeres y, en ese tema, la mafia tenía mucho que decir. En la reunión había vuelto a ver a George, un amigo de su época de perfilador del FBI, y quedaron para comer antes de que el séquito partiera a Inglaterra.

Al día siguiente se encontraron en la plaza Kléber. Juntos entraron en el restaurante de Pierre Orsi. Era un crimen pasar por Lyon y no comer allí.

—Pide lo que quieras porque no sé una palabra de francés —dijo George.

Thomas sonrió, estudió durante un instante la carta y se decidió por unos raviolis de foie de pato y, de segundo, pichón con salsa de frambuesa; para su amigo, arroz cremoso con almejas y bogavante, y mollejas de ternera.

—Bueno, bueno, estás fantástico. Veo que sigues pareciendo un gigoló —bromeó George.

—Gracias, aquí la vida es más fácil que en Nueva York, y no digamos ya que en Washington.

—¿Cuánto tiempo vas a estar en Lyon?

—Me quedan dos años de contrato que se pueden prorrogar tres años más. Puedo estar como máximo cinco años; luego, de vuelta a Nueva York. Los contratos de desplazamiento no permiten estar más tiempo.

—¿Piensas quedarte cinco años aquí? —preguntó, incrédulo, George.

—Puede, no sé. De momento me quedan dos años, después ya veré.

—¿Tantas ganas tenías de perdernos de vista?

—No, no, es que me cansé de muertos. Estaban por todos lados, no solo en el trabajo, también en mi cabeza. Ahora combato a los malos de lejos, desde mi despacho.

—Supongo que tu último caso como perfilador tuvo bastante que ver —dijo George bajando la cabeza—. Ya sabes que fue un hecho aislado.

14

—Ya.

El teléfono de George comenzó a sonar con una sintonía ensordecedora, parecía un concierto de cacerolas aporreadas de mala manera. Thomas sonrió, debía de ser la grabación de alguna de sus hijas. Creyó recordar que la mediana tocaba el violín. Su amigo se disculpó y, levantándose, se dirigió al reservado para fumadores mientras se llevaba un cigarro a la boca. Thomas bebió un sorbo de vino tinto. La luz se filtraba a través de la copa y pequeñas olas de color granate bailaban sobre el mantel de hilo. Su danza tenía algo de hipnótico. Thomas se relajó; como si entrara en trance, recordó el final de aquella etapa en Washington.

Trabajaba de profesor de psicología en el departamento de criminología de la universidad, cuando lo llamaron del FBI para que impartiera unas clases. Después, cada vez más a menudo, lo reclamaban como perito. Un día le ofrecieron trabajar a tiempo completo. Le pareció interesante y un cambio de rumbo en su vida. Quería acabar con una relación con la que no tenía la voluntad ni la valentía de terminar, así que mudarse a otro estado le pareció la solución perfecta.

La técnica del perfil criminológico había sido creada por el FBI y su Unidad de Ciencias del Comportamiento como herramienta para ayudar en las investigaciones. Consistía en describir el comportamiento y características físicas, psicológicas, culturales y sociales de un homicida. Thomas debía valorar todos los indicios encontrados, evaluar los datos o resultados de los forenses, para lo que contrataba un examinador médico, e investigar su relación con la escena del crimen. Tenía que analizar, desde un punto de vista crítico, tanto la investigación técnica y científica como la reconstrucción de los hechos; además de aportar, cuestionar y rechazar información, basándose en su conocimiento sobre el comportamiento y la psicología criminal. Casi sin darse cuenta, trabajó ocho años como perfilador en el FBI, hasta que un día le pasaron el caso de un extraño asesinato.

El criminal había disparado a una mujer cuando entraba en su casa. Sabía que el asesino había estado varias horas esperando

15

a que llegase la víctima, ya que se duchó, comió algo e incluso se masturbó con un juguete sexual que encontró en un cajón del dormitorio principal. La mujer llegó a casa y encontró una nota de suicidio en la mesa de la cocina. La leyó. Cuando oyó un ruido, se volvió y pudo ver al asesino. Este le disparó dos tiros; uno acabó a la pared, el otro en su estómago. La mujer logró escapar y llamar a su marido, que en ese momento estaba conduciendo el coche camino a casa. Él le preguntó qué había sucedido y ella se lo contó. Cuando el marido llegó con su hijo de cinco años, estaba muerta delante de la casa.

Pasó un mes, no tenían ni móvil ni sospechosos. Le asignaron el caso. La única pista era la carta que encontraron manchada de sangre junto al cadáver. En ella, alguien llamado Barry escribía su intención de suicidarse al no poder soportar la vergüenza de su acto. Hablaba de una violación. Nadie en el entorno de la mujer conocía a ningún Barry. Thomas realizó un perfil criminológico del sujeto. El dosier, de veinte páginas, conjeturaba sobre el posible asesino: un joven de raza blanca, de clase baja, sin conocimiento forense, puesto que la abundancia de pruebas era abrumadora, y con graves problemas psicológicos, teniendo en cuenta la nota. Buscaron en la base de datos sujetos detenidos por violación, intentos de suicidio, acosadores que viviesen por la zona, sin resultado alguno. Dos semanas después, encontraron una denuncia, que luego había sido retirada, contra un tal Peter Barry Luncan, a quien acusaban de violar a su hija de tres años. Nada más llegar la Policía a la casa del sospechoso, este se declaró culpable del asesinato de la mujer. Ante el estupor de Thomas, confesó en la comisaría que no tenía motivos para matarla. Simplemente, no quería ir a la cárcel por un delito de violación; sabía lo que hacían los presos con los pederastas y los violadores. Había intentado suicidarse, pero le faltó valor. Entonces, entró en una casa al azar y esperó a que apareciera alguien. Le daba igual a quien matar.

Aquella ausencia de motivo acabó con las ganas de Thomas de trabajar como perfilador. Pidió unas vacaciones y, más tarde, se despidió definitivamente. Después, gracias a George, obtuvo trabajo en Nueva York en la oficina de enlace de la Interpol ante las Naciones Unidas.

—Perdona —lo interrumpió George mientras se sentaba—, Catherine quería comprar entradas para un musical y no se acordaba de qué día volvía.

Thomas lo miró agradecido, eran demasiadas las veces que lo había ayudado.

—¿Qué tal tu vida? —le preguntó.

—Bien, mis hijas ya van a la universidad. Hago barbacoas los sábados, tengo la casa pagada, practico sexo una vez a la semana, si hay suerte, y tengo un perro que menea la cola cuando llego. Como sabes, Catherine es muy tradicional, le gusta ocuparse de la casa, hacer la comida... Mira mi tripa —dijo señalándosela—, cada año tengo que descorrer otro agujero del cinturón.

Miró a Thomas, hizo una pausa, y le dijo:

—Estoy tranquilo, medianamente satisfecho con mi vida. No aspiro a mucho más.

Thomas rio.

—No digas tonterías, George. Vivir es algo más que comer, trabajar y salir los sábados con tu mujer a un concierto.

—Dicho así, mi vida parece un coñazo —dijo George, molesto—. No lo entiendes. Me gustan las pequeñas cosas. Llegar a casa y que Catherine me esté esperando. Me encanta que la cocina huela a tarta de manzana, pasar los días de invierno junto a la chimenea mientras veo un partido o leo un libro. Ya no tengo edad de salir de fiesta, beber y pasar el domingo tirado en el sofá recuperándome. Además, no necesito a ninguna otra mujer para que se me levante y tener buen sexo. Después de tantos años, todavía se me pone dura al verla desnuda. Con eso me vale. —Luego se acercó a Thomas y añadió—: Quiero mi sueldo a fin de mes, mi casa, mi familia y a los demás que les den.

—Perdona, no quería molestarte. Tienes razón, a veces soy un bocazas.

—¿A veces? Ya que te consideras bocazas, cuéntame qué tal te va con la francesa, porque, sigues con ella, ¿no? —preguntó, cambiando de tema—. Suena tan chic tener una novia extranjera... —dijo con sorna.

—Joder, George, pues claro que sigo con ella, ni que fuera un don Juan...

Thomas vio que su amigo alzaba las cejas, en un gesto de incredulidad.

—Vale, vale, he estado casado, he tenido unas cuantas novias y muchas amantes —reconoció—. Pero yo no hago nada para ligármelas, solo me dejo llevar. Ahora llevo diez meses con Claire y me va bien.

—¿Cuánto es bien? Quiero cifras.

—¿Cuánto? Más de lo que te puedes imaginar. Desde luego, bastante más que tú.

—A veces, Thomas, das asco —sentenció George con una sonrisa.

Alargaron la comida todo lo que pudieron, hasta que sonó el móvil del trabajo de George. Thomas pagó la cuenta y lo acompañó hasta el hotel Sofitel Lyon Bellecour, cerca de la abadía Saint Martin d'Ainay y la catedral de Saint-Jean, donde se encontraban los integrantes de la DEA. Se despidió de su amigo con la promesa de que en el siguiente viaje a Nueva York le haría una visita.

No le apetecía volver al trabajo, algo bastante extraño en él, ya que normalmente pasaba más de once horas al día en el despacho. Vagabundeó por esa zona. Encajada entre el Ródano y la colina de la Croix-Rousse, Presqu'île era la zona comercial de Lyon. Caminó por la Rue de La République hasta la enorme plaza peatonal de Bellecour, el lugar más popular de la ciudad. Se adentró en el bullicio de la gente que a esa hora ocupaba la plaza, y se detuvo frente a algunos escaparates, asombrado por sus precios astronómicos. Allí se encontraban las tiendas más elegantes y caras de Lyon. Pensó en caminar hacia la colina y pasear entre sus edificios de la época de la revolución industrial. Le gustaba recorrer las calles y empaparse de su pasado sindicalista y anarquista. Habían sido escenario de grandes luchas, especialmente por los derechos de los trabajadores y contra los avances técnicos que sustituían a las personas por máquinas. No en vano, la palabra «sabotaje» era originaria de Lyon; provenía de los *sabots,* los zuecos que los trabajadores lanzaban a las máquinas de tejer para inutilizarlas. Al final desechó la idea. Estaba cerca de su casa y pensó que nada mejor que trabajar con su portátil en la terraza con una cerveza fría.

Thomas vivía en la parte antigua de Lyon, entre el río Saona y la colina de Fourvière. Era un barrio de estilo renacentista, con edificios de época bien conservados. Siempre podía encontrarse alguno en proceso de restauración. Tenía grandes comercios, calles peatonales, hoteles y restaurantes atractivos. Su casa se hallaba cerca de un bonito edificio del siglo xv –la Maison Chamarier, en la Rue Alain Bombard–, en el que antiguamente se cobraban los tributos por los negocios que se realizaban en las ferias que llegaban a la ciudad.

Entró en su espacioso ático. Cumpliendo su ritual, se desabrochó la corbata, se sacó los zapatos, los dejó sobre la tarima de madera y colgó la gabardina en el perchero. Mientras se quitaba la americana, abrió la puerta del dormitorio. Dentro estaba Claire chupándosela a un tío. Durante un instante, se quedó quieto, paralizado ante la escena; después, cerró la puerta de manera discreta, se dirigió al salón y se sentó en el sofá. Pasados unos minutos, salió el hombre. Balbució algo ininteligible a la vez que se abrochaba la cazadora, y se marchó. Thomas creyó reconocerlo. Le pareció uno de los camareros de un pub que solían frecuentar. Claire apareció desnuda delante de él, como una diosa desafiante. Tenía un cuerpo precioso, lleno de curvas, con unos pechos pequeños de los que destacaban unos pezones grandes, rosados y cilíndricos. Le gustaba metérselos en la boca y chuparlos. Se plantó frente a él. Vio su sexo carnoso, húmedo, totalmente depilado. Ella, sin decir nada, le desabrochó el pantalón, le bajó los bóxer y, sentándose encima de él, se introdujo el pene. Muy a su pesar, Thomas estaba excitado y respondió a

19

sus movimientos. Cuando terminaron, Claire se levantó sin decir una palabra; el semen le resbalaba entre las piernas. Fue a acercarse a él, pero Thomas la apartó malhumorado y se fue a la ducha. Ella ya no estaba cuando salió; en su lugar había una nota. No supo discernir si era de disculpa o de reproche.

«Lo siento, no sabía que llegarías tan pronto. Nunca lo haces.»

3

Blanc salió por la puerta oeste de la residencia. Antes de penetrar en el bosque, agarró la vara gruesa de roble que le servía como bastón y que estaba apoyada en un pino. Avanzó entre la vegetación por un camino estrecho y empinado hasta un claro, donde se paró a descansar. A partir de esa altura, los árboles eran escasos, y prados y pastos dominaban el paisaje. Por encima de las copas de los robles majestuosos, se levantaba imponente el pico nevado de la Palette d'Isenau. Después de recuperar el aliento, prosiguió la subida hasta llegar a la abadía, su hogar.

La abadía se construyó como refugio apartado para una congregación de monjas cistercienses, hasta que una tarde de primavera huyeron aterrorizadas. Veinte años después, el bisabuelo de Blanc la compró. Desde entonces, la familia Kummer no se había separado de sus muros más de unos pocos kilómetros, los necesarios para que el ganado, que guardaba en una de las estancias que hacía las veces de cuadra, encontrara hierba fresca.

Blanc entró en el refectorio. La estancia era inmensa. El sonido de su pierna deslizándose por el suelo de piedra se parecía al de las pezuñas de una gamuza herida huyendo entre los riscos. Blanc imaginaba a la abadesa leyendo el Antiguo Testamento desde el púlpito, mientras las demás monjas comían en silencio. Apoyó el bastón en el muro y se quitó su abrigo de paño negro. Unos cartones que se colocaba a la altura del pecho para mitigar el frío cayeron al suelo. Abrió la puerta de madera de alerce que separaba el refectorio del *armarium;* su superficie estaba tallada y representaba el encuentro de Jesús con el Maligno, según un pasaje del Evangelio de San Mateo. Le gustaba acariciar con las yemas de los dedos la figura del diablo. El *armarium,* que él utilizaba como despensa, no era más que un pequeño nicho empotrado en el muro donde las monjas guardaban sus libros.

Blanc había reformado la abadía casi por completo. Instaló la electricidad y unas modernas estufas Rüegg, y acondicionó el lugar donde se había guardado el ganado con el propósito de que fuese más habitable. En la habitación contigua al *armarium*, se encontraba la sala que hacía también de cocina y dormitorio. Al entrar, colocó en la chimenea unos leños de pino en forma de pirámide con unas astillas en la base. Prendió un papel de periódico y lo acercó a la leña. Debajo, unas piedras que su padre había traído años atrás, mantenían la temperatura cuando se apagaba la lumbre y le servían de base para cocinar. Se quedó de pie, mirando hipnotizado cómo el fuego consumía los troncos hasta convertirlos en pequeñas ascuas. Envolvió una patata en papel de aluminio y la metió entre las piedras calientes. En un recipiente con leche, introdujo una de las piedras con unas tenazas de hierro; la leche hirvió al momento. Vertió un poco de leche caliente en un vaso y, pensativo, se retiró de la lumbre. Buscó entre las estanterías una lectura que le agradase. Al final, eligió un libro al azar entre los miles de su biblioteca. Arrastrando su maltrecha pierna, se dejó caer en la mecedora de roble, abrió el libro y comenzó a leer en voz alta.

4

Si la muerte del padre de Janik había roto su corazón, a su madre le había roto la cabeza. Al llegar de los entrenamientos, encontraba la casa sin recoger, los ceniceros llenos de colillas, los platos sucios amontonados en la pila. Un día su madre salió de casa sin zapatos; otro, se la encontró con el camisón puesto encima de la ropa. Ni siquiera se paraba delante del espejo para ver qué aspecto tenía. Los cambios de humor se hicieron cada vez más frecuentes. Cuando estaba contenta encendía la televisión o la radio a todo volumen o cantaba arias a las dos de la mañana. Cuando a la euforia seguía la depresión, se encerraba en su cuarto y pasaba horas sin salir. Janik temía que algún día se quedase allí para siempre.

Con catorce años, a Janik los entrenamientos le resultaban un juego, pero con el tiempo la exigencia creció tan rápido como su estatura. Pronto se dio cuenta de que lo único que tenía que hacer era mover sus piernas lo más rápido posible, en un intento por detener el tiempo. Ese era su mayor deseo: alargar los segundos, los minutos, con tal de no volver a casa. Encontró en aquella rutina la mejor medicina para su alma joven. Y la recompensa no tardó en llegar en forma de triunfos. Las victorias le ayudaron a mitigar su timidez. En los entrenamientos llevaba el cuerpo al límite, como si el sufrimiento lo acercase más a su padre. Muchas veces no era consciente de que le hubiese bastado con bajar dos segundos el ritmo para compensar las ráfagas de aire que, como olas contra el casco de un barco, frenaban su ritmo. Pero, en aquellos años su *leitmotiv* era *no pain, no gain*.

En esa época, su madre dejó el trabajo. Empezó con el cóctel de alcohol y tranquilizantes. Se pasaba las horas sentada en el

23

sofá y dejaba suspendidos sus pensamientos en algún punto fijo de la habitación. Los peores momentos coincidían con los días previos a las competiciones. Esos días la ansiedad de Janik podía más que su paciencia. Su mirada, antes directa y limpia, se tornaba huidiza y distante, y lo acompañaba adonde fuese. En el instituto, evitaba a los demás y se refugiaba en los rincones. En casa, al acabar de comer, se encerraba en su cuarto y se echaba en la cama imaginando una y otra vez el momento de la carrera.

Aquella noche no pudo dormir. Se montó en el autobús y recorrió los doce kilómetros que separaban Maur, su pueblo, de la estación de tren de Zúrich. Dos horas y cuarenta y cinco minutos después llegaba a Ginebra.

El edificio que albergaba el centro de medicina y deporte parecía una gran pecera de colores. Entró, tomó el ascensor y salió a un amplio pasillo. Vio un letrero justo enfrente en el que se leía la palabra «admisión». Giró a la derecha, donde una joven hablaba por teléfono. Cuando lo vio llegar, le hizo un gesto con la mano para que esperara, apuntó algo en un cuaderno y le preguntó:

—¿Viene por las pruebas?

—Sí —contestó con el tono de voz que le salía cuando estaba intranquilo.

—¿Es usted Janik Toledo?

—Sí, de Maur —contestó, como si ser de Maur tuviese importancia.

—Si es tan amable, cámbiese en ese cuarto y luego espere sentado en el banco que está junto a la pared. El médico que le va a hacer las pruebas lo llamará en un momento.

A pesar de que el año anterior había quedado tercero en los campeonatos nacionales *junior* de *cross,* era la primera vez a prueba de ese tipo. Su entrenador le había dicho que el encargado de la preparación de uno de los mejo- de la historia, y había leído en el periódico que los

24

deportistas más brillantes de Suiza pasaban por sus manos. Era consciente de la importancia del momento y no quería dejar escapar aquella oportunidad.

Al entrar en el vestuario, sintió una punzada nerviosa en el estómago. Se vistió con un pantalón corto y una camiseta de tirantes que su madre le regaló cuando tenía catorce años. Había perdido su color original y se habían borrado la «N» y la «R» de la palabra *university,* pero para él no tenía importancia; le hacía sentir bien. Cuando salió al pasillo, se topó con varios deportistas acalorados y con las camisetas empapadas en sudor. Se sentó en el banco que le había indicado la chica de la entrada y esperó hasta que una voz proveniente de uno de los cuartos le aceleró el corazón.

—¿Janik Toledo? Puede pasar, por favor.

Nada más entrar al despacho y ver a Hendrik sentado tras su mesa, se dio cuenta de que no era de esa clase de médico vestido con bata blanca, el fonendo en el cuello y el termómetro sobresaliendo de uno de sus bolsillos. Era un hombre de unos cuarenta y cinco años, delgado, con abundante pelo, cejas separadas y ojos pequeños. Vestía un jersey gris de cuello redondo y unos pantalones vaqueros desgastados. Sus dedos finos parecían los de un pianista y se movían rápidos y nerviosos golpeando la mesa con las yemas.

—¿Qué tal, Janik? —le preguntó como si se conociesen.

—Un poco nervioso.

—Es normal. Te voy a hacer algunas preguntas antes de que hagas el test. Es importante que contestes con sinceridad o la prueba que te vamos a hacer no valdrá para nada.

Hendrik sacó de uno de los cajones de la mesilla una carpeta con el nombre de Janik Toledo sobre una pegatina de fondo blanco, la dejó encima de la mesa, alcanzó un bolígrafo y le quitó el capuchón.

—¿Has descansado bien esta noche? —comenzó el médico.

—Sí.

—¿Crees que puedes estar incubando un catarro o alguna enfermedad?

—No.

—¿Cuándo hiciste el último entrenamiento intenso?

—Hace tres días.

—Y ¿cuándo hiciste uno de fuerza?

—Hace una semana.

—¿Sabes para qué te hacemos la prueba?

—Para ver si valgo para correr, ¿no?

El médico deportivo dejó las hojas sobre la mesa. Cambió de postura y lo miró fijamente a los ojos por primera vez.

—Te voy a explicar qué vamos a hacer y para qué sirve. La prueba del consumo máximo de oxígeno determina la capacidad que tenemos para absorber, utilizar y metabolizar el oxígeno en los distintos tejidos. Cuanto más alto lo tengas, mejor para ti.

Hendrik sacó una hoja de la carpeta y empezó a rellenar espacios con cruces. Janik golpeó con la palma de la mano derecha su pantalón en un afán de apaciguar su ansiedad. ¿Cómo le iba a decir una máquina en una hora lo que a su entrenador le había costado toda una vida?, se preguntó.

Su pulso se incrementó y una corriente de aire frío le recorrió el cuello.

—No sé si quiero saberlo —dijo con la voz temblorosa.

El médico prosiguió como si no hubiese oído lo que Janik acababa de decir.

—Janik, no es una prueba cualquiera. Vamos a saber si tus genes están hechos para correr.

Hendrik se levantó, agarró la carpeta y le pidió que lo acompañase a la sala donde se encontraba el tapiz rodante. Bajaron las escaleras en silencio. Una vez en la sala, el médico se dirigió a una de las esquinas y alcanzó una cinta de plástico que estaba colgada de unos ganchos en la pared. Mientras, una enfermera le aplicaba a Janik una crema en el lóbulo de la oreja. En unos ___ intió una fuerte quemazón en la zona.

___ colócate esta cinta alrededor del pecho y el pulsó-
___ muñeca derecha.

El médico pulsó el botón de encendido de color rojo en forma de hongo y la cinta comenzó a girar. El ruido del roce de la goma del tapiz con los rodillos se hizo cada vez más fuerte. Hendrik sacó un aparato pequeño con una rueda en un extremo y un marcador en el otro. Lo colocó en la cinta y comprobó que estaba bien calibrada.

—Por favor, quítese la camiseta, tengo que colocarle unos electrodos —dijo la enfermera.

En ese momento, le dieron ganas de salir corriendo y no aparecer nunca más por allí.

—¿Puedo volver a ponerme la camiseta? —preguntó, como si no hubiese oído las palabras de la enfermera.

—No, debo ponerle los cables del electro.

Se le formó un nudo en el estómago. Era su amuleto. Se acordó del día que su madre lo llevó de la mano a su primera carrera. Tenía un don. Lo supo desde que cumplió doce años. Y ahora esa maldita máquina podía arruinar sus sueños.

—Le pongo esta malla para que al correr no se desprendan —explicó la enfermera cuando acabó de enganchar los cables.

Después, le hizo un pequeño corte en el lóbulo de la oreja, apretó con fuerza y llenó un tubo de cristal con una muestra de sangre.

A continuación, le colocó una máscara con un enganche de pulpos alrededor de la cabeza.

—Cuando te diga, subes al tapiz —dijo Hendrik con tono seco—. Voy a aumentar la velocidad cada cierto tiempo, hasta que nos digas vale o nos hagas un gesto con la mano.

Janik bajó la cabeza en señal de asentimiento.

Con todo ese lío de cables pegados a su pecho y la máscara tapándole la cara, le parecía imposible dar una zancada.

—¿Estás listo? —preguntó Hendrik.

Janik levantó el pulgar de su mano.

—3, 2, 1. Ya. Empezamos.

A medida que pasaba el tiempo, se concentraba en mantener el equilibrio sobre la cinta. Hacía mucho calor y la máscara lo agobiaba. Trató de correr lo más próximo al principio de la cinta por miedo a salir despedido. Las gotas de sudor saltaban de su cuerpo en todas direcciones.

Poco a poco, se fue sintiendo más seguro. Cada vez que Hendrik subía la velocidad, más decidido estaba Janik en resistir hasta desfallecer.

—Soy el mejor —murmuraba para sí mismo.

Podía sentir la velocidad en sus piernas, la zancada cada vez más amplia. Imaginó que corría por los caminos que rodeaban su pueblo, dejándose llevar por las suaves pendientes y el empuje ligero del aire en su espalda. Disfrutó del aroma a flores, a madera podrida arrastrada por el río, a mazorca quemada y a tierra mojada. Los sonidos de la cinta rodante se amortiguaban con los recuerdos de las aves de paso hacia tierras más cálidas, la voz de un campesino que lo saludaba mientras pasaba a su lado, o las pisadas de los caballos al galope. El médico lo condujo de vuelta a la realidad para ajustar los niveles de oxígeno y dióxido de carbono.

—Venga, un poco más —lo animaron Hendrik y la enfermera al unísono—. Vas muy bien, un poco más, que subimos a veintiuno. ¡Vamos Janik, que ya falta poco! —gritó el médico.

Sus piernas parecían ir solas. Se oía el ruido de los rodillos al mover la cinta y el golpeo de la suela de las zapatillas contra la superficie blanda. Empezó a notar cómo las piernas no podían seguir el paso de aquella máquina. Esperó que apareciese el segundo aliento, el que todo atleta ha experimentado alguna vez en su carrera deportiva, cuando ya no puede más y tiene la sensación de que los pulmones se abren y trata de encontrar fuerzas donde antes solo había cansancio, pero no llegó. Todo había acabado.

—Puedes ir a la ducha. Después te comento los resultados —dijo Hendrik.

Cuando volvió a la consulta, Janik sentía que su estado de ánimo había mejorado.

—Imagina que tu cuerpo es un coche con un motor que va quemando gasolina, que son los hidratos de carbono, en función de las marchas —le explicó el médico—. Esa gasolina produce un desecho que se llama «ácido láctico».

El timbre del teléfono lo interrumpió, miró el número en la pantalla y apretó el botón que silenciaba el sonido.

—Imaginemos ahora que las marchas de nuestro coche van desde cero hasta cinco. La marcha cero es correr a ritmo suave y la cinco es correr todo lo deprisa que seas capaz —continuó—. Si vas con la marcha cero, o con la primera, puedes aguantar mucho tiempo sin parar. Si pones la segunda, tú, que entrenas habitualmente, puedes correr una maratón sin bajar la velocidad. Si metes la tercera, el cuerpo empieza a generar ácido láctico y no durarás más de treinta minutos sin perder ritmo. Con la cuarta y la quinta marcha, solo puedes mantener la velocidad unos pocos minutos, incluso segundos. En nuestro argot, a esas marchas las llamamos «U0», «U1», «U2», «U3», «U4» y «U5». Y van a ser nuestra referencia para que des lo mejor de ti.

El doctor Hendrik sacó una de las hojas de la carpeta.

—Para que me entiendas, de lo que se trata es de resolver una ecuación. La incógnita es determinar las pulsaciones que te permitan correr a un ritmo alto durante un período determinado de tiempo sin que aparezca la fatiga. A esa velocidad se la conoce como «U3» o «umbral de lactato». Y será la piedra filosofal para hacerte un campeón.

—Mi entrenador nunca nos habló de todo esto —dijo Janik.

El médico aprovechó su interés para ahondar en las explicaciones. Janik lo escuchaba de la misma manera que un alumno escucha a su profesor. Umbral de lactato, ácido láctico, pulsómetro, consumo máximo de oxígeno... Iba a pasar algún tiempo hasta que se lo aprendiera.

—Janik, tu valor de consumo máximo de oxígeno es de ochenta y dos mililitros/kilogramo/minuto. Eso nos muestra que tienes un motor de Fórmula 1. Si queremos que no se gripe, necesitamos que estés bajo nuestra supervisión.

—¿Qué tengo que hacer? —preguntó con interés.

—Nosotros te guiaremos —respondió el médico, y dejó caer el bolígrafo en la mesa—. Existe un programa de jóvenes promesas. Y habrás oído hablar de la residencia para deportistas que han construido cerca de Ginebra la farmacéutica Poche y el Consejo de Deportes.

Janik había visto un reportaje sobre las instalaciones de Les Diablerets. La residencia se había inaugurado hacía dos años. Se encontraba a mil doscientos metros de altura sobre el nivel del mar. Algunos deportistas suizos pasaban allí meses, y esquiadores de otros países se alojaban durante la temporada previa a la competición. La selección alemana de natación alternaba su entrenamiento entre la residencia de Suiza y la de Sierra Nevada, en el sur de España. Las pistas de atletismo se llenaban de corredores del centro de Europa. Un grupo de saltadores y lanzadores cubanos había escogido la residencia como sede temporal mientras apuraba su campaña europea de competiciones. A la hora de hacer el reportaje, el equipo nacional de triatlón suizo se acababa de instalar para preparar los Juegos. Las habitaciones eran amplias, con conexión wifi y televisión vía satélite. Además había médicos, fisioterapeutas y hasta psicólogos deportivos.

—Voy a incluirte en la lista —dijo Hendrik.

No había oído hablar de esa lista, pero por la sonrisa del médico supuso que era algo muy importante.

—Estaremos en contacto. Piensa que eres el primer atleta que ha pasado por este centro con estos registros. Y por aquí han pasado campeones nacionales de medio fondo. Tienes muchas posibilidades de llegar donde han llegado ellos —dijo mirándolo a los ojos.

A esas horas, la gente estaba a punto de comer. Una mezcla de olor a salchicha frita y queso fundido llegaba hasta la calle. Las ventanas de las casas se abrían de par en par buscando el aire fresco de la montaña. Una adolescente observaba a los transeúntes, aprovechando la discreción de su atalaya, mientras se acariciaba con una mano el cabello. Un anciano de pelo canoso, con unas gafas pasadas de moda, leía el periódico en su terraza. Janik se preguntaba si alguna de aquellas personas era tan dichosa como lo era él en ese momento.

5

−Buenos días, Rose −dijo Thomas con energía mientras se dirigía a su despacho−. ¿Algo interesante para hoy?

Rose se levantó y, alisándose la falda, respondió a los buenos días de su jefe con prontitud. Después, comenzó a repasar la agenda. La tarde anterior había ido a la peluquería y se había cortado el pelo a lo *garçon*. Esa mañana había tardado una hora en maquillarse y elegir una ropa acorde con su nuevo look. Al final, se había decidido por un vestido estilo años sesenta, de lana gris y entallado, y unos zapatos de tacón de aguja rojos. Se había pintado los labios a juego con los zapatos. Llamó al despacho y entró.

−Buenos días, señor Connors.

Thomas levantó la vista. Todavía no se había adaptado a la costumbre francesa de tratar a todo el mundo de usted. La miró. Estaba guapa. El pelo negro tan corto le favorecía, pero eran sobre todo esos labios rojos que resaltaban sobre su tez pálida los que llamaron su atención. Tuvo ganas de besarlos. Se sintió culpable y bajó la mirada haciendo como que buscaba algo en el cajón de la mesa.

−Tiene una entrevista a las diez con un periodista de *Le Monde*. Nuestra última visita ha sido tan comentada que quieren saber más acerca de la organización. A las doce recibe a una delegación de la Policía de Moldavia; están interesados en incorporar el modelo FIND. A la una, come con el señor Noble. No hay más citas para hoy.

−Se nota que es viernes y que la gente quiere tener la tarde libre.

−¿Usted no? −preguntó Rose con más interés del que hubiera querido.

31

—Depende —contestó Thomas.

Rose bajó la cabeza y se marchó.

Thomas la observó mientras cerraba la puerta, y se maldijo por lo maleducado que había sido. Notaba el interés de Rose hacia él. Pero no podía permitirse líos en el trabajo. De ningún modo.

Si uno trata de imaginarse a un periodista, este sería como el que estaba sentado delante, pensó Thomas. Tenía un aire a Clark Kent. Llevaba gafas de carey y el pelo totalmente revuelto como si antes de acceder a su despacho lo hubiera sacudido un tornado. Miraba con preocupación su grabadora último modelo, tan compleja, que ni él mismo sabía cómo funcionaba. Al final, renunció a-no-sé-qué-quería-hacer, se limitó a darle al rec y dio comienzo a la entrevista.

—¿Podría decirme su nombre y el puesto que ocupa en esta organización?

—Me llamo Thomas Connors. He sido puesto a disposición por la sede de Nueva York. Tengo un puesto ejecutivo de grado cuatro.

—¿Qué significa «puesto a disposición»?

—Soy un funcionario que, por el interés de la Interpol, ha sido trasladado aquí. La puesta a disposición tiene normalmente una duración de tres años. Será prorrogable por iniciativa del secretario general, siempre que se obtenga el acuerdo de la Administración nacional. Por regla general, la duración no supera los cinco años. Pero, supongo que eso no será lo que le interesa —concluyó Thomas con evidente malestar.

—¡Oh! Claro que no. Nada de temas personales. Se me olvidaba que ustedes no deben mostrar su lado humano —respondió el periodista—. De acuerdo, quisiera saber cuántos miembros son, con qué presupuesto cuentan, cómo funciona la organización y qué objetivos tiene —dijo leyendo de carrerilla su cuaderno.

—Los objetivos principales de la Interpol son la lucha contra el terrorismo y el crimen organizado internacional en todas sus formas, ya se trate de blanqueo de capitales, tráfico de droga o falsificación de billetes. El tráfico transfronterizo de niños, las redes internacionales de prostitución y la actuación de grupos mafiosos también forman parte de nuestras competencias. El presupuesto anual es de cincuenta y seis millones de euros, que se dividen entre los ciento noventa países miembros.

–¿Todos los países tienen el mismo poder?

–Por supuesto. Cada uno de los países miembros de la Interpol mantiene una Oficina Central Nacional, la OCN, integrada por funcionarios que se encargan de hacer cumplir la legislación nacional.

Thomas tomó un sorbo de agua y prosiguió:

–El jefe de la OCN suele ser uno de los funcionarios de más alto rango. Dependiendo del tamaño del país, la OCN puede tener solo dos o tres funcionarios dedicados a las actividades relacionadas con la Interpol, o varias decenas; entre ellos se cuentan especialistas en terrorismo, fugas, delitos informáticos, trata de seres humanos, drogas o robos.

Thomas miró su móvil. En la pantalla, la cara de Claire se iluminaba y se apagaba. Ignoró la llamada.

–¿Qué resultados han obtenido y cómo se han organizado para su consecución? –preguntó el periodista.

–La preocupación de los Gobiernos por el avance del crimen organizado a nivel internacional está aumentando, ya que se manejan tecnologías punta cada vez más sofisticadas. Para combatirla, es necesario contar con medios de transmisión rápidos, eficaces y que, a su vez, sean totalmente seguros. Hoy en día, tardamos exactamente ochenta segundos en transmitir fotos, informaciones y archivos digitales a las diferentes oficinas nacionales de nuestros países miembros.

–¿Cuál es su principal objetivo?

–Los niños –contestó sin dudar Thomas–. Uno de nuestros instrumentos principales para combatir los abusos sexuales contra los niños es la base de datos de la Interpol sobre imágenes de delitos contra menores. Desde 2001 ha ayudado a rescatar a más de setecientas víctimas de abusos sexuales. Gracias al dinero que nos ha otorgado el G8, estamos transformando esa base de datos en un medio cada vez más avanzado de lucha contra la delincuencia. —Hizo una pausa—. Por ejemplo, en 2007, lanzamos la operación VICO, nuestra primera petición de ayuda dirigida a la población, para identificar a un hombre que aparecía abusando sexualmente de niños en una serie de imágenes expuestas en Internet. A los pocos días el sospechoso fue detenido, con lo que quedó demostrado que la cooperación con los ciudadanos y los medios de comunicación de todo el mundo daba frutos. Poco después, en 2008, se llevó a cabo la operación IDENT, que concluyó con el mismo éxito. Cuando el acusado de asesinato, homicidio o violación sale del país en el que ha cometido el delito, la investigación policial se vuelve más complicada. Los agentes deben confiar su vigilancia a otros organismos internacionales de cooperación; es decir, a nosotros.

—Y entre los países ¿cómo se comunica una orden? —continuó el periodista cada vez más interesado.

—La Interpol publica notificaciones de diferente color. La roja, por ejemplo, es el nivel más alto; es un aviso internacional sobre personas buscadas por la justicia en el que se pide a todos los países miembros que colaboren en su búsqueda y posterior detención.

La conversación fue interrumpida por Rose, que entró en el despacho con una bandeja con café y pastas.

—Perdone, lo quería con leche, ¿verdad? —preguntó solícita al periodista.

—Sí, gracias. Muy amable —respondió este nervioso.

Thomas sonrió. Rose solía provocar ese estado a la mayoría de los hombres. Parecía más una actriz que una secretaria. Pero, sin lugar a dudas, era la más eficiente que había tenido.

—Solo, para usted... —dijo dejando el café en el lado izquierdo de la mesa.

—Gracias, Rose. Te... bueno, se lo agradezco. —Thomas pensó que no se acostumbraría nunca al usted.

Ella asintió con la cabeza y, con una sonrisa en los labios, se marchó.

—La gente cree que tenemos agentes secretos viajando por todo el mundo de incógnito, como James Bond. De hecho, yo también lo creía —dijo Thomas en tono distendido y dio un sorbo al café.

—Y ¿no es así?

—No —contestó—. Sin embargo ayudamos a la Policía a realizar investigaciones y operaciones importantes que a veces resultan muy peligrosas. Podemos enviar equipos de especialistas a distintos lugares del mundo para prestar ayuda cuando se produce una catástrofe. Estos equipos también pueden ofrecer asistencia especializada a la Policía local.

El periodista asintió.

—Por ejemplo, cuando se encuentra un alijo de droga o se comete un atentado. Otros equipos pueden ayudar a planear las medidas de seguridad en grandes acontecimientos, como las Olimpiadas, y prestar apoyo para ponerlas en práctica. También invertimos mucho tiempo informando a la Policía de todo el mundo sobre últimas tecnologías y sus aplicaciones.

—Eso debe de ser crucial. Puesto que cada país tiene un desarrollo económico y cultural diferente —añadió el periodista.

—Exacto. Muchos delitos se cometen en varios países al mismo tiempo. Por ejemplo, algunas drogas se transportan ilegalmente desde América del Sur a Europa, pasando por África. Por esta razón, es importante que las fuerzas del orden de todo el mundo se comuniquen, con el fin de poder capturar a los autores de estos delitos. Para lograr este objetivo, deben tener acceso a ciertos sistemas y a información comunes. Todos los países miembros de la Interpol están conectados a nuestra red mundial de comunicación policial, conocida con el nombre de I-24/7.

—¿En qué consiste?

—Se trata de un sistema conectado a Internet y dotado de una tecnología avanzada que permite a la Policía enviar de forma segura mensajes e información altamente confidencial, y comprobar la información que figura en nuestras bases de datos.

Thomas alcanzó un bollo de chocolate y prosiguió:

—Por ejemplo, en un caso ocurrido en Mónaco, la Policía encontró huellas dactilares en el lugar en el que se había cometido un delito y, tras compararlas con las que figuraban en una base de datos de la Interpol, no solo descubrió la identidad del delincuente y su relación con otros delitos cometidos en Serbia, sino que el hombre tenía una orden de busca y captura en otros cinco países europeos.

El periodista se mostró satisfecho con la entrevista y creyó que ya tenía suficiente material para redactar su artículo. Guardó la libreta y la grabadora en una bandolera y con un apretón de manos se despidió de Thomas.

Después de la entrevista, Thomas disponía de tiempo libre antes de reunirse con un representante de la Policía moldava. Llamó a Claire.

—Hola, he visto que me has llamado, pero no he podido responder, estaba ocupado —se arrepintió al instante de esas últimas palabras e imaginó lo que ella estaba pensando: «como siempre».

—No pasa nada, estoy acostumbrada, aunque no me resigno —dijo—. Mantengo la esperanza de que te sueltes la melena y dejes de ser Don Responsable.

A Thomas le molestó el tono, demasiado áspero. Lo menos que podía hacer era fingir un poco de arrepentimiento después de lo que había pasado en su casa. Quiso decírselo pero calló. De pronto, deseaba terminar cuanto antes con aquella conversación.

—Quiero verte —dijo ella, suavizando el tono—. ¿Te gustaría que fuéramos a cenar y luego nos pasáramos por el casino? La última vez perdimos y juramos vengarnos y, bueno... eso fue en Navidad.

A Thomas realmente le apetecía salir y disfrutar del fin de semana.

—Me parece bien, ¿a qué hora te recojo?

—A las ocho.

—De acuerdo, hasta la noche entonces.

—Yo... lo siento Thomas —añadió Claire—. A veces soy un poco bruta. Ya sabes...

—Vale, no te preocupes, luego hablamos —contestó él, en tono reconciliador.

—*D'accord,* nos vemos esta noche —dijo ella antes de colgar.

Fue un día interminable, lleno de trabajo. Thomas llegó puntual a casa de Claire, pero no quiso subir y la esperó en la calle dentro del coche.

—Hola —lo saludó ella, y le dio un beso en la mejilla.

Thomas no respondió. Iba concentrado en la carretera.

—¿Piensas hablarme, o vamos a estar así toda la noche?

Thomas siguió callado.

—¿No vas a perdonarme lo de ayer?

Silencio.

—Solo fue un pequeño desliz.

—Quedamos en que el sexo con otras personas sería consentido, pero siempre respetando los deseos del otro —explicó Thomas.

—Te prometo que no volverá a suceder. Ahora olvídalo y disfrutemos de la noche.

Cuando entraron en el restaurante se fijó en ella; estaba preciosa. Al despojarse del abrigo, dejó al descubierto el vestido de noche que se había puesto para la ocasión. Tenía un escote en forma de «V» que llegaba hasta el estómago. Enseguida vio que no llevaba sujetador. Pero el límite del escote acababa justo al borde del pezón. Pensó que resultaba bastante difícil resistirse a una mujer así. Le hacía sentirse poderoso y envidiado. El *maître* los llevó hasta su mesa.

—No sé cómo has conseguido mesa. No puedo creer que estemos aquí —dijo Claire, sentándose.

—No tiene importancia, ha sido mi secretaria.

—¿Es atractiva?

—Mucho.

—¿Te la follarías?

—No.

—¿Por qué?

—Porque trabaja para mí —sentenció, incómodo.

—¿Solo por esa razón?

—Sí.

Thomas la miró fijamente para no perderse ninguna reacción. Lo defraudó. No halló atisbo de celos, ni enfado, ni nada. Simplemente, cambió de conversación.

—Este sitio me encanta —dijo.

—Y a mí —asintió él, siguiéndole el juego.

El restaurante de Philippe Gauvre era uno de los mejores de Lyon. Su creatividad había sido recompensada en el año 2000 con una segunda estrella Michelin. Formaba parte del casino Le Lyon Vert y estaba rodeado de una exuberante vegetación. Era una joya de la arquitectura *art déco* que invitaba a disfrutar del entorno. Se encontraba en La Tour-de-Salvagny, una pequeña población famosa por albergar el lujoso casino. Era un lugar de extraña belleza; en su interior, se podían encontrar hermosos salones estilo *belle époque*.

La cena transcurrió tranquilamente. Al acabar, a Thomas no le apeteció pasar al casino.

—¿Qué quieres hacer? —preguntó Claire.

—Quiero sexo.

—¿Conmigo o con otra?

—No sabía que te importara.

—Ni yo.

Los dos se miraron. Thomas no estaba dispuesto a ceder. No le había perdonado lo de su casa. Él nunca se había acostado con nadie a sus espaldas y menos en la casa de ella. ¿Qué deseaba Claire de él? Cuando se conocieron ella puso sus normas, quería ser libre y practicar sexo con otras personas. Para su propia sorpresa, Thomas aceptó. Ese trato zanjaba una cuestión incómoda, el compromiso. Lo cierto es que no la quería en su vida, solo en su cama.

—¿Vamos al Club Auberge? —propuso Thomas—. Es tarde y habrá ambiente.

A Thomas le gustaba ese garito. Era pequeño, discreto, y no aceptaban hombres solteros. Se podía asistir a los intercambios de pareja con la tranquilidad de que no había mirones, solo parejas y mujeres solas. Tenía las paredes pintadas de azul y los sofás, de cuero rojo, estaban dispuestos unos enfrente de otros. A un lado, se encontraba la barra; al fondo, una pista de baile junto a otra más pequeña, de forma octogonal y rodeada de espejos, donde los más atrevidos bailaban. La luz roja del club lo excitaba, dotaba a los rostros de sensualidad y al color de la piel de un tono que incitaba a la lujuria.

Saludaron a varias parejas con las que solían hacer intercambio. Rehusó unirse a ellas cuando se dirigieron a una de las habitaciones forrada de espejos en la que había una cama de cuatro por tres metros, ideal para albergar varios cuerpos. Thomas contó siete personas. De repente, Claire dejó su copa y se unió a ellos. A él no le importó, la pista de baile estaba de lo más animada. Alcanzó su mojito y se sentó cerca. Enseguida vio a alguien interesante, una mujer que bailaba con movimientos lentos y sensuales. Llevaba un corpiño negro con cintas moradas, un tanga también negro y unas medias hasta el muslo con ligueros. No la conocía y eso le gustó. Aprovechó que ella fue a pedir algo a la barra para acariciarle el brazo. La mujer se volvió hacia él saludándolo con la mirada.

—Me gusta como bailas.

—Gracias —respondió la mujer—. Qué raro, un hombre tan guapo solo.

Thomas rio ante el cumplido.

—Mi pareja está arriba en una bacanal, demasiado para mí... ¿Y la tuya?

—Estoy sola. Me aburría en casa y no se me ocurría un sitio mejor para una mujer un viernes por la noche. Aquí puedes ponerte la ropa más *sexy* sin que nadie te moleste; un no siempre es un no, en cualquier momento. Además, la entrada es gratis y encima te invitan a una copa. De fábula.

—¿En tu repertorio de razones para venir está el sexo?

—De las últimas —respondió la mujer con una sonrisa—. Me gusta que me miren y me deseen, pero prefiero bailar.

—Pues yo te encuentro irresistible... Cuando te canses de bailar, aquí te espero.

La mujer rio encantada.

—Me llamo Bárbara y acabas de subir a lo alto de mi lista.

—Yo, Thomas. Un placer —se presentó y la besó en el cuello.

—¿Dónde vamos? —preguntó excitada.

—Me gustaría que estuviéramos solos, así que el *jacuzzi* y la sauna quedan descartados.

—Vayámonos al baño —propuso ella, y le dio la mano.

Thomas la subió sobre la encimera de mármol, le retiró el tanga y la penetró por detrás con fuerza. Mientras la embestía, le acariciaba con los dedos el clítoris con movimientos circulares. Poco después, oyó su orgasmo; se corrió de manera escandalosa y, a continuación, le tocó a él. Cuando terminó, se quedó tumbado sobre la espalda de Bárbara oyendo su corazón acelerado. Le besó el pelo y se retiró quitándose el preservativo.

—Gracias, Bárbara. Si no te molesta, me voy a ir a casa. Antes de irme te invito a una copa.

—No hace falta, me voy a bailar —contestó ella. Se limpió de manera rápida con una toallita húmeda y, dándole un beso en la frente, le dijo—: La próxima vez que nos veamos te sacaré a la pista.

—Lo vas a tener difícil —contestó Thomas mientras se abrochaba el cinturón.

—Soy muy cabezota —aseguró Bárbara.

Thomas le dio un beso de despedida en el cuello y ambos se fueron por caminos opuestos. Después, dejó al camarero una nota para Claire. Pensó meter en un sobre dinero para que tomara un taxi, pero supuso que ella no se lo perdonaría. Salió fuera y entró en el coche. El teléfono emitía una luz parpadeante roja. Comprobó sus llamadas. Tenía cinco de un número desconocido en su móvil privado. Se asustó. Pensó en sus padres, solo un grupo muy reducido de personas conocía ese número. Marcó y obtuvo respuesta enseguida.

—Thomas —dijo una voz llorosa—. Thomas —repitió la voz, ahogada en lágrimas.

Se quedó en blanco escuchando el lamento de la mujer.

—Maire —susurró.

El pasado volvió de repente, sin avisar. El golpe fue brutal. De pronto, se vio a sí mismo veinticinco años antes.

—Maire, ¿eres tú? ¿Qué ha pasado?

—Ha muerto Úna, mi hija —respondió conteniendo el llanto.

—No sabía que tuvieras una hija. Yo... lo siento.

—Thomas, ayúdame por favor.

—Por supuesto —dijo abrumado—. ¿Qué puedo hacer?

—Tráela a casa. Está en Suiza, en el hospital de Chablais. Tienes que reconocer el cadáver, hacer los papeleos, qué se yo... La repatriación... todas esas cosas. —Maire no pudo continuar y rompió a llorar.

—Pero, yo no conocía a tu hija —dijo Thomas, confundido.

—Sabrás que es ella cuando la veas —respondió serena—. Estoy convaleciente de una operación y no puedo ir. Tus padres me dieron tu número y estás cerca de donde ella vive. Vive en Monthey. Quiero decir... vivía. Dios mío... no voy a poder con esto.

—¿De qué ha muerto?

—Me dijeron que de muerte súbita, mientras dormía. La han encontrado esta mañana. No había acudido a los entrenamientos y eso les extrañó. Cuando llegaron los médicos, ya no pudieron hacer nada...

—Te voy a dar mi correo electrónico y me mandas todos los datos, además de tu consentimiento para representarte. No te preocupes, me haré cargo de todo.

—Gracias, Thomas. Estoy tan cansada... El médico me ha dado una pastilla y me está haciendo efecto. Me voy a dormir, es muy tarde. Mañana quizá esto no haya ocurrido y solo sea una pesadilla. Buenas noches.

Sin darse cuenta, Thomas le contestó en gaélico y colgó.

Cientos de imágenes estallaron en su cabeza. Maire sonriéndole; Maire y su pelo rojo luchando contra el viento; Maire y su cuerpo pálido; Maire llorando... Salió del coche, necesitaba respirar y olvidar. Detrás oyó las risas de algunos fumadores que charlaban despreocupadamente en la puerta del club. Se alejó. Se detuvo intentando ubicarse. Se sentó en una piedra y agarró

un puñado de tierra. Le temblaba la mano. En un gesto me-
cánico, la olió. Recordó su hogar, los pastos y sobre todo las
montañas. Se alzaban sobre el horizonte amenazadoras, como
enormes guardianes de una tierra lejana e inalcanzable para él.
Cuando vivía allí, le gustaba observarlas; cambiaban según la
época y la luz: marrones con los helechos secos del otoño; ocul-
tas por la niebla en invierno; verdes y plácidas en verano. ¿Cuándo
dejó de soñar con ellas?

Se levantó. Volvía a casa.

6

El padre de Janik murió de un cáncer de pulmón ocho años atrás. Una gran bandada de estorninos acompañó el féretro desde el velatorio hasta el camposanto. Cuando Janik le preguntó a su madre si aquellos estorninos habían ido a despedirlo, ella no supo qué contestar.

El funeral no había sido más que un sueño, algo irreal, pero cuando llegó a casa el olor de su padre permanecía impregnado en las cortinas y en los sillones... Janik no pudo soportarlo y salió corriendo. Entró en el taller de carpintería, donde se empapó del olor a trementina, aguarrás y virutas de madera. Allí tampoco logró deshacerse de la angustia. Bajó por un camino hasta el río. Se sentó en la orilla esperando que la corriente se llevase su tristeza. Bandadas de patos pasaban delante de sus ojos y aterrizaban en el agua. La pena se salía de su pecho y lo paralizaba. Le hubiese gustado hacer lo mismo que ellos, esconder la cabeza y no pensar en nada. Entonces, escuchó la voz de su padre que lo ayudó a ponerse en pie y lo acompañó hasta que desapareció el dolor. Aquella voz lo llevó hacia lo desconocido; desde aquel día no paró de correr.

Su timidez había sido un problema para relacionarse con las chicas y los entrenamientos servían para apaciguar sus hormonas. Había desarrollado una técnica para satisfacer sus impulsos sin tener que entablar una conversación. Proyectaba sus fantasías en cualquier escenario. El placer solitario de la masturbación, al que se entregaba todos los días, lo mantenía alejado de cualquier contacto con una mujer. Empezó a fantasear con situaciones y desarrolló la capacidad para ser un mero espectador, desdoblaba su yo y, en su imaginación, lo enviaba a la conquista del sexo opuesto. Podía hacer cualquier cosa, precipitándose por el abismo de lo prohibido. La llegada a la residencia no hizo más que multiplicar sus fantasías.

A las siete de la mañana el despertador emitió un pitido intermitente que interrumpió su sueño. Junto al despertador, encima de la mesilla, colgaba de una de las esquinas la cinta del pulsómetro.

Sin mover uno solo de sus músculos, casi sin respirar por miedo a alterar los escasos treinta y nueve latidos del corazón, encendió la lámpara de la mesilla y alargó la mano en busca de la cinta receptora. Se colocó la correa en el pecho atando los dos anclajes. La mano izquierda apretó el botón de inicio, y permaneció echado con los ojos cerrados, el pensamiento vacío y la respiración detenida. Cuando intuyó que se cumplían los sesenta segundos, abrió los ojos. Sacó las piernas fuera de la cama y se sentó en el borde. Se levantó con la lentitud propia de un camaleón, con la idea de no precipitar ni un latido de su joven corazón. Apretó el botón de stop cuando el cronómetro llegó a los noventa segundos. Con un suspiro, liberó uno a uno los mecanismos de retención del pulso. Se fundió con el entorno, olvidándose de lo que pasaba en su interior.

Salió al balcón. Una deportista que acababa de salir de la residencia miraba el cielo. Las ramas de los árboles crujían suavemente bajo el viento. En el horizonte se adivinaba una tormenta y el cielo parecía contener la respiración. Janik lo veía expandirse y contraerse, al igual que su corazón. A lo lejos, destellos eléctricos lo iluminaban de manera intermitente, como si fuesen aurículas y ventrículos en movimiento. Empujó la puerta del balcón y entró en la habitación. Sacó el ordenador portátil de la mesilla, colocó el interfaz y aproximó el pulsómetro. Las luces rojas parpadearon reflejando que los datos se estaban transfiriendo correctamente. Después de unos segundos, comprobó la media del pulso: cuarenta y dos tumbado, cuarenta y ocho de pie. Estaba plenamente recuperado del esfuerzo y el pulso no presagiaba un mal físico. Llevaba dos años utilizando ese sistema.

Era tan fiable en sus predicciones como un teorema matemático en sus resultados.

Ethan, un ciclista australiano de veinte años, se había tomado un somnífero la noche anterior y descansaba plácidamente en la cama de al lado. Su pelo rizado y su eterna sonrisa le daban un aspecto amable y divertido aunque, últimamente, se mostraba irritado y olvidadizo. Su falta de memoria lo volvía impredecible y era Janik quien llenaba sus espacios en blanco. Janik se vistió con un *culotte* de ciclismo, una camiseta, una sudadera y unas zapatillas amarillas de competición tan ligeras como una pluma.

Salió de la habitación y caminó por uno de los pasillos de la residencia hasta el gimnasio. Las máquinas para trabajar los diferentes músculos ocupaban el centro de la sala; en una de las esquinas, había una gran tarima de madera y en la pared colgaba un espejo que los deportistas utilizaban para mejorar su técnica y evitar lesiones. Alrededor de la tarima había un sinfín de barras, pesas, mancuernas, balones de todas las medidas y gomas elásticas. En el lado opuesto, estaban las bicicletas, los tapices rodantes, las elípticas y los remos. La soledad y el silencio a esa hora de la mañana, la cantidad y variedad de máquinas con sus botones, palancas, engranajes y prolongaciones creaban una atmósfera irreal, como futurista. Janik pensó que aquellos aparatos eran androides sumidos en un letargo y que, al apretar el interruptor de la luz, cobrarían vida. Apretó el interruptor, pero no pasó nada. Eligió una de las bicicletas y programó la centralita. Sesenta minutos a ciento veinte vatios de potencia. Hendrik le había explicado que era una excelente manera de sustituir una sesión de correr por otra menos traumática para sus músculos y tendones. Pero eso no amortiguaba ni el aburrimiento ni el deseo de parar y volver a su habitación.

Para salir de la monotonía, se imaginó que bajaba de la bicicleta, se desnudaba y se tumbaba en la colchoneta hasta que entraban en la sala dos chicas del equipo de gimnasia rítmica con bonitos cuerpos pero sin un rostro determinado, como ocurre en algunos sueños. Las chicas lo encontraban desnudo y con su

45

pene a medio camino de una erección. Al verlo, se quitaban la ropa y le hacían el amor. El pensamiento le provocó tal erección que tuvo que dejar de pedalear por miedo a que alguien apareciese por la puerta.

El comedor era una gran sala con amplios ventanales y columnas redondas. Las mesas esparcidas como islotes tenían una capacidad para diez personas. Janik y Ethan pasaron por el mostrador y se sirvieron el desayuno.

—Hidratos para desayunar, hidratos para almorzar, hidratos para comer, merendar y cenar. ¡Estoy de los hidratos hasta las narices! —exclamó Ethan.

—No te quejes que tú no tomas a diario aminoácidos, glucosamina, carnitina, batidos de proteínas, hierro, vitamina C, las Bes...

—Para, para, que pareces un herbolario haciendo el inventario.

Se sentaron en una de las mesas vacías. No hablaron más. Janik acabó el primero y se dedicó a comerse las uñas. Tenía pequeñas heridas en varios dedos.

De repente, Peter, un velocista que formaba parte del equipo de relevo largo de Holanda, entró en el comedor a toda velocidad y se sentó al lado de Ethan. Por sus gestos, parecía que había visto un fantasma.

—Úna ha muerto esta noche. Acaban de llevársela envuelta en un saco negro —dijo en inglés.

Unos jugadores de baloncesto que hablaban al otro lado de la mesa levantaron la cabeza; otro jugador de ping-pong, que estaba sentado en la mesa de enfrente, dejó caer el bollo en la leche y se acercó.

—¿Úna, la del equipo de Rusia? —preguntó Ethan.

—Sí, la cuatrocentista.

—¿Qué ha pasado? —preguntó.

—No sé, al bajar las escaleras he visto a dos policías en la entrada de su pasillo. No dejaban pasar.

—¡Policías en la residencia!

–Sí, estuve esperando unos minutos –dijo Peter–. Primero salieron unos hombres vestidos de traje. Al cabo de unos minutos, los de Emergencias. Les preguntamos qué había pasado. Nos dijeron que había muerto una chica.

–Joder. ¿Era Úna? ¿Seguro? –preguntó Ethan, incrédulo.

La noticia corrió como la pólvora por el comedor. Tres chicas del equipo alemán de natación se acercaron a la mesa y rodearon a Peter, que continuó hablando.

–Sí, cerca del ascensor había una amiga suya irlandesa. Cuando pasó la camilla con el saco negro, repetía su nombre.

El silencio se alargó como un muelle, nadie daba crédito a lo que estaba contando Peter. Como empujados por un resorte imaginario, todos salieron en desbandada del comedor. Las bandejas con el desayuno se quedaron en las mesas hasta que una de las limpiadoras, molesta por tener que recogerlas, las llevó hasta el carro.

7

Blanc Kummer permaneció junto a la chimenea y dejó vagar su mirada por la habitación. En la cocina se sentía acompañado por sus recuerdos. Era allí donde su abuelo le contaba historias acerca del diablo. Los habitantes de la comuna empezaron con las habladurías desde que, en 1882, sus antepasados compraron las ruinas de la abadía. Unos meses después, evitaron todo contacto con la familia Kummer, pues creían que había hecho un pacto con el mismísimo Lucifer. Les echaban la culpa de los desprendimientos y las desapariciones.

En el verano de 1920, un grupo de habitantes de Les Diablerets, armados con hachas y guadañas, intentaron linchar a los Kummer por la desaparición de una muchacha. Pero una roca caída desde la quilla del Diablo, la famosa mole de granito de cuarenta metros, impidió sus propósitos. A la joven nunca la encontraron.

Blanc creció entre ovejas, cabras y el desprecio de los habitantes de los alrededores. Cuando era un niño no entendía por qué sus compañeros de escuela no querían jugar con él. Pensaba que tal vez era por el olor a ganado que desprendía.

—Madre, ¿por qué olemos tan diferente que nadie quiere ser nuestro amigo?

—No te avergüences de oler a animal, gracias a ellos nos alimentamos y tenemos ropa con la que soportar el frío. Además, ¿cómo crees que huele el resto de la gente? —dijo su madre.

Esa respuesta lo confundió aún más. Entonces, ¿cuál era la razón por la que lo rehuían? Le resultaba más fácil creer que el rechazo tenía su causa en el olor. Desde aquel día, su madre lo regañaba cuando lo veía restregarse el cuerpo con barro, o lo sorprendía desnudo frotándose la piel con agua fría y jabón.

Cuando la barba le comenzó a crecer, ya había adquirido un odio enfermizo hacia sus semejantes y no le importaba que la gente del pueblo pensase que había algo demoníaco dentro de él.

8

Antes de que Thomas entrara en su despacho pidió con gesto serio a Rose que lo acompañara.

—Me voy a tomar unos días libres, así que necesito que anule todo. Calculo que serán unos dos días, a lo sumo, tres.

Rose estuvo tentada de preguntar la razón, pero su pregunta murió en su boca antes de salir. Se mordió el labio inferior y asintió con diligencia.

—También necesito que contacte con la embajada de Irlanda en Suiza y que le informen de cómo repatriar un cadáver. Es urgente. En cuanto lo haya hecho me pasa la llamada. —Hizo una pausa y preguntó—: ¿Ha llegado algún fax desde Irlanda esta mañana?

—Iré a mirar, un momento.

—Por favor, prepáreme un café solo. Gracias —añadió antes de que saliera.

Al poco rato llamaron a la puerta. Era Rose con el café y una carpeta azul.

—Ha recibido estos papeles de parte de Maire Gallagher —los depositó en la mesa y se marchó.

Thomas abrió la carpeta y echó una rápida ojeada a los faxes.

La hija de Maire se llamaba Úna Kovalenko, lo cual le sorprendió: un nombre gaélico y un apellido de Europa del Este. Leyó los datos del seguro que se iba a ocupar de los gastos y un informe preliminar de la causa de la muerte a la espera de la autopsia.

Sonó el teléfono. Era Rose, que le iba a pasar con alguien de la embajada.

—Hola, buenos días, le habla Thomas Connors, jefe de organización y ejecución de las reuniones de la asamblea general y del comité ejecutivo de la Interpol. —La presentación le pareció demasiado pedante, pero necesitaba ayuda y de forma rápida.

—Sí, buenos días, soy William Kennedy. ¿En qué puedo ayudarle?

—Tengo que hacer los trámites para repatriar un cadáver desde Suiza a Irlanda y desconozco el procedimiento.

—¿Ha sido muerte natural o por alguna causa violenta que implique una investigación policial?

—Que yo sepa, natural.

—Entonces, una vez hecha la autopsia, el cuerpo tiene que embalsamarse y el traslado debe hacerse en un ataúd específico, de madera y con tablas de al menos veinte milímetros de espesor, que estará reforzado con abrazaderas metálicas —explicó la voz al otro lado del teléfono—. Dentro debe haber otra caja forrada de cinc, de plomo o de cualquier otro material que cumpla las mismas características; tiene que ser biodegradable e hipermeabilizable para que no se filtren los fluidos humanos.

Antes de continuar, el funcionario le preguntó:

—¿Es usted familiar?

—No, pero represento a la familia.

—¿Tiene el poder firmado y compulsado?

—Sí, lo tengo en mis manos en este momento —respondió Thomas.

—Bien, entonces tendrá que cumplimentar una instancia al consulado para que le permita el traslado del ataúd, ya que tiene que cerrarse en presencia de un funcionario consular. Esta persona está encargada de extender un acta de cierre y rodear la caja con una cinta que se lacra —continuó el funcionario, que explicaba el procedimiento con una meticulosidad exasperante—. Es el sello por el cual, en la frontera, saben que el cuerpo puede ser repatriado.

—¿Me está diciendo que necesito permiso de la embajada para trasladar el cuerpo? —preguntó Thomas, atónito.

—Sí, y tiene que ser presencial, no sirve por escrito.

Thomas empezaba a impacientarse. Conocía demasiado bien cómo funcionaba la burocracia en las embajadas.

—¿Hay alguna manera de saltarse ese paso? —preguntó.

—No se necesita esta intervención consular cuando el traslado se realiza entre países del llamado Convenio de Estrasburgo de 1973, que incluye todos los de la Unión Europea. Con un salvoconducto mortuorio expedido por la autoridad local es suficiente.

—¿Suiza forma parte del Convenio?

—Pues... creo que sí, un momento que lo miro.

Thomas oyó el teclear del ordenador:

—Por supuesto que sí —confirmó el funcionario—. ¡Qué despiste por mi parte! Perdone, llevo poco en el puesto y no estoy al día de todo —se disculpó.

—Está bien, dígame dónde tengo que pedir los impresos —replicó Thomas, cansado.

—Si quiere, el principal se lo mando por fax. También me puede dar los datos de la persona muerta e intentaré agilizar el papeleo en el hospital en el que se encuentre —añadió.

—Se lo agradecería enormemente —respondió Thomas con alivio.

Después de darle su número de fax y teléfono, el señor Kennedy hizo lo mismo.

—No dude en llamarme si surge algún contratiempo. Buenos días —se despidió.

—Así lo haré y, nuevamente, gracias.

Se tomó el café que ya estaba frío justo cuando Rose entraba para entregarle una hoja.

—Ha llegado esto desde la embajada de Irlanda.

Antes de leer el impreso, Thomas leyó la nota adjunta que el señor Kennedy había incluido:

«Si no se indica la causa del fallecimiento por motivos de secreto profesional, en el curso del traslado debe acompañar al cadáver un certificado en un sobre sellado que indique dicha causa. Este tiene que presentarse a la autoridad competente en el Estado de destino. El sobre sellado ha de llevar una indicación exterior que permita su identificación e ir unido firmemente al salvoconducto. De no hacerlo así, el salvoconducto deberá indicar si la persona ha fallecido de muerte natural y de enfermedad no contagiosa.»

Entró en la página web de Michelin, para calcular el tiempo y el recorrido desde Lyon hasta la ciudad suiza de Monthey. Comprobó que estaba cerca, a doscientos sesenta y cinco kilómetros. Le costaría unas dos horas largas por vías rápidas. Se despidió de Rose con un escueto adiós y se dirigió al aparcamiento. Ya en el coche, comprobó en los papeles enviados por Maire el nombre del hospital y lo puso en las coordenadas del GPS. Había hecho la maleta antes de salir de casa con lo imprescindible: ropa interior, un traje oscuro para el sepelio, un buen abrigo impermeable, botas, calcetines gruesos y ropa de deporte.

En el mostrador de la entrada del hospital de Chablais, Thomas indicó quién era y por qué estaba allí. A los pocos minutos, el subdirector, Antoine Toupard, salió a saludarlo. Lo esperaba desde que le avisaron de la embajada.

—Bienvenido, señor Connors. Lamento que nos conozcamos en estas circunstancias —dijo, muy educado.

Como respuesta, Thomas le estrechó la mano.

—Encantado.

Estaba cansado. La noche anterior apenas había dormido; fantasmas que él creía olvidados se habían presentado sin previo aviso.

—Desde que recibimos la llamada de la embajada hemos intentado agilizar los trámites de la manera más rápida posible —informó, señalando el camino a seguir.

—Es usted muy amable.

—Este hospital es enorme, forma parte de un complejo formado por tres edificios a cada cual más grande: el geriátrico, la maternidad y este en el que estamos —explicó con orgullo—. La sección de autopsias está ubicada en la primera planta, en el ala izquierda del pabellón de anatomía patológica. Su extensión cumple los objetivos propuestos y supera los mínimos exigidos por la Comisión Nacional de Anatomía Patológica: cien metros cuadrados.

Thomas no se lo podía creer, el subdirector se comportaba como si fuera un guía turístico. Respiró profundamente e intentó concentrarse en su explicación.

—Comunica directamente con el mortuorio en la planta baja, con el hospital a través del sótano y con el resto de las dependencias de anatomía patológica en la planta segunda —continuó el hombre—. Las salas de autopsias están enlazadas entre sí por medio de áreas de vestuario y servicios. La unidad de autopsias comparte con el resto de las secciones la recepción-fichaje, el procesado de las muestras en el laboratorio, inclusión, cortes, tinción, distribución de las preparaciones, patología molecular, microscopía electrónica, las labores de secretaría y el archivo de bloques donde se preparan los informes y fotografías. Interesante, ¿verdad? —preguntó, sin esperar respuesta—. Ya hemos llegado.

Le pidió que esperara en un cuarto impersonal pintado de blanco, color que Thomas detestaba. El blanco le recordaba la niebla de Irlanda, fría y espesa. Cuando llegaba, lo cubría y aplastaba todo, los prados y los relieves de las montañas, transformando el espacio que tan bien conocía en un lugar frío e irreal. Lo cierto es que desde niño le costaba entrar en calor; como decían los viejos de su aldea, tenía el frío metido en el cuerpo.

La casa de su infancia no tenía calefacción ni disponía de agua corriente, y utilizaban un retrete de madera que había en un extremo del jardín. Todos los días tenía que ir a la bomba a buscar agua. El baño se realizaba en un balde enorme delante de la estufa de leña el domingo antes de ir a misa. Él dormía en un anexo a la cocina-salón, en una pequeña cama que estaba pegada a la pared; una cortina de lado a lado creaba una cierta intimidad. La otra estancia de la casa, el dormitorio, la ocupaban sus padres. Toda la vida transcurría en la enorme cocina. En un aparador había una vajilla de porcelana con motivos florales y tarros de las conservas más variadas. En unas cajas de madera se guardaban las nueces y las avellanas. De los ganchos del techo colgaba la carne hasta que se curaba y también ramos de hierbas secas. Sobre los fogones había un gran tendedero, que se subía y bajaba con ayuda de una cadena, y en el que se ponían a secar las prendas mojadas.

Oyó que se abría la puerta. El subdirector apareció acompañado de una atractiva mujer morena.

—Le presento a nuestra patóloga forense, la doctora Laura Terraux.

—Encantado, doctora. —Thomas le tendió la mano.

—Encantada, señor Connors —dijo ella con seriedad, e inmediatamente fue al grano—: He practicado la autopsia a la señorita Úna Kovalenko. No he encontrado nada reseñable ni fuera de lo común —comenzó, sin disimular su malestar—. Deportista profesional, de veinticuatro años, gozaba de una excelente salud. La causa de la muerte fue una embolia pulmonar que derivó en paro cardíaco. Como no se le detectaron problemas de salud en las últimas veinticuatro horas, he escrito en el informe mi diagnóstico: muerte súbita.

—Si me perdonan —interrumpió el subdirector—, tengo bastante que hacer. Ruego que me disculpe, señor Connors, lo dejo en buenas manos. Un placer —dijo antes de marcharse.

—Entonces, ¿puedo llamar a la funeraria para repatriar el cuerpo? —preguntó Thomas sin prestar demasiada atención al señor Toupard.

—Lo siento, pero todavía hay que embalsamar el cadáver. No se preocupe, tardaremos poco, una media hora. Si me da su número de móvil le avisaré cuando hayamos acabado. Veo que tiene bastante prisa. Debe de ser una persona muy ocupada —dijo la forense con sarcasmo sacando un bolígrafo del bolsillo de su bata blanca.

—¿Perdone? Creo que no la he importunado en absoluto —replicó, de mal humor, Thomas.

—Quizá usted no, pero nuestro querido subdirector nos ha hecho aparcar trabajos más urgentes para hacer la autopsia de su familiar.

—No es mi familiar.

—Se nota —contestó Laura, seca—. Perdone, tengo trabajo.

—De acuerdo, estaré en la cafetería.

Thomas le dio su número y se fue. Después de perderse por los pasillos y de preguntar varias veces, encontró la cafetería. Estaba hambriento. Desde la mañana solo había tomado un café. Las mesas de al lado de la ventana estaban ocupadas, así que esperó a que alguna quedara libre. Le pidió a una amable camarera una ensalada caliente y un pudding de pescado, para beber, coca-cola *light*. Mientras esperaba, llamó a Claire sin obtener respuesta. Le mandó un escueto mensaje resumiendo lo que pasaba.

Cuando terminó de comer la *mousse* de chocolate apareció la forense.

—*Bon appétit*. ¿Le importa si me siento un momento?

—En absoluto, por favor —contestó Thomas, sorprendido, y señaló la silla vacía.

—Imaginé que estaría en la cafetería. Siento lo de antes, fui una impertinente —dijo.

—No tiene importancia. Todos tenemos días malos —respondió Thomas.

—No es excusa, pero últimamente tenemos bastante trabajo. Este hospital se ocupa también de los cantones de Vaud y Valais, y a veces no damos abasto. Hemos tenido que incorporar otra unidad de frío mortuorio.

Thomas la miró con una expresión interrogante.

—Está el de temperatura positiva de dos y cuatro grados, que guarda los cuerpos algunos días o algunas semanas, pero no previene la descomposición del cadáver que sigue su curso de una forma muy lenta —explicó la forense—. Y está el que se ha comprado, de temperatura negativa de menos quince y menos veinticinco grados. En estas temperaturas el cuerpo se congela totalmente y la descomposición se detiene. Salía más barato que contratar forenses —dijo resignada.

—La invito a comer —propuso Thomas de repente.

—Pero... si usted ya ha terminado —contestó ella sonriendo—. Además, he quedado para comer en el restaurante del personal. Aunque un café sí que le acepto.

La doctora Terraux echó tres azucarillos a su café *noissette*.

—He pagado mi estrés con usted y es algo imperdonable en la situación a la que se va a enfrentar ahora —se disculpó, mientras daba vueltas al café con la cucharilla—. Cuando acabe, lo acompañaré para identificar el cadáver. Sabemos quién es pero, ya sabe, la burocracia. Tiene que hacerlo un familiar o su representante. Es un momento muy duro.

—No se preocupe, he estado ocho años trabajando para el FBI. Estoy acostumbrado —la tranquilizó Thomas—. Lo que no entiendo es cómo puedo identificarla si no la conocía.

—¿Perdón? —preguntó Laura, sorprendida.

—Su madre me aseguró que no tendría problemas en reconocerla. No sé qué quiso decir...

—Sé que trabaja para la Interpol, pero desconocía que era policía. Pensé que era más bien un pez gordo de oficina.

—No soy policía, en el FBI trabajaba como perfilador.

Thomas vio como esa cara bonita se transformaba en una mueca de incomprensión.

—Elaboraba perfiles psicológicos cuando no sabían por dónde empezar la investigación —explicó de manera escueta—. Facilitaba información sobre dónde buscar y a quién, posibles sospechosos, etcétera. Al final, dejé mi trabajo de profesor en la universidad y acabé formando parte de la plantilla.

—Debió de resultar una experiencia muy diferente a la enseñanza. ¿Mereció la pena? —preguntó la doctora.

—Sinceramente, creo que no. Demasiados malos malísimos —contestó Thomas, y esbozó una amarga sonrisa.

Aquel gesto no pasó inadvertido a la forense. Le pareció un hombre atractivo y misterioso.

Cuando ella acabó el café, Thomas pidió la cuenta y se marcharon. Nada más entrar en el mortuorio, Thomas reconoció el olor del embalsamamiento. Se inyectaban en los cuerpos una serie de productos químicos, como el formaldehído, glutaraldehído, metanol, etanol y otros solventes, cuyo olor flotaba en el aire. Sin embargo, no conseguían disimular otro olor más fuerte, el olor de la muerte. La doctora Terraux comprobó los datos del nicho, abrió la puerta y sacó una camilla con un cuerpo encima.

—¿Está preparado?

Thomas asintió.

Destapó el cadáver y Thomas se acercó a él.

Era Maire. La que se quedó al pie de la colina llorando mientras le rogaba que no se marchara. Su pelo rojo, su cara... Se tapó la boca ahogando un gemido y asintió. El corazón le empezó a latir con fuerza. Tenía calor, se desató la corbata en un intento por liberarse de la sensación de agobio, atravesó la puerta y salió.

—¿Está mejor? —le preguntó Laura, que se acercó a él con un vaso de agua.

—Sí, gracias —contestó.

Alcanzó el vaso y bebió.

—Tranquilo, ya ha pasado lo peor. Todo está preparado. El seguro ha sacado el billete y se repatriará el cadáver mañana temprano. Nos han llamado para que les confirmáramos que todo estaba en regla. Ya solo le queda descansar y acompañarlo hasta Dublín.

—Hasta Kilconnell, es una aldea que está a dos horas —puntualizó, cansado—. El pueblo donde crecí.

—¿Es usted irlandés? Su acento no lo delata.

—Hasta la médula —dijo con sorna.

—¿Lleva mucho tiempo sin ir? —preguntó la forense con curiosidad.

—Más de veinte años —contestó Thomas, sorprendiéndose a sí mismo—. El tiempo pasa muy rápido.

Laura intuyó que habría alguna razón para tan larga ausencia, pero optó por ser discreta.

—En fin —dijo Thomas a la vez que se ponía de pie—, no le molesto más. Ha sido muy amable, doctora Terraux.

—Me llamo Laura —añadió ella estrechándole la mano.

—Encantado.

—Por cierto —dijo la forense antes de que cerrara la puerta—, es la quinta autopsia que hago este año por muerte súbita.

Thomas se paró en seco.

—¿Suele ocurrir en su trabajo?

—No, pero a veces hay rachas. Hace dos años tuvimos cuatro casos de muerte por tuberculosis. Luego nada.

—¿Por qué me lo cuenta? —preguntó intrigado.

—Porque, como le he dicho, he practicado cuatro autopsias con el mismo diagnóstico. Con esta, son ya cinco personas que han muerto en las mismas circunstancias este año. Todas con un mismo patrón: mujeres jóvenes, sanas, deportistas. Yo... no encuentro una explicación. Ahora que me ha comentado su anterior trabajo, no sé, quizá habría que indagar.

—¿Se lo ha comentado a la Policía?

—Por supuesto. Su contestación fue tajante: si es muerte natural, no hay nada que investigar —contestó torciendo la boca, contrariada—. He puesto especial interés en las autopsias pero, la verdad, no he encontrado nada relevante.

—De acuerdo, si aparece otro caso, avíseme, pero sepa que estoy de acuerdo con la Policía.

La forense asintió.

Mientras conducía camino del hotel, el cerebro de Thomas se puso a trabajar.

9

La primera vez que Janik vio a Irina fue en el gimnasio que daba a las pistas. Janik hacía una sesión de fuerza con la prensa de piernas y la sentadilla, un aparato para trabajar determinados músculos, cuando Irina apareció por la puerta acompañada de Frank, su mánager. Una descarga eléctrica recorrió su cuerpo desde la cabeza hasta la punta de los dedos de los pies. Se estremeció y, por vergüenza, no se atrevió a levantar la mirada hasta que ella se dirigió a la salida. Había algo en esa chica que le gustaba, su forma de caminar, la manera de levantar la cabeza como si fuera la princesa de un cuento de hadas.

Al cabo de unos meses de verse entre mancuernas, barras de pesas y aparatos de musculación, Olivier, su entrenador en Les Diablerets, sugirió que podían compartir los entrenamientos de U0, los de ritmo más suave. Irina, que estaba acostumbrada a obedecer ciegamente a sus entrenadores, aceptó. Al principio, el silencio se instauró entre ellos y los acompañaba desde que se encontraban en la puerta de la residencia hasta la vuelta. Solo se veía interrumpido por preguntas como ¿te importa que ponga este CD? o ¿te parece bien que vayamos hoy a correr por este camino? Pasadas unas semanas, un día, mientras sonaba lo último de Adele en el reproductor del coche, la curiosidad de Janik pudo más que su discreción y decidió romper el silencio habitual.

—¿Te gusta vivir en Les Diablerets? —preguntó.

—Para mí es como estar en el paraíso —contestó Irina.

Aquella respuesta lo dejó sin habla. ¿Un paraíso? A él le parecía un monasterio de clausura. ¿Qué escondía su pasado para que pensase de esa forma? Janik decidió no hacer más preguntas y viajó con sus pensamientos lejos del coche. Había visto un reportaje sobre los métodos de entrenamiento que utilizaban en Rusia. Era una cadena bien diseñada, con el único objetivo de ganar medallas. Seleccionaban a los deportistas muy jóvenes y los apartaban de sus familias. Desde el día en que un técnico decidía que tenían cualidades, se sometían a unos controles más propios de una pieza de precisión que de seres humanos. Sus vidas giraban en torno a sus entrenamientos y no escatimaban medios para conseguir sus objetivos con duras sesiones de control mental. Quizá Irina estuviera diseñada para no cuestionarse las cosas y, conociendo su carácter, Janik se imaginaba que no iba a ser nada fácil que le confiase sus secretos.

Poco a poco, empezaron a conversar sobre los entrenamientos. De vez en cuando, entre comentarios sobre las pulsaciones dc U3 que tenía cada uno, Irina le hacía alguna pregunta interesándose por su vida. Sin embargo, las pocas veces que Janik le preguntaba por la suya, ella lo esquivaba y se escondía de nuevo en el silencio.

Janik se sabía un privilegiado al vivir a mil doscientos metros de altura. El cuerpo generaba más glóbulos rojos, por lo que llegaba más sangre y oxígeno a los músculos. Eso le permitía recuperarse mucho antes de los esfuerzos. Una mañana como tantas otras, se puso la malla larga, una camiseta corta y las zapatillas de entrenamiento mixto con refuerzo lateral para pronadores, y salió de la residencia rumbo a las pistas de Monthey. Hacía un día precioso, el sol brillaba y no había rastros de nubes; se veía a lo lejos el Mont Blanc, que se levantaba majestuoso y destacaba entre las demás cumbres. Antes de entrenar tenía previsto ir al hospital de Chablais para visitar a Ethan. En la última competición, se cayó con tan mala suerte que se rompió la clavícula. Durante el trayecto tuvo un momento de angustia. No le gustaban nada los hospitales. Ese olor que lo impregnaba todo; los pacientes con sus batas gastadas y sus caras de aburrimiento le molestaban. Su cerebro no estaba programado para ver cuerpos inmóviles yaciendo en las camas. Tanta quietud le hacía sentirse incómodo. Sabía que nada más entrar empezaría a contar los minutos que le quedaban para salir de allí y volver a respirar aire puro.

—¿Qué haces, campeón? —preguntó, al entrar en la habitación.

Ethan estaba sentado en la silla con la bandeja de la comida sobre la cama. Acababa de abrir la bolsa del pan.

—¡Janik! Amigo.

—Recuerdos de todos y besos de todas —le dijo Janik para animarlo.

—Lo de todas te lo has inventado —contestó Ethan, a la vez que troceaba el filete de pescado.

Janik le dejó sobre la repisa de la ventana unos cómics que había comprado el día anterior. Vio que había varias revistas de ciclismo. Se sentó en el borde de la cama.

—¿Qué te han dicho los médicos?

—Que todo va bien, pero que se acabó la temporada. Cómo odio esta comida, sabe toda igual —se quejó Ethan.

—¿Qué vas a hacer?

—He hablado con mi antiguo fisioterapeuta de Australia y hará todo lo posible para que esté listo la próxima temporada —contestó, abriendo la botella de agua mineral.

—¿Qué opina tu director?

—Me ha dicho que cuentan conmigo el año que viene. —Ethan dio un trago a la botella y se giró en busca de una servilleta.

—Antes de que se me olvide —dijo Janik—. He estado con Max, el de tu equipo. Pasará a verte mañana.

Ethan dejó el pescado, tomó el cuchillo en una mano y se puso a pelar la manzana.

—Por cierto, ¿has visto a mi masajista?

Janik se quedó observando a su amigo. Le llamó la atención cómo partía la manzana, en trozos pequeños hasta que perdió por completo su forma. Podría haber sido cualquier cosa.

—Sí, lo vi en el comedor del velódromo y parecía muy ocupado.

—Para cobrar no estaba tan ocupado —dijo Ethan mientras masticaba.

—¿Cobrar? ¿Le debes dinero? —preguntó Janik, sorprendido.

—Sí, por la mierda que me vendió. Seguro que la compró por Internet.

—No sé de qué me hablas.

—No tienes por qué hacerte el tonto. No te voy a preguntar cómo te lo montas.

Janik se levantó de la cama y lo miró a los ojos.

—Te digo que no sé de qué me hablas —repitió con un gesto serio.

—Hablo de confianza, de confiar en alguien que te vende la EPO por ganarse unos euros —siguió Ethan, sin dar importancia a lo que acababa de revelar.

Después alcanzó el botellín de agua y dejó la bandeja a un lado de la cama.

—Para, para… Yo no sé nada de ese mundo, ni quiero saber —insistió Janik, confundido—. Y no puedo creer que tú...

—Pero ¿en qué mundo vives? —lo interrumpió su amigo.

—Mira, Ethan, mejor que no me cuentes nada.

—Venga ya. ¿No conoces el cóctel: EPO, hormona de crecimiento y esteroides?

Janik no daba crédito a lo que estaba oyendo. Entendió de inmediato que el extraño comportamiento de su compañero ese último año tenía que ver con las drogas.

—Oye, no tengo ni idea de qué me estás hablando.

Janik abrió la ventana para dejar escapar el efecto de las palabras que resonaban como un eco en la habitación.

—¿Todavía no has pasado por el Scriptorum?

—¿Qué es eso del Scriptorum?

—¿De verdad no te han metido EPO? Entonces, eres mejor atleta de lo que yo creía.

—¡Estás loco! —gritó Janik, y se acercó a la ventana en busca de aire puro—. No necesito esa mierda para mejorar. No todos somos como tú.

—Pues yo quiero acabar lo que he empezado. Son ya muchos años de sacrificios, lejos de mi familia, entrenando duro, como para tirarlo todo por la borda. ¿Piensas acaso que tenía otra elección? Janik, ¿de verdad que tú no te metes nada? —preguntó sorprendido.

—¿Quién te crees que eres? Mira donde te ha llevado hacer trampas. A ti te han lavado el cerebro. —Janik estaba indignado.

Ethan se incorporó y se sentó en el borde de la cama. Janik notó en su cara resignación y abatimiento cuando se dejó caer sobre la colcha con un gesto de dolor.

—Puede que me hayan lavado el cerebro, puede incluso que ya no sea el mismo que antes, pero este deporte es mi vida. Si tengo que hacerme una lobotomía para cumplir mis sueños, no tengo problema en decir que adelante. Cumplir los sueños tiene un precio, pero eso ya lo sabrás cuando tengas que tomar una decisión. Solo es cuestión de dónde pongas el tope. Te conozco bien, Janik. Tú no eres muy diferente a mí.

Janik se apartó de su lado y se dejó caer contra la pared.

—No entiendo cómo has podido hacerlo. ¿Por qué?

—¿Qué harías tú cuando alguien te ofrece una mejora del cinco por ciento de tu fuerza, de tu resistencia o de tu velocidad? —preguntó Ethan, desafiante—. Toma esto y mejorarás en un año lo que de manera natural te cuesta cinco. Puedes recuperarte de un entrenamiento de intensidad alta en dos horas. Y de una competición en tres.

—No me lo creo. Y aunque fuese verdad, mira dónde te ha llevado tu mejora.

Janik salió de la habitación y cerró la puerta sin mirar atrás. Primero pensó que no era posible y que lo habían engañado; luego se dijo que no le importaba, que no era asunto suyo. Finalmente, pensó que Ethan era un tramposo y que se merecía lo que le había pasado.

10

La temperatura era de diez grados cuando salieron del aeropuerto de Ginebra. El personal de la funeraria contratada por el seguro se había ocupado de las gestiones para trasladar el ataúd hasta el avión. Era un viaje cómodo, de solo dos horas de vuelo. Thomas intentó dormir. Recostó el asiento de primera clase hasta ponerlo casi en horizontal, se puso tapones en los oídos y cerró los ojos. No se dio cuenta de que se había dormido hasta que la azafata lo despertó anunciando el aterrizaje. Perplejo, puso el asiento en su posición original y se abrochó el cinturón.

No había nadie esperando a Thomas ni al ataúd, excepto una funeraria irlandesa. Ya le había explicado a Maire la pérdida de tiempo que era que la familia se desplazase hasta Dublín para luego volver todos al pueblo. Ella estuvo de acuerdo. Thomas no quería ir con la funeraria, pero recordó que se conducía por la izquierda. Muy a su pesar, tuvo que ceder y desechar la idea de alquilar un coche. Se sentó en el asiento de atrás. El chófer puso la dirección en el GPS y esperó en silencio a que introdujeran el ataúd en el coche fúnebre para iniciar el viaje.

El cielo estaba nublado y una fina lluvia caía sin cesar. Thomas apoyó la cabeza en el cristal y vio cómo resbalaban las gotas. Muchas veces soñaba con la lluvia de Irlanda, con el aire húmedo y el sonido del viento. Recordó los lagos profundos, los pastizales encharcados y la niebla infinita. Y en medio de todo ello, su casa, el lugar donde había crecido. Era muy vieja, de anchos muros de piedra gris; estaba situada de cara al pueblo y al río que serpenteaba colina abajo. Su fachada principal se abría al huerto y al jardín. Las plantas aromáticas crecían salvajes pegadas a la pared. El tomillo, el romero, la menta, la hierbabuena y la lavanda se fundían con la hierba alta y con las margaritas, los narcisos y las campanillas. Las azaleas amarillas se arrimaban a los altos rododendros de flores rosa y escarlata. Su madre siempre plantaba gardenias blancas en la parte norte del jardín. Con los años, unas enormes hortensias azules se habían hecho dueñas de aquella parte, la más fría de la casa. Más allá del jardín y del huerto, separada por un inmenso prado cercado por un muro de piedra, se hallaba la granja de ovejas. Detrás de una pequeña colina, se encontraba la casa de la familia de Maire.

En su recuerdo, ella siempre estaba sonriendo. Con doce años, ya era hermosa. Antes de ir al colegio limpiaba el pescado que su padre pescaba en el lago Acalla, casi siempre trucha arcoíris. Conforme fue creciendo, cada vez fueron más frecuentes sus ausencias a la escuela. Entonces, Thomas iba a buscarla al lago. Maire solía arreglar las redes en la zona baja donde crecían las lobelias acuáticas, cuyas hojas permanecían por debajo del agua; solo eran visibles sus flores lilas, que flotaban sobre la superficie. A ella le gustaba trabajar contemplándolas. Thomas cerró un momento los ojos y la vio saltando por encima de los charcos con sus largas piernas y subirse a un tronco para, de un salto, agarrarse a su cuello. Para Thomas, la vida era Maire, Albert, el lago y las montañas. Lo invadió un inmenso sentimiento de tristeza. Tantos años huyendo de todo... Le pareció muy lejana su vida en Lyon. Tan segura y controlada. Temía el regreso a Irlanda. Allí volvía a ser otra vez joven, todos ellos eran jóvenes.

Después de hora y media de viaje, la lluvia paró y un enorme claro azul se abrió paso entre las nubes. De pronto, Thomas quiso bajar del coche y estar un momento a solas antes de llegar al pueblo. Ordenó al chófer que detuviera el vehículo. El furgón fúnebre que iba detrás también paró. Con rapidez salió fuera y caminó adentrándose en los pastos. Se paró en un alto. Todo estaba en calma. A lo lejos se oían los cencerros de las ovejas. Se subió el cuello de la gabardina y hundió las manos en los bolsillos. Ya no se acordaba de la humedad que se metía en los huesos. Reconoció los rectángulos oscuros horadados en la tierra para recoger la turba. Sintió nostalgia por los años perdidos fuera de su hogar. Respiró hondo y soltó aire en forma de vaho. Se dio cuenta de que quería alargar la vuelta.

Cuando pasaron delante de una señal de tráfico que ponía en gaélico *géill slí*, supo que estaba en casa. Kilconnell era una pequeña aldea del condado de Galway. Sus habitantes se dedicaban principalmente al sector lácteo y a la ganadería. Salvo las casas que se alineaban en torno a la carretera principal, la mayoría de las granjas, con sus paredes de piedra y tejados de lajas, estaban alejadas unas de otras, diseminadas por el paisaje. Al final del pueblo, se encontraban la abadía medieval y la iglesia. En un promontorio, se alzaban los restos del monasterio franciscano, que había dado lugar a la fundación del pueblo.

El cortejo fúnebre avanzó hasta la iglesia. Los lugareños en señal de respeto detuvieron su actividad, bajaron la cabeza y se santiguaron. Los hombres que estaban fuera del pub tomándose una pinta mientras fumaban, dejaron todo y se encaminaron hacia el servicio religioso. Thomas sintió como si un inmenso torbellino de hojarasca comenzara a girar en el interior de su pecho. Cada giro raspaba las paredes de sus pulmones y le producía pequeñas heridas. ¿Por qué se encontraba allí? El Thomas que conocía jamás hubiera aceptado la petición de Maire. Pero, desde su llamada, algo le atraía hacia esa infancia llena de días eternos y brillantes, cubiertos de secretas promesas hechas realidad en el cuerpo de Maire. Recordó con dolor el momento amargo en el que acabó la vida en el paraíso, su huida y, después, la soledad. Pero ¿quería recuperar el pasado o recuperarla a ella? Deseaba verla, cerciorarse de que veinticinco años eran demasiados, de que nada aguantaba el cruel paso del tiempo; en definitiva, quería saber si la Maire que él recordaba, la que todavía sentía dentro, había desaparecido.

El pueblo entero se encontraba allí, o eso parecía. El coche tenía dificultad para abrirse paso entre la gente. El conductor aparcó delante de la puerta principal, salió y esperó a que el coche fúnebre se detuviera. El primer golpe de aire húmedo que recibió en la cara apagó sus febriles pensamientos y acrecentó la sensación de frío. Cuando asió la argolla helada del ataúd oscuro y nacarado, las manos le temblaban. Pronto unas manos lo echaron para atrás. Le pareció reconocer al padre de Maire y a otros parientes cercanos que se acercaban para hacerse cargo del féretro. Una mano le tocó el hombro.

—Thomas —dijo una voz entre sollozos.

El tiempo había pasado. La joven que recordaba se había convertido en una mujer. Ocultaba sus ojos tras unas gafas de sol. Estaba muy pálida. Se acordó de Úna en el depósito. Al principio, le costó reconocer a Maire en la mujer que lo abrazaba. Estaba tan delgada, tan frágil, que parecía transparente entre sus dedos. Pensó que cuando la soltara podría desvanecerse con el viento y desaparecer. Un claro de sol se abrió paso entre el manto oscuro del mediodía, y el pelo cobrizo de Maire iluminó el rostro de Thomas. Ella empezó a hablar en gaélico, susurrándole palabras de agradecimiento. Thomas cerró los ojos y la abrazó con fuerza; un torrente de recuerdos llenos de emoción se ahogaron en su garganta; seguía sintiendo, seguía respirando un pasado que no estaba muerto. Había vuelto.

El funeral le resultó largo y tedioso. Maire insistió en que se sentara a su lado en los bancos de la primera fila. A su alrededor, entre las personas vestidas de negro, se mezclaban caras conocidas. El sacerdote, el mismo de siempre, aunque más gordo y con las mejillas más rosadas, recitaba de carrerilla su letanía en gaélico. En cuanto acabó el oficio, Thomas aprovechó que se acercaba la avalancha de gente para dar el pésame y marcharse de la iglesia. Su hotel estaba en la calle principal, fue a por la maleta al coche, se despidió del chófer y caminó hacia su alojamiento.

Una larga ducha le calentó el cuerpo y el ánimo. Mientras se secaba puso la BBC News. Se vistió con pantalón de pana, un jersey de lana de cuello alto y se calzó unas buenas botas. Estaba hambriento. Bajó al restaurante y pidió una crema de champiñones, asado de cordero con patatas y una Guinness. Al entrar de nuevo en la habitación, toda la tensión del viaje cayó sobre él como una losa. Se preguntó qué hacía en ese pueblo, qué buscaba en realidad. Ya no era el mismo y habían sucedido cosas que no podían repararse; lo único que podía conseguir era complicarse la vida. Ya no era un crío ingenuo para ir en busca de sueños e intentar recuperar un amor, a todas luces, terminado. Era un adulto relativamente feliz que simplemente había vuelto al lugar de su infancia, con toda la carga emocional que ello suponía, pero, y eso era lo importante, sin otra intención que saciar su curiosidad respecto a Maire. Además, tenía ganas de recorrer los sitios de su infancia, hacer alguna excursión y recobrar el gusto de andar y respirar aire puro.

Sabía cuál era el primer sitio que quería visitar. Se puso el abrigo y salió. El sendero de la parte trasera del hotel corría paralelo al río y al bosque. Caminó casi un kilómetro hasta el puente de piedra. Lo cruzó y subió una pequeña colina, alejándose de los árboles. Enseguida vio aparecer la casa y más allá el brezo, la hierba y los helechos que ascendían hacia las montañas. Se encaminó hacia allí. Desde fuera, a simple vista, parecía la misma. Al acercarse, vio un invernadero en la parte sur. Las hierbas aromáticas y las flores habían sido sustituidas por césped. En la parte llana, vio un árbol y bajo su sombra una mesa de madera con dos bancos. A la derecha, había una mugrienta piscina hinchable con motivos de peces estampados. Oyó a un perro ladrar, luego a otro. A lo lejos distinguió la casa de la familia de Maire. Volvió sobre sus pasos y bajó la colina. En lugar de cruzar el puente, se desvió en dirección al lago Acalla. El tiempo había empeorado y el viento empezó a soplar con fuerza. Thomas se puso el gorro de lana y continuó su camino hasta el lago.

En cuanto convenció a su padre para que se jubilara, todo lo demás fue fácil. A sus padres les encantaron las fotos del chalé que les había comprado en la costa española. La casa vieja y fría se vendió con el ganado y la granja. Sus padres se marcharon, sin mucha pena, al sol. Una gran comunidad irlandesa se alojaba allí y no solo contaban con pubs y restaurantes, sino que organizaban actividades a las que sus padres se apuntaron encantados.

No tardó en llegar al lago. Tenía una extensión de treinta acres. En los prados y marismas circundantes crecían conizas de flores amarillas. En su memoria, veía a Maire coser las redes de pescar de su padre. Respiraba satisfecho el aire húmedo cuando, en el centro del lago, vio el *crannóg*. Calculó que en Irlanda había al menos unas dos mil islas artificiales, y era probable que hubiera otros muchos *cránnogs* por descubrir ocultos bajo el agua.

El de Kilconnell era un caso excepcional. Se conservaba el edificio original, de madera y forma circular, que habían construido en el agua siglos atrás. Para Thomas, ese lugar estaba asociado a Maire más que ningún otro. Inconscientemente, buscó entre la maleza la vieja barca que utilizaban para llegar hasta él, no la encontró. Se acordó de la manta raída que llevaba sobre sus hombros en invierno para cubrirse, de los cartones en el suelo y de Maire encima de ellos. Vio con claridad su cuerpo blanco esperándolo. Pensó que, a veces, no se necesitaba mucho para ser feliz. Se sentó en una roca y miró la plataforma desde la orilla. De repente no quiso recordar. De aquello hacía más de veinte años. Excepto el *crannóg,* del pasado solo quedaban restos de nada. Miró el reloj y comprobó con sorpresa que llevaba cuatro horas fuera. Supuso que era tiempo suficiente para poder ir al cementerio y no toparse con nadie.

Detrás de la abadía, abierto a todos los vientos, se encontraba el cementerio. Tumbas desperdigadas aquí y allá se alzaban entre la hierba recién cortada. El sol se estaba poniendo y una franja naranja iluminaba el horizonte entre nubes grises. Nada igualaba los cielos de Irlanda. Caminó despreocupadamente por el cementerio leyendo las lápidas. Siempre le habían gustado los cementerios. En ellos no había historias inconclusas, solo datos y hechos. Cerró los ojos y respiró profundamente el olor a hierba. Después, observó en lo alto de la loma una figura que llevaba unas flores en la mano, era Maire.

La saludó con la mano a la vez que se acercaba a ella.

—Hola, Maire.

—Hola —respondió ella sorprendida.

—Siento todo esto. No sé cómo actuar ni qué decir en estos casos —dijo incómodo.

—No te preocupes, a mí me pasa lo mismo.

La miró. Parecía una niña con aquel ramo sobre su brazo escayolado y las mejillas rojas por el frío. Quiso abrazarla y, para su sorpresa, lo hizo. Ella se acurrucó en el hueco de su cuello y hundió la cabeza en su abrigo.

—No sé qué voy hacer. Mi vida, la que tenía, ya no existe. No tengo fuerzas para inventarme otra.

—Márchate —le sugirió Thomas.

—¿Como tú? ¿Dejando todo y a todos atrás? —preguntó llena de ira.

—Fue duro pero en su día no vi otra opción —replicó, sorprendido por la reacción de Maire.

—Mira, ahí está la tumba de Albert. Era tu mejor amigo. También lo abandonaste.

—No es justo, no me hables así.

—¿No te marchaste porque te sentías culpable? —le reprochó, enfadada.

—No quiero hablar de ello. Ha pasado mucho tiempo —contestó Thomas, y se dio la vuelta para irse.

—Siempre huyendo. Ya veo que todavía se te da bien.

—Algunos no somos tan fuertes como tú.

—Eres un crío.

Thomas se quedó anonadado. Jamás hubiera imaginado que alguien le dijera eso. Para los demás y para él mismo, había triunfado en la vida. Se consideraba alguien centrado, maduro, con los pies en la tierra. Se dirigió hacia la tumba de Albert, Maire lo siguió. La piedra gris de la lápida estaba erosionada por el tiempo. Alrededor de la tumba, la hierba se mezclaba con flores silvestres. Era una sencilla losa de piedra, en la que se podía leer: Albert Olan, la fecha en que murió y las palabras hijo y hermano amado, que recordaban a su amigo. El día en que murió Albert fue el final de su adolescencia y de su mundo protegido. Todo cambió con su muerte.

−¿Te acuerdas, Maire, de la primera vez que vimos a Albert? −preguntó Thomas, con ganas de hablar de él.

−Claro. Estábamos sentados en el muro de piedra que rodeaba la escuela. Era casi de noche. En verano podíamos estar hasta muy tarde en la calle. Nuestros padres preparaban la hierba, la cortaban y amontonaban para volver a extenderla al sol a la mañana siguiente. Y así, día tras día, hasta que se secara. El rocío de la noche lo moja todo −añadió pensativa.

−Albert llevaba algo entre las manos −siguió Thomas−. Le preguntamos qué era y él, sin mirarnos, nos contó que había atrapado una libélula. Luego nos dio una charla sobre los indios y cómo las utilizaban. Después, dijo que lo esperaban para cenar y se marchó.

Maire tiritó de frío. Llevaba puesto un vestido ligero y una gabardina negra.

−Vamos a tomarnos unas pintas al pub −propuso él.

−No debería, acabo de enterrar a mi hija.

−Razón de más. Tienes derecho a hacer lo que te apetezca −dijo Thomas agarrándola de los hombros.

Las calles olían a whisky, al aroma inconfundible de la turba quemada. En el pub se estaba caliente. Encontraron un rincón discreto en una esquina. Fuera anochecía, unas pequeñas gotas de lluvia resbalaban en una carrera vertiginosa por el cristal. A varias pintas le siguieron unas patatas asadas y después más cerveza.

−Con nadie he discutido tan a gusto como con Albert −dijo Thomas.

−Sí, era un liante. Lo cuestionaba todo. A veces pensaba que lo hacía para fastidiar. Hubiera sido un excelente científico.

−Nos volvía locos con los insectos, ¿te acuerdas?

−Sí, yo los odiaba, sobre todo a las cucarachas.

−Todavía recuerdo lo que me dijo un día: que sobrevivirían a todo, incluso a una bomba nuclear. Además, lo contaba con tal pasión que hasta al más tonto le despertaba interés −dijo Thomas sonriendo.

—Albert estaba convencido de que existía un mundo mejor cuando morías. Espero que estuviera en lo cierto —susurró Maire, con la mirada fija en la lluvia.

—Unos días antes de que muriera, conseguí contactar con un primo segundo que vivía en Dublín y trabajaba en una floristería. Le encargué una planta carnívora para Albert. Era su sueño. Cuando se lo conté no se lo creía, se volvió loco de alegría. —Thomas dio un sorbo a la cerveza y continuó—: Ese día le quitamos la moto al carnicero; la tenía aparcada delante de la tienda. Albert iba de paquete. Salimos a la carretera principal. Todavía puedo oír nuestras risas y nuestros gritos.

Maire le sujetó la mano.

—Déjalo Thomas, ya pasó.

—No, tú eres la única persona con la que puedo hablar de esto. —Pidió al camarero que le llevara otra pinta—. Tenía diecinueve años y la vida era maravillosa. No iba rápido, solo hacía el tonto con la moto. Era tan feliz...

—Éramos tan felices —lo interrumpió Maire.

—La mejor época de mi vida. —Se paró, pensativo, y prosiguió—: Recuerdo que había gravilla en el asfalto y derrapó la moto. No podía controlarla. Resbalamos. Nos paró un árbol. Yo enseguida me puse en pie y levanté la moto. Albert estaba en el suelo. No se movía. Pensé que estaba haciendo el idiota. Le dije que se levantara pero seguía quieto, sentado, medio apoyado en el tronco del árbol. Lo toqué y cayó en la hierba. Lo sostuve en mis brazos y vi que tenía una herida en la cabeza. Un estúpido golpe lo había matado —dijo Thomas pasándose las manos por el pelo.

—Fue mala suerte. No tuviste la culpa. Nadie la tuvo.

—Pero me tuve que ir. No sabes lo que es vivir así. Sus padres me dejaron de hablar, la gente cuchicheaba cuando me veía, tú te volviste más fría...

—A veces te odiaba, otras te quería. Pero la verdad es que te culpaba por lo sucedido. Habías destruido de un plumazo nuestro paraíso.

—Pagué por ello. Al mes de su muerte me llamó mi primo para avisarme de que había llegado la planta carnívora. Corrí hacia la casa de Albert para contárselo, como si nada hubiera ocurrido. En medio del camino me paré, acababa de darme cuenta de que estaba muerto. Me puse a llorar y, no sé... no podía parar. Entonces decidí que tenía que irme. La beca fue mi oportunidad, pero durante bastante tiempo me sentí perdido. Te echaba de menos.

—Tenías que haber aguantado, me jodiste la vida.

Su dureza sorprendió a Thomas. Nunca tuvo la sensación de que la pérdida de ella fuera mayor que la suya. De pronto, sonó su teléfono. Era Claire.

—Perdona, tengo que contestar esta llamada —le dijo a Maire, y salió del pub.

Una vez en la calle, la humedad de la noche lo invadió.

—Hola, Claire. Pensaba volver a llamarte desde el hotel. Todo ha sido muy repentino y no he tenido tiempo de nada.

—No te preocupes. ¿Cómo estás? —preguntó preocupada.

—Estoy bien. Solo se trata de un favor a una amiga.

—A veces eres tan frío que asustas.

Thomas se quedó mudo, no entendía aquella acusación. Sí, había muerto una persona, y además joven. Pero, al fin y al cabo, era ley de vida; unos morían, otros nacían. El problema radicaba en que la muerte se trataba como algo lejano, una lotería que, con suerte, te tocaba muy de tarde en tarde. Cambió de conversación.

—Pasado mañana estaré en Lyon. Solo son dos días —dijo y se acercó a la puerta del pub.

—Me da igual el tiempo que estés fuera, es el hecho de que no me avisaras lo que me ha molestado. Hubiera ido contigo.

—Lo siento, no se me ocurrió. No pensé que quisieras formar parte de...

—De tu vida —dijo Claire interrumpiéndolo—. Claro, ¡qué ridiculez!

Thomas empezó a impacientarse. No quería discutir y menos de ese tema.

—Claire, cuando vuelva hablamos. —Estaba deseando entrar en el pub.

—¿Sabes una cosa, Thomas? Excepto en tu trabajo, en todo lo demás eres un cobarde. Huir es tu pasatiempo preferido —dijo Claire, y colgó.

Era la segunda persona en el mismo día que lo llamaba cobarde. Entró en el pub pensativo y volvió a la mesa donde lo esperaba Maire.

—Perdona, era mi... —Se sintió en la necesidad de darle una explicación—. Mi pareja.

En cuanto lo dijo, sus palabras le sonaron tontas y pueriles.

—¿Qué tal te va?

—Va —respondió escuetamente.

Maire lo miró con curiosidad cuando se levantó para pagar. Pidió la cuenta en gaélico. No pudo evitar pensar que Thomas rehuía hablar de su relación, y que su indiferencia era excesiva.

—Ya no llueve, ¿te parece si damos un paseo?

Maire asintió.

—Estoy un poco mareada, demasiadas cervezas.

—Ven, agárrate a mi brazo.

Era noche cerrada y, salvo la gente del pub, el pueblo estaba desierto. La acera de piedra brillaba y sus pasos eran los únicos ruidos de la calle.

—No estoy acostumbrado a tanto silencio. Me parece mentira. Pienso que es como una fiesta sorpresa y que todos están escondidos esperando la orden para salir.

Maire sonrió.

—¿Por qué Úna se apellidaba Kovalenko? —preguntó Thomas de repente.

Maire se paró y lo miró. Pasaron unos instantes antes de que respondiera.

—Cuando te fuiste conocí a Ivan. Trabajaba en la construcción de la conservera. Yo pasaba por allí bastantes veces de camino al lago, así que bueno... Nos casamos y nos separamos con la misma rapidez. Aquí no había mucho trabajo y la situación se hizo... difícil. Creyó que si obtenía la nacionalidad irlandesa

75

se le abrirían puertas, pero no fue así. Volvió a Rusia y fin de la historia.

—Pero Úna, ¿qué pasó con ella?

—Veía a Ivan en verano. Solía pasar un mes allá. Al principio no quería ir, pero conforme fue creciendo se unió más a él. Tenían una misma pasión, el atletismo. Él se dio cuenta del potencial de Úna y le consiguió una beca para entrenar en Suiza. Entró a formar parte de la selección rusa de atletismo y empezó a ganar carreras. En las últimas Olimpiadas, consiguió llegar a la semifinal de cuatrocientos. Estaba tan feliz... —Su voz se quebró y comenzó a sollozar.

Thomas se volvió hacia ella para abrazarla, pero Maire lo rechazó.

—Úna era estupenda, ojalá la hubieras conocido —dijo más calmada—. Este año estaba convencida de que iba a conseguir una medalla en el mundial de Corea.

—Yo... lo siento. ¿Y su padre? ¿Ha venido? No me he fijado en él.

Maire se puso frente a Thomas y lo miró. Se sintió intimidado ante aquellos ojos grandes que brillaban entre las lágrimas. En silencio, se adentraron en el camino que conducía a la iglesia.

—Úna nunca tuvo lo que se dice un padre. En Ivan encontró a un entrenador y poco más. Cuando comprobó que podía volar por sí misma, se olvidó de ella. Ni tan siquiera he podido localizarlo —dijo mientras se secaba con el dorso de la mano las mejillas—. ¿Sabes lo bonito que es abrazar a tu hijo? Agarrar su manita pequeña por la noche y pasar tus dedos entre sus deditos. —Maire se paró y le volvió a preguntar—: ¿Sabes qué se siente cuando dice que te quiere?

—No lo sé —respondió Thomas sin mirarla—. Nunca quise tener hijos. Hace años, antes de casarme, me hice la vasectomía y me olvidé de ese asunto. —Le pareció que había sido muy frío en la respuesta, así que añadió—: Supongo que debe de ser una experiencia bonita.

Maire se paró y dijo:

—No me encuentro bien. Me voy a casa, ha sido un día muy largo.

Thomas se ofreció a acompañarla, pero ella rehusó y se perdió en la oscuridad.

Thomas durmió mal y tuvo pesadillas. Se levantó cansado y estuvo a punto de anular sus planes. Se dio una ducha y se sintió mejor después de desayunar. Desde que llegó, había esperado ese momento. Para él, un paseo por las montañas de Connemara era algo así como entrar en otra dimensión. Tras atravesar collados y llegar a cimas despobladas y redondeadas por la erosión de millones de años de lluvia y viento, se llegaba a un lugar fuera del mundo. El dueño del hotel le prestó su coche a cambio de que a la vuelta lo devolviera con el depósito lleno. Sintió un súbito temor al encender el motor; tenía las marchas a su izquierda. Respiró tranquilo y se convenció de que conducir por la izquierda era lo mismo que montar en bicicleta, algo que no se olvida. Lo malo era que él nunca había conducido en Irlanda.

En cuanto salió del pueblo se vio rodeado de landas, turbas, marismas y lagos. No podía explicarse cómo había podido estar tanto tiempo sin sentir la naturaleza indómita de Irlanda. Bajo la lluvia, vio las tierras salvajes y sin límites que lo esperaban. Contempló los senderos retorcidos, de suelos a veces rocosos y a veces blandos como una esponja. Ese paisaje que conocía tan bien era la inmensidad y le hacía sentirse pequeño. No le extrañaba que una de las carreteras se llamara «La carretera del cielo». Pasó por Letterfrack y se encaminó a su destino, los Twelve Bens. Aunque podían parecer bajas, era duro coronar ocho cimas. En Irlanda siempre se podía salir a la montaña porque aunque el tiempo tenía mala fama, aparte de la lluvia y el viento, eran pocas las veces que la temperatura bajaba de cero grados y casi nunca nevaba.

Se bajó del coche. Saltó una pequeña puerta de madera y subió por un sendero lleno de charcos y barro. Llegó a un altiplano donde los helechos parecían agrandarse a medida que subía. Desde allí, vio los dos pequeños montes que iba a cruzar para llegar a la primera cima del día, Maumonght. Esa primera ascensión fue directa y muy dura. Se maravilló ante las magníficas vistas a Diamond Hill y la bahía de Letterfrack a su espalda. Se animó al saber que se estaba acercando a la mejor parte del recorrido. Una vez en Maumonght, se dirigió hacia la siguiente cima, Bencullagh, casi sin descender de la primera. Al llegar, hizo un descanso. Sacó de la mochila el agua y una barrita de chocolate con avellanas. Se sentía bien. Bebió de la botella mientras contemplaba la bajada agreste y rocosa que tenía ante él. Pensó en Maire. Notaba su rencor cuando hablaba del pasado. En algún momento, ella hubiera podido, quizá, cambiar el suyo y no quedarse en el pueblo. No sabía hacer otra cosa que trabajar en la fábrica enlatando pescado. Le pareció una vida carente de ilusión, desperdiciada. No sabía si él hubiera soportado un futuro sin metas ni perspectivas.

Después de la parada, se encaminó hacia el este. Luego volvería a subir el Muckanaght. Desde ahí la carena rocosa descendía todavía más, y después le esperaba otra dura ascensión, la del Benbaun. El viento soplaba con fuerza y la subida le costó lo suyo. Comprobó que estaba en baja forma y se prometió que cuando volviera a Lyon haría más ejercicio. Llegó a la cima y se emocionó ante la vista del circo de montañas, el contraste con el océano Atlántico y el perfil sinuoso de la península de Connemara. Quiso gritar y lo hizo. Apretó los puños y el grito salió desde muy adentro. No paró hasta quedarse sin aliento. Se sintió bien. Desde el Benbaun, empezó a descender por una pendiente bastante sinuosa. La niebla comenzó a avanzar cuando llegó al cuello entre el Maumina y el pico de Benbreen. Era una niebla muy densa. De pronto, dejó de ver lo que tenía delante y comenzó a bajar con rabia hasta la llanura.

Era tarde cuando llegó al hotel. Se quitó la ropa, se duchó, se puso el albornoz y pidió que le subieran la cena a la habitación. Aprovechó para darle la ropa sucia al camarero. El chico le aseguró que estaría lista a las nueve. Thomas también le pidió un taxi para las diez de la mañana. Su madre lo había llamado de forma intermitente durante todo el día, pero siempre en un momento inoportuno. Al fin, la telefoneó.

—Buenas noches, cariño. ¿Dónde estás? —le preguntó su madre y sin dejarle responder continuó—: ¿Qué tiempo hace por allí? Seguro que habrá un cielo de lluvia invisible, de esa que no te enteras de que cae hasta que estás empapado.

—Si ya sabes dónde estoy, ¿para qué me lo preguntas? ¿Quién te lo ha dicho?

—No te pongas así, Tommy. Cuando Maire me llamó para pedirme tu teléfono y me contó lo sucedido... Todavía no puedo creerlo, ¡es terrible! Me imaginé que le ayudarías, ya sabes, con lo que tonteasteis de críos... Por los viejos tiempos y todas esas cosas que se dicen, pensé que harías lo que estuviese en tu mano, pero nunca creí que volverías a Kilconnell.

—¿Cómo te has enterado?

—Hoy he llamado a Glen, el de la granja de ovejas cerca del río. ¿Sabes de quién hablo?

—No tengo la menor idea.

—Sí, ese al que pillaron con la hija del cartero y que luego la dejó para casarse con su prima, con la que tuvo un hijo medio tonto.

Thomas no conocía al informador de su madre, pero de lo que estaba seguro era de su respuesta:

—Ah, sí... ya sé, Glen, el del hijo tonto que de joven dejó plantada a la hija del cartero.

—Sí, ese. Ya sabía que te acordarías de él. Es muy majo, recio y noblote.

Thomas disfrutaba de esas charlas con su madre. De su acento, su manera de hablar, de expresarse... Le recordaba a la gente de Irlanda, alegre y sencilla.

—Pues Glen me ha contado lo del entierro, que el padre de la chica no se ha presentado. ¡Qué desfachatez! Y que O'Connail, el enterrador, estaba pasado de whisky.

—Un escándalo.

—Desde luego.

79

Se tumbó en la cama notando todos sus músculos doloridos y, después de un rato de conversación, se despidió de su madre con la promesa de visitarla pronto. Tomó una sopa de pescado y, como siempre desde que llegó, unas patatas asadas. El móvil sonó anunciándole que tenía un mensaje. Era de Maire, se había ido a Limerick y volvería al día siguiente, a tiempo para despedirse. No decía nada más. Le extrañó. De repente se sintió muy cansado, no quería pensar. Apagó el móvil, se lavó los dientes, puso el despertador y enseguida se durmió. Esta vez, profundamente.

A las nueve y media de la mañana, Maire lo esperaba en el restaurante. Se sentaron y hablaron como si no hubiera pasado nada. Thomas vio con satisfacción que comía con apetito. Habían pedido los dos lo mismo, un desayuno irlandés. Contempló con hambre las salchichas, las judías, los huevos fritos, el tocino junto con la col y el brócoli. Dio un trago al café.

—De aquí no me muevo hasta que no me acabe todo —dijo contento.

—Ya te puedes dar prisa porque solo tienes media hora —le recordó Maire.

—Suficiente. Por cierto, ¿qué tal el brazo?

—Bien, aunque me pica un montón. Ayer me vio el médico y me dio la baja para diez días más.

—¿Qué vas a hacer?

—Quiero cambiar de trabajo. El turismo en esta zona está creciendo muchísimo y hay bastante demanda de casas para comprar y pocas para vender. La gente no se fía, y prefiere tener su casa o su granja cerrada antes que liarse en buscar comprador, y mucho menos ponerla en manos de una inmobiliaria.

—Y ahí entras tú.

—Exacto. Vi el anuncio y ayer fui a la entrevista. Me han ofrecido trabajo en una inmobiliaria de Limerick. Quieren montar aquí una sucursal.

—Me alegro mucho —dijo Thomas con sinceridad.

La miró hipnotizado. Era extraño tener el pasado enfrente después de tantos años.

—Oye... Maire, siento lo de anteayer. Si algo te molestó, perdona. Estoy acostumbrado a mandar, dirigir y, a veces, no sé hablar de sentimientos. Estos días me he dado cuenta de cosas.

—¿Por ejemplo? —preguntó ella, interesada.

—Por ejemplo, que tiendo a zanjar conversaciones cuando se adentran en terreno íntimo. No sé cómo tratar las cuestiones personales de las que los demás me hacen partícipe. Me siento violento —respondió él, incómodo.

—Gracias por contármelo —dijo Maire, agarrándole la mano.

—¿Sabías que no me gusta ir de la mano con mi pareja?

—¿Nunca? —preguntó sorprendida.

—Solo cuando me obligan —contestó Thomas sonriendo.

—Pues, cuando estábamos juntos siempre ibas pegado a mí. No parabas de besarme, de abrazarme. Recuerdo el día en que me besaste el pelo —añadió, removiendo las judías con el tenedor—, en ese momento supe que me querías.

—No he vuelto a sentir nada semejante —confesó—. Supongo que fue la juventud, el primer amor y todo eso...

—Supongo —asintió Maire, pensativa.

Un coche pitó fuera. Thomas miró por la ventana del restaurante.

—Es mi taxi.

Acabaron el desayuno y Maire lo acompañó hasta la puerta.

—Cuídate —se despidió Thomas, abrazándola—. Tienes mi teléfono, llámame siempre que quieras.

—Lo haré, no te preocupes.

Dentro del taxi se sintió culpable por marcharse y quiso decirle que, en cierta manera, la seguía queriendo. Al final se contuvo, no quería problemas. Le dijo adiós con la mano mientras ordenaba al taxista que arrancara.

11

Habían pasado unas semanas desde la conversación con Ethan en el hospital y Janik no se explicaba cómo una buena persona podía acabar haciendo trampas. No podía dejar de darle vueltas a lo que le había contado. Trataba de ponerse en su situación, pero era difícil justificar la decisión de su amigo.

Se repetía a sí mismo que los deportistas de fondo tienen una mente coraza. Los duros entrenamientos que soportan y la presión de las competiciones los preparan para salir victoriosos ante las dificultades; las lesiones y los fracasos los hacen más fuertes ante las adversidades. Están acostumbrados a decir no. «No, no salgo los fines de semana.» «No, gracias, no bebo alcohol.»

El mitin de atletismo de esa tarde en el estadio de Cornaredo, en Lugano, era la primera prueba importante de la temporada. En el desayuno, Janik se sentó junto a Peter; iba a correr la prueba de 100 metros en el mitin.

—¿Te han dejado dormir los nadadores? —dijo Peter.

—Sí, ¿qué ha pasado? —preguntó Janik, extrañado.

—Vaya jaleo han armado a las dos de la mañana.

—Cuando tengo una competición importante duermo con tapones. No me he enterado de nada, pero al levantarme sí que he visto papel de váter tirado por el suelo.

—Los tenías que haber visto corriendo por los pasillos, vestidos con papel higiénico y un gorro de nadar.

—¿Tú los viste? —preguntó Janik.

La verdad es que en la residencia se daban toda clase de desmadres, pero los de los nadadores tenían fama de ser los peores.

—Como para no verlos... —se quejó Peter—. Llamaron a la puerta de mi habitación y me levanté. Estaban borrachos. Eran más de doce.

—¿Las chicas también?

—Sí, todo el grupo. Tenían un cachondeo... Me invitaron a sumarme a la celebración.

—¡Vaya con las nadadoras!

—Lo único que quería es que me dejasen dormir. Estaba de muy mala leche. Los amenacé con despertarlos en cuanto me levantara, pero ni caso. Me encerré en mi cuarto y estuve viendo una película hasta que dejaron de hacer ruido.

—Y esta mañana, ¿has cumplido tus amenazas? —quiso saber Janik, intrigado.

—No, pero tengo una foto de dos culos que saqué con el móvil. Estoy pensando en colgarla en el Face —dijo Peter, asintiendo.

Irina y su compañera de habitación, Anna, la saltadora de altura, interrumpieron la conversación.

—Hola, chicos —saludaron las dos al unísono mientras dejaban la bandeja encima de la mesa.

—Por poco no nos levantamos de la cama. Vaya noche hemos pasado... —dijo Irina.

—De eso hablábamos —dijo Peter.

Se sentaron a su lado y comenzaron a mezclar los cereales con la leche. Para entonces, Janik ya había devorado lo poco que quedaba de sus uñas.

—Parece que vamos a tener buen tiempo para competir —comentó Anna.

—A ver si tenemos algo que celebrar —añadió Peter mirando a Irina.

—Ya veo tus intenciones, pero yo no soy como las nadadoras —dijo Irina, mientras untaba la tostada de mermelada con el cuchillo.

—No estaba pensando en esa clase de celebraciones, pero... ¡Irina haciendo travesuras! Es una buena idea. —Peter sonrió.

—Todavía no hay razones por las que celebrar nada. Ya veremos qué pasa al final de la temporada —repuso Irina sin cambiar su expresión.

—Vamos, no seas así, estás que te sales. ¿De verdad crees que no hay nada que celebrar? —insistió Peter.

—No me gusta la gente que adelanta acontecimientos.

Eran más de las doce de la mañana cuando entraron los cuatro por la puerta del hotel Lugano Dante Center. En el comedor, Janik se encontró con el seleccionador nacional de medio fondo, acompañado de sus ayudantes.

—¿Cómo estás, chaval? —le preguntó.

—Me encuentro bien, pero ya veremos qué pasa esta tarde.

La última vez que habían estado juntos hablaron sobre cómo recuperarse de un entrenamiento intenso. Janik pensó en lo que le había dicho Ethan acerca del efecto que tenían sobre la recuperación los esteroides, la EPO y la hormona de crecimiento.

—Se comenta que alguno de los corredores con los que vas a competir va con gasolina súper —comentó uno de los ayudantes.

—No existe mejor gasolina que un plato de pasta —dijo Janik.

—Esta tarde veremos la calidad de tus espaguetis.

Todos le rieron la gracia. Todos, menos él.

En la habitación, Peter bajó la persiana a media altura y se tumbó en la cama. Janik sacó *El Principito* de la mochila. Lo llevaba siempre que tenía una prueba, cada vez que lo releía encontraba algún significado nuevo. De una manera u otra, se identificaba con él. Su planeta era Les Diablerets y las pistas de atletismo. La flor a la que había que cuidar era su cuerpo y, en cierto modo, cuando salía lejos de Les Diablerets se encontraba con diferentes personajes que le daban consejos sobre lo que debía o no debía hacer. En su viaje, que empezó al morir su padre, había alterado el ritmo de su corazón con cada zancada, creyendo que podría olvidar su ausencia. Se sentía igual que el Principito cuando dejó su planeta, solo y abandonado.

Cada media hora salía un autobús para el estadio. Janik esperaba sentado junto a Peter en el hall del hotel. No llevaba nada más que una pequeña bolsa con los clavos, la camiseta, la acreditación para entrar al estadio y los dos dorsales. Sacó la camiseta y los dorsales, despegó el papel que protegía el pegamento y lo colocó en la parte de delante de la camiseta. A veces, como el pegamento fallaba debido al sudor, sujetaba el dorsal con unos imperdibles que llevaba en uno de los pequeños bolsillos laterales de la bolsa. Extendió la camiseta para ver si quedaban bien.

—Están perfectos —dijo Peter, que había seguido todo el proceso con interés.

—No me gustan los dorsales grandes, me siento incómodo.

Igual que el Principito con los baobabs, Janik era disciplinado con sus pequeños rituales. Estaba deseando llegar al estadio y empezar el calentamiento. Su cuerpo seguía en estado de alerta. El mismo estado que debían de tener los cazadores primitivos justo antes de enfrentarse a un gran mamífero.

Los jueces llamaron a los atletas quince minutos antes de la prueba. Entonces pudo ver a todos sus rivales. Los tres corredores keniatas no paraban de reír mientras se calzaban las zapatillas de clavos. Siempre tan alegres, como si la carrera no fuese con ellos. El atleta suizo que iba a hacer de primera liebre estaba sentado en uno de los bancos con la cabeza mirando el suelo.

Las liebres se ponían en cabeza marcando el ritmo que se les pedía. Mantenían un ritmo constante, con lo que los demás atletas no hacían un desgaste extra contra el viento. De ellos dependía que los demás consiguieran los objetivos marcados. La dificultad consistía en mantener un ritmo constante. Unas veces, la liebre salía por encima del ritmo que se le pedía y se quedaba sola. Otras veces, si el ritmo era lento, los corredores de cabeza perdían unos segundos valiosísimos. Las segundas liebres eran corredores de alto nivel, debido a la exigencia que implicaba correr en cabeza. Se calculaba que el desgaste de una liebre por vuelta era de hasta un segundo con respecto a los demás. Por ello, en ritmos de récord del mundo había auténticos especialistas. Había liebres que ganaban más dinero que algunos corredores de élite.

Janik se fijó en la constitución extremadamente delgada de la segunda liebre. Envidió su elegancia. Miles de años atravesando las altiplanicies del valle de Rift, a una altura de más de mil metros, lo habían dotado de un esqueleto poco pesado, un pecho ancho donde albergar los pulmones necesarios para correr amplias distancias, unos tobillos estrechos, que sustentaban las fibrosas palancas que impulsaban todo el cuerpo, y un corazón poderoso que enviaba la sangre con fuerza para suplir la carencia de oxígeno producida por la altitud. Un éxito de la evolución humana al servicio de la velocidad y la resistencia. Era normal que los niños keniatas y etíopes recorrieran distancias diarias de más de treinta kilómetros y que, al llegar de vuelta a casa, tuvieran que sacar el ganado a pastar hasta el anochecer. Janik no podía seguir su ritmo y mucho menos aguantar sus cambios de velocidad. Esos intensos cambios que tanto daño hacían en las piernas a los corredores europeos lo fascinaban. Definitivamente, eran una raza superior.

Las gradas estaban a rebosar, los corredores de los 110 metros vallas disputaban la prueba en la recta de llegada, mientras los lanzadores de jabalina se preparaban para el último intento. Las pequeñas cintas que indicaban la dirección del viento no se movían. Los focos del estadio lo convertían en una isla en medio de la oscuridad. El olor a pista sintética subía desde el suelo, se adentraba en las fosas nasales y permanecía allí un buen rato. Había llegado el momento de la verdad, de comprobar si los entrenamientos habían agrandado los glóbulos rojos, las fibras musculares y el corazón, para ganar unos segundos, unas décimas al cronómetro.

El juez de salida recibió en su *walkie-talkie* la indicación del juez principal.

—*On your marks!* —gritó.

Los corredores se colocaron lo más cerca posible de la línea que delimitaba la salida.

El disparo se oyó en todo el estadio. Las dos liebres salieron raudas hacia las primeras posiciones. Janik luchó por colocarse en una buena posición. Tuvo que cambiar varias veces de dirección porque los corredores iban lanzados y ocupaban su trayectoria. Hubo algún empujón leve y notó cómo los clavos de un corredor le rasgaban ligeramente la piel del gemelo. A los ochocientos metros, adelantó a dos corredores que no podían mantener el fuerte ritmo de carrera. Al paso del mil, tenía a un francés justo delante.

—Dos minutos, veintiún segundos —cantó alguien al borde de la pista.

Janik estaba en tiempo de récord personal, pero ya había superado esos ritmos otras veces. Lo más duro estaba por llegar, el último quinientos. Esos metros finales son los verdaderos verdugos del atleta. Los que diferenciaban a uno bueno de uno excepcional. Al paso por la campana que anunciaba la última vuelta, empezó a notar el esfuerzo en las piernas. Vio que en la recta de contra meta un corredor keniata se salía de la estela de los demás intentando adelantar.

Janik no se lo pensó y lo siguió. Un competidor se le acercó tanto que él pudo escuchar su respiración cerca de la nuca. Ya no tenía mucha energía. A esas velocidades el cuerpo ha generado el suficiente veneno para detener poco a poco la marcha. Al entrar en la recta de llegada, cerró los ojos, apretó los dientes y trató de mandar órdenes a las piernas.

Cambia de ritmo. Vamos, cambia de ritmo.

Los espectadores, que se habían levantado de sus asientos para animar, gritaron y aplaudieron. 3 minutos 35 segundos 42 centésimas.

Vaya marca, se dijo. No se lo podía creer. Una mezcla de satisfacción y alegría por lo que había conseguido se apoderó de él. En vez de abandonar la pista, se quedó a ver la carrera de Irina desde la boca de salida del estadio.

Irina no dudó en seguir a la liebre cuando la carrera de 1.500 se partió por completo ante el tirón de la medallista de plata en los anteriores mundiales. La atleta etíope ganó, pero no pudo despegarse de Irina hasta los últimos sesenta metros.

—Lo hemos conseguido —le dijo a Janik cuando se cruzaron en la vuelta de honor.

Janik se quedó mirando su cara; su respiración reflejaba el esfuerzo, y sus ojos, la alegría. Un escalofrío le recorrió el cuerpo. La abrazó de nuevo. Cuando sus miradas se encontraron, la besó en los labios. Irina sonrió y continúo recibiendo los honores del público.

Después, Janik se juntó con Anna y Peter, y los tres fueron al encuentro de Irina. La llevaron en volandas hasta la ría de los 3.000 metros obstáculos y la lanzaron al agua del foso. Algunos jueces y ayudantes que pasaban cerca los miraron con cara de sorpresa.

—Esperad un momento —dijo Peter.

Le pidió a uno de los ayudantes que les hiciera una foto; la foto que tanto iba a significar en la vida de Janik.

De vuelta a Les Diablerets, se reunieron los cuatro amigos en la habitación de Irina y Anna. Tuvieron una interesante discusión sobre qué tipo de música le gustaba a cada uno. Irina se decantaba por el heavy y la ópera. Mantenía que los dos estilos eran muy parecidos y que los buenos cantantes de heavy no tenían nada que envidiar a los divos del *bel canto*. Peter era partidario de Lady Gaga y Beyoncé. Anna, sin embargo, prefería Coldplay.

Como para muchas otras cosas, Janik era diferente de sus compañeros y no le gustaba la música, los CD que tenía en el coche se los había regalado Ethan.

—¿Jugamos a las cartas? —propuso Anna.

Aquella noche, por vergüenza a ser descubierto, Janik solo se atrevía a mirar de reojo a Irina. La cara de la chica parecía brillar como una estrella. Sus ojos azules, grandes y tristes, se posaban sobre las cartas y se quedaban allí durante segundos. Se fijó en sus labios carnosos, bien dibujados, que había besado aquel día por primera vez. Quería más, deseaba recorrer su cuerpo, bajar por la boca, por su cuello, decirle al oído que la quería.

El despertador sonó a las ocho de la mañana. Se sentó en el borde de la cama y se acordó de los buenos momentos que había pasado junto a Ethan. Pensó que quizá tenía que haberlo llamado, pero ¿qué iba a decirle? Suerte, que te recuperes, como si no hubiese pasado nada. Él no era de esa clase de personas. Le había mentido y eso le quemaba por dentro.

En el vestíbulo se encontró con Anna, que se marchaba a entrenar a toda prisa. Janik supuso que veía a Irina en el comedor, pero no la vio. Decidió pasar por su habitación.

Llamó a la puerta. Nadie contestó. Llamó más fuerte.

—Irina, que son más de las nueve y media, despierta.

No obtuvo respuesta.

—Irina, voy a entrar.

Le extrañó que la puerta estuviese abierta. La habitación estaba en semipenumbra, unos débiles rayos de luz se colaban por las rendijas de la persiana. Bajo el edredón de una de las camas se adivinaba un cuerpo. Dudó si entrar, antes la llamó desde el marco de la puerta.

—¡Irina, levanta, tenemos que entrenar!

Silencio.

Se acercó despacio hasta el borde de la cama. Irina estaba echada de medio lado.

—¿Irina?

No se movió.

—Irina, ¿te pasa algo? —preguntó, a la vez que zarandeaba su cuerpo.

El aire se volvió rancio. Irina cayó como un fardo de paja a sus brazos.

Un pequeño rayo de luz iluminó su rostro; el color morado de sus labios contrastaba con la palidez de su piel.

12

Había pasado un fin de semana fabuloso en Viena. Claire lo había sorprendido con un viaje relámpago a la capital austríaca. Las cosas se habían suavizado entre ellos. Desde que Thomas llegó de Irlanda parecía que se habían dado una pequeña tregua. Fueron a la ópera a ver *Aída,* representada por el gran Plácido Domingo, pero lo más interesante del día fue una exposición del artista suizo Cristoph Buchel.

Claire lo llevó al museo La Secession, donde se exponían las obras de Gustave Klimt. A Thomas le gustaba aquel pintor, así que fue encantado. Al principio, le pareció un error por parte de Claire el proponer ir a la muestra de Buchel. Eran más de las once de la noche, hora en que la mayoría de los museos cerraban. Hacía frío y las calles adoquinadas estaban desiertas. Sin embargo, nada más entrar al museo se quedó con la boca abierta. El suizo Buchel había intentado provocar el mismo escándalo que generaron los cuadros sensuales y eróticos de Klimt, Schiele y Kokoschka a principios de siglo. Para ello, había trasladado el famoso burdel Element6 al museo, además de convertir varias salas en espacios para la cultura del sexo. Thomas vio aparatos sadomasoquistas, sillones de ginecólogo, habitaciones con cojines de piel de leopardo y, en las paredes, cuerpos desnudos. Pero la gran sorpresa estaba en el sótano: un club *swinger.*

Unas esculturas de estilo griego sujetaban unos enormes platos repletos de condones, y en una pared estaba clavada un aspa fija donde un hombre musculoso sonreía encadenado de pies y manos. Pasaron por un largo pasillo; a ambos lados se habían construido unas pequeñas habitaciones sin cortinas en las que se desarrollaban las posturas sexuales más variopintas. Dejaron atrás escenas sadomasoquistas, *bondage* y tríos. Conforme se iban adentrando, la música se entremezclada con los sonidos humanos y la excitación de Thomas aumentaba. Se detuvo ante una mujer que estaba de rodillas, con la cabeza y las muñecas metidas dentro de una especie de guillotina. Mostraba sin pudor su trasero moviéndolo a un lado y a otro, como una gata en celo. Claire le acarició las nalgas para después recorrerlas con sus labios.

—Deliciosa. Es toda tuya —le dijo a Thomas—. Me voy con el del aspa, su lengua lasciva es una promesa segura de paraíso.

El cuerpo de Thomas, lleno de deseo, se fundió con el de la sumisa llevándolo varias veces hasta el éxtasis. La noche se alargó más de lo que esperaba.

El lunes, después de dos cafés, pudo concentrarse en el trabajo que tenía por delante y dejar de pensar en Viena. Debía entrevistarse con la delegación de Santo Tomé y Príncipe. Miró la hora. Suspiró aliviado, aún le quedaban treinta minutos para ponerse al día. Leyó los informes de la Interpol que había sobre la mesa.

Santo Tomé y Príncipe era el país más pequeño de África con ciento sesenta mil habitantes. Había sufrido un intento de golpe de Estado en 2003, provocado por exmiembros del ejército sudafricano de la era del apartheid, que fue sofocado gracias a la mediación internacional. Ahora disponía de un sistema de partidos políticos y de un nivel aceptable de respeto a los derechos humanos, que incluía la libertad de expresión y de prensa.

Thomas apretó el botón que comunicaba con su secretaria.

—Rose, acabo de leer que el idioma oficial de Santo Tomé es el portugués. ¿Sabe si hablan inglés o francés?

—Saben algo de francés, pero como habrá términos técnicos en la entrevista, han solicitado un intérprete. En este momento, se encuentra con la delegación... —hizo un pausa y miró la hoja que llevaba en la mano— santotomense. Vendrá con ellos desde el hotel.

—Gracias Rose, como siempre, es usted de gran ayuda.

Llamaron a la puerta. Era Rose con las copias traducidas al portugués del modelo FIND. Dejó una para cada miembro de la delegación en la mesa de la sala adyacente al despacho de Thomas.

—¿Qué quiere que traiga para beber?

—Lo que usted crea más oportuno —respondió Thomas sin levantar la vista de sus papeles.

Al instante, Rose apareció con un carrito de bebidas y aperitivos variados. Dejó una botella de agua para cada uno de los asistentes, refrescos, tazas por si alguien quería té o café y una bandeja con pastas.

Cuando Rose pasó delante de Thomas, le sonrió. Su cuerpo pequeño y lleno de curvas se movió con gracia hasta desaparecer por la puerta.

Los miembros del Gobierno y de la Policía de Santo Tomé y Príncipe tomaron asiento en la gran mesa rectangular. La intérprete permaneció de pie.

Por un momento, Thomas se quedó sin habla. Era Claire. Vestía un traje diplomático entallado, camisa blanca y unas gafas de montura roja. Iba sin maquillaje, tan solo llevaba brillo en los labios. Se había peinado con un moño alto. Lo saludó con un apretón de manos.

—Señor Connors —dijo de manera cortés.

Claire apretó el interruptor del audífono, algo que los asistentes imitaron.

—Buenos días, señores. Bienvenidos a nuestra sede de Lyon —comenzó Thomas, intentando hablar lo más despacio posible—. Sé que están interesados en nuestra base de datos sobre información de pasaportes, carnés de identidad y visados, cuyo robo o pérdida han sido denunciados por los respectivos países. Nuestra base de datos les permitirá comprobar inmediatamente si un documento de identidad figura como robado o perdido. Asimismo, la Interpol dispone de bases de datos sobre vehículos robados y personas buscadas por la justicia.

Thomas hizo una pausa para servirse un vaso de agua, y continuó:

—A fin de ayudar a los países a conectarse fácilmente, la Interpol ha creado una solución integrada. Consiste en el uso de bases de datos de red integrada fija, conocidas como FIND, y puede adaptarse al sistema de verificación asistida por ordenador de cada país.

—Me gustaría saber cómo funciona —dijo un hombre enorme que estaba sentado a su derecha.

—Muy sencillo. Un funcionario puede enviar una consulta a su sistema nacional simplemente pasando un pasaporte por el escáner digital, o introduciendo manualmente su número de identificación. La respuesta indicará si el documento coincide, o no, con alguno de los registrados en la base de datos. Lo realmente interesante es que esta consulta se realiza simultáneamente en la base de datos nacional, en caso de que exista, y en la de la Secretaría General de la Interpol FIND.

Hubo un murmullo de aprobación entre los asistentes, una vez que Claire tradujo las palabras de Thomas.

—El funcionario recibirá respuestas de ambas bases de datos en cuestión de segundos —continuó Thomas cuando cesaron los comentarios—. Mediante un sistema de alerta electrónica, se notificará a los países miembros interesados las coincidencias que pueda haber. En esta sociedad globalizada, ustedes pueden acceder a todos los datos internacionales.

—Disculpe —lo interrumpió el hombre que llevaba un traje militar con varias medallas colgadas en el pecho—. ¿Qué tenemos que hacer para instalarlo?

—Enseñaremos cómo hacerlo a sus miembros de la Interpol.

El militar levantó la mano dándose por aludido.

—Veo que usted forma parte de la plantilla, estupendo —dijo Thomas, satisfecho—. Los funcionarios de la Secretaría General de la Interpol les enseñarán su funcionamiento. Ayudarán en el proceso de instalación e incluso después, si lo necesitan. El servicio de asistencia técnica de la Secretaría General está disponible las veinticuatro horas del día para prestarles ayuda en cada una de las fases de la conexión.

—¿Qué quieren a cambio? —preguntó la única mujer del grupo.

—Queremos una comunicación fluida entre sus servidores informáticos nacionales y los de la Secretaría General de la Interpol, por medio del sistema I-24/7; es decir, que tengan siempre actualizadas sus bases de datos de delincuentes para cualquier consulta que podamos necesitar.

—¿Ustedes nos suministrarían los medios tecnológicos? —quiso saber el representante del Gobierno.

—¿Qué les parece si nos tomamos un café o un té mientras discutimos los detalles menores? —propuso Thomas de buen humor.

La reunión se alargó durante dos horas más. Thomas no lograba entender la razón por la que, lo que para él eran flecos sin importancia, para los demás eran asuntos de gran transcendencia. Se despidió con un apretón de manos de cada uno de los miembros de la delegación hasta que le tocó el turno a Claire.

—¿Por qué has fingido que no me conoces? ¿Qué importancia tiene que me conozcas o no?

—Pensé que lo querrías así —respondió ella, insegura—. La verdad es que era cuestión de tiempo que tuviera que trabajar para ti. Mi compañera estaba ocupada esta mañana con unas clases en la escuela de idiomas y me han llamado a mí.

Claire miró de reojo a los miembros de Santo Tomé que esperaban fuera.

—Me tengo que ir. Me han contratado para llevarlos a comer, luego hacer una visita por Lyon y dejarlos contentos en el hotel.

Alcanzó su bolso, que estaba encima de una silla.

—Pero si quieres me despido de ti con un beso —dijo sonriendo.

—Anda, déjalo. Ve, que te esperan. Por cierto, muy bonito el moño. Esta noche déjame que te lo deshaga.

—¿En tu casa?

—En mi casa.

Mientras acompañaba a la delegación hasta los ascensores, Thomas vio que Claire se paraba en la mesa de Rose e intercambiaba con ella unas breves palabras. Instantes después, se unía a la delegación. Thomas la interrogó con la mirada y ella contestó con una sonrisa.

Cuando hubo acabado los informes sobre la reunión, Thomas decidió ir a comer. Miró el termómetro de la calle, marcaba veintidós grados. Era un día espléndido de primavera. Dejó la americana en el despacho, se quitó la corbata y se marchó satisfecho.

La terraza del restaurante Le Bouchon estaba llena. Era un sitio muy frecuentado por los lioneses. Debía su nombre a los tiempos en los que los posaderos ponían figuras de paja en forma de boca, *bouche,* en los establecimientos donde se servía vino. Ahora a todos los restaurantes de Lyon se los llamaba *bouchon,* aunque este fue el primero. Tenía unas puertas de cristal corredizas que, según la temperatura y la estación del año, se abrían o cerraban a conveniencia.

Saludó al dueño y este bajó la cabeza en señal de reconocimiento. Diez minutos más tarde, estaba sentado en la terraza tomando una copa de Beaujolais y leyendo la prensa. Para comer pidió *quenelle* con salsa de cangrejo.

Sonó el teléfono.

—Sí, dígame —contestó.

—Perdone la molestia, ¿es usted el señor Thomas Connors?

—Sí, soy yo.

—Me llamo Samuel Laurent, director del centro de alto rendimiento Les Diablerets. Primero, quiero darle mi más sentido pésame por la muerte de la señorita Úna Kovalenko.

—Gracias, es muy amable. Perdone, pero ¿qué desea?

El camarero apareció con una ración enorme, típica del restaurante. Thomas se hizo a un lado y el *garçon,* con una rapidez inaudita, le colocó la servilleta, los cubiertos, el famoso plato lionés y el platito con el pan. Thomas bajó la cabeza en señal de agradecimiento.

—Han pasado dos semanas desde la muerte de nuestra deportista y nadie ha venido todavía a recoger sus efectos personales. Como usted entenderá, no podemos guardar la habitación de manera indefinida a la espera de que vengan a por sus enseres. Hay muchas chicas deseando entrar en Les Diablerets y, bueno, no quisiera resultar descortés, pero creo que ya ha pasado cierto tiempo...

—Entiendo perfectamente lo que trata de decirme —lo interrumpió Thomas—. No se preocupe, consultaré mi agenda y en cuanto pueda lo llamaré para concretar un día.

—Gracias por su comprensión. Sepa que también es molesto para su compañera de habitación ver cada día las cosas de la señorita Úna —explicó el director.

—Como ya le he dicho, no tiene por qué preocuparse. A lo largo del día recibirá mi llamada.

—Gracias, señor Connors. Si no tiene inconveniente, hágalo a este número de teléfono.

El director se despidió no sin antes agradecerle nuevamente su amabilidad.

Durante la comida, Thomas estuvo pensativo. En cuanto terminó, llamó a Maire. Al segundo tono contestó.

—Hola, Thomas, ¿qué tal? Gracias por el ordenador que me has enviado. Las clases prácticas me están matando, la verdad es que nunca me han gustado los libros.

—Me alegro de que te vaya bien el portátil, es fundamental que tomes confianza con la informática si quieres encargarte de la inmobiliaria —dijo, mientras se ponía las gafas de sol.

—¡Uff! En un mes tengo que aprender lo que llevo posponiendo años. Por más que Úna insistía, nunca le hice caso y eso que hubiéramos estado más unidas por el correo electrónico, pero yo... me empeñaba, con orgullo, en ser una analfabeta informática.

—Te llamaba precisamente porque tengo que recoger en la residencia los efectos personales de Úna, y no sé qué hacer con ellos —dijo Thomas.

El camarero recogió los platos apoyándolos en un brazo. Cuando hubo acabado, con la otra mano dejó en la mesa la carta de postres.

—No quiero nada. Guárdalos tú, por favor —contestó Maire en tono serio.

—Pero ¿qué dices?

Thomas estaba cansado del jueguecito de Maire. No conocía a Úna. No tenía nada que ver con ella. Quiso decir lo que pensaba pero no se atrevió, el pasado pesaba demasiado.

—Thomas, dame un poco de tiempo. Úna pasaba largas temporadas fuera de casa, yo estaba acostumbrada a no verla en meses. A veces pienso que está bien, que está entrenando, ocupada con sus cosas... Ya sé que es una locura, pero por ahora me funciona. Necesito estar más fuerte para afrontar su muerte, así que, déjame soñar un poco, solo un poco más.

No podía negarse a las súplicas de Maire. Ella, de alguna manera, era su debilidad.

—Está bien, me haré cargo. Guardaré sus cosas hasta que me las pidas.

—Gracias, Thomas. Te dejo, tengo que entrar en clase. Adiós.

—Te llamo cuando haya recogido todo.

—Prefiero que no. Un beso. —Y colgó.

El camarero se acercó para tomar nota del postre. Thomas pidió *tarte tatin,* una tarta de manzana servida al revés y acompañada de una bola de helado de vainilla.

No tenía por qué volver al trabajo, su horario laboral acababa a las dos de la tarde. Aunque seguramente se pasaría después por la oficina, le apeteció pasear por la orilla del río Ródano hasta llegar a la Place de l'Opéra. Después del paseo volvió a su despacho y miró la agenda de la semana. Vio que el jueves no tenía nada que no pudiera dejar para el viernes. Llamó al director de Les Diablerets y quedó en ir el jueves.

Thomas conducía relajado. La voz ronca de Leonard Cohen armonizaba con su estado de ánimo. El día era magnífico. Pasó

Lausana, camino a Les Diablerets, bordeando la orilla del lago Lemán. Los picos más altos se reflejaban en sus aguas y parecían hundirse en él. En el cantón de Vaud Alpes los pueblos eran tranquilos, de casas de madera con flores en las ventanas. Circuló suavemente entre viñedos que, poco a poco, ascendían hasta desaparecer engullidos por las montañas. Contempló las cumbres de Blanchard y Cornettes de Bise con sus imponentes siluetas en el horizonte. Sus cimas puntiagudas, moteadas por los neveros y explotadas por el turismo de esquí, le parecieron hostiles. Recordó las montañas de Irlanda, de cumbres redondeadas, desgastadas por el viento y la lluvia, expuestas a los elementos, sin aquellos enormes bosques en los que guarecerse. Thomas amaba Irlanda, cada camino sinuoso, cada pueblo adormilado de gente amable y alegre, cada risco salvaje y olvidado...

Bajó la ventanilla del coche y sacó la mano, dejando que la brisa primaveral se colara entre sus dedos. Le llegó el aroma intenso que desprendían las bodegas de la cercana Saint-Saphorin, donde se elaboraba el mejor Chasselas. Recordó una *fondue* que hizo Claire cuando empezaron a salir juntos, regada con ese famoso vino blanco.

A pocos kilómetros de Montreux, con sus hoteles de cinco estrellas y centros de belleza de lujo, inició la subida hacia Les Diablerets. Según ascendía, el paisaje iba llenando sus sentidos. Condujo despacio para no perderse ningún detalle. Pasó por prados verdes con vacas que pastaban y lagos de color verde turquesa. Dejó atrás profundos valles, con frondosos bosques de pinos y alerces, y estrechas gargantas por las que corrían ríos impetuosos. En el horizonte, siempre presentes, se alzaban los Alpes majestuosos llenos de nieve.

El centro de alto rendimiento era impresionante. Todo en él era descomunal. Se habían restaurado las ruinas de un antiguo castillo militar que quedó anexionado al moderno centro de entrenamiento. El resultado era asombroso. El enorme edificio final transmitía una imagen de tradición y modernidad. A lo lejos, contempló una abadía que se alzaba sobre las montañas.

El conserje acompañó a Thomas hasta la habitación de Úna. Era un hombre mayor, vestido enteramente de negro, que cojeaba de la pierna derecha. Thomas lo siguió. El viejo dejaba atrás el pie derecho para volverlo a poner delante con lentitud; en ese trayecto, arrastraba la pierna formando un semicírculo. A Thomas aquel andar le pareció hipnótico. Pensó que ese hombre estaba fuera de lugar en un sitio que irradiaba salud y dinamismo. Se cruzaron por los pasillos con jóvenes deportistas que charlaban animadamente en multitud de lenguas distintas. Todos parecían tener algo que hacer y un lugar adónde ir. Los envidió por su juventud.

—¿Ha tenido buen viaje? —le preguntó el viejo.

—¡Oh, sí! Gracias, muy bueno.

—Ha tenido suerte. Llevamos unos días en los que el diablo está tranquilo y no nos molesta. Pero no nos podemos fiar —dijo el anciano, volviéndose—. Aunque no esté, su sombra siempre vigila este lugar.

Thomas sonrió para sí. Desde luego, era todo un personaje. Se dirigieron al ascensor y subieron al tercer piso. Al abrirse las puertas, se encontró frente a un inmenso pasillo lleno de luz.

—Yo nací cerca de aquí. —Señaló el suelo con el dedo—. Parte de la casa de mis antepasados fue arrasada por los espíritus malignos. Arrojaron piedras montaña abajo sepultando todo lo que encontraron a su paso.

Thomas se fijó en el pantalón raído que llevaba el hombre atado a la cintura con una cuerda de esparto. Varios chicos lo saludaron llamándolo Blanc. El viejo respondió al saludo alborotando el pelo de uno de ellos. Miró por unos de los ventanales del pasillo.

—Venga, joven —dijo, y movió sus artríticas manos—. Le voy a enseñar dónde estaba mi casa.

Thomas se acercó con curiosidad.

—¿Ve la abadía? Pues allí nací —le explicó señalando con su retorcido dedo—. Todo ese terreno era mío, de mis antepasados. Donde pastaban las ovejas, hicieron el aparcamiento y el tren cremallera. Cuando llegaron los ricachones para construir toda esta barbaridad, me dijeron que me fuera. Me enseñaron muchos papeles para demostrar que era suyo pero meeeentíííaaan —dijo arrastrando las vocales.

Thomas miró el reloj disimuladamente.

—A cambio de mi silencio, me dieron migajas. Tuve que vender las ovejas. No dejaron que conservara ni el corral. Dijeron que no daba buena imagen, no era moderno.

Continuó su camino hasta la habitación, con Thomas detrás. A su izquierda se sucedían las habitaciones hasta que llegaron a la número 34. Sacó una tarjeta y, después de lo que le pareció a Thomas una eternidad, abrió la puerta.

—Una pena lo de esta chica. —Movió la cabeza de un lado a otro—. No ha sido la primera ni será la última.

—¿Por qué dice eso? —preguntó Thomas intrigado.

—Nada bueno puede pasar en este sitio maldito.

Y dicho esto, el viejo se marchó cabizbajo con su pierna maltrecha.

En el cuarto había dos camas separadas por dos mesillas de noche y un enorme ventanal. Junto a las camas, el mismo mobiliario: una mesa de estudio pegada a la pared sobre la que había una pequeña lámpara y un armario de dos puertas. Vio que la parte derecha era la de Úna. Había varias fotos de ella pegadas en la pared. Encima de la cama se encontraban unas cajas de cartón. En ese momento, Thomas cayó en la cuenta de que no había llevado nada para recoger las pertenencias. Supuso que las cajas las habría dejado el curioso conserje. Empezó por el armario. Lo abrió, sin preocuparse demasiado sacó de los estantes lo que encontró y lo metió en una de las cajas. Hizo lo mismo con la ropa que estaba colgada de las perchas y con la de los cajones. Enseguida, vació el armario y el zapatero. Tenía calor, así que abrió la ventana para que entrara el aire frío y seco de la montaña.

Se acercó a la pared y descolgó las medallas, después quitó las chinchetas que sujetaban los diplomas y las fotos. Vio a Maire abrazada a su hija, ambas sacaban la lengua al fotógrafo. En otra aparecía Úna sonriente, con una medalla al cuello subida en un pódium. Había varias de grupos de atletas, todas vestidas con la misma equipación, entre las que Úna destacaba por su pelo rojo. En tres fotos reconoció a gente de Kilconnell, entre ellos, los padres de Maire. Cuando vació la pared, metió en una caja lo que había encima de la mesa: un bote con pinturas y bolígrafos, un cuaderno de anillas, un oso de peluche, una caja de caramelos y un MP4. Se sentó en la silla de estudio y abrió los cajones, estaban llenos de cosas. Volcó su contenido en la caja de cartón con las fotos. Lo mismo hizo con el cajón de la mesita de noche. Decidió no entrar en el baño, que estaba pegado a la puerta de entrada. Echó un vistazo rápido por si se le escapaba algo, cuando vio un cofre y multitud de trofeos encima del armario. Acercó la silla y se subió. Alcanzó la caja de madera, con un relieve de hojas labrado. Se bajó, la dejó sobre la cama y la abrió. Estaba llena de cartas. Leyó el remite de una de ellas, era de Maire. Fue a cerrar la caja cuando observó que, debajo de unas postales, sobresalían unos recortes de periódico. Los sacó y los desplegó. En algunos, se vio a sí mismo en varios instantes de su vida; en otros, simples noticias en las que lo citaban. En todos, su nombre estaba subrayado.

13

Janik soñó que Irina estaba muerta. En la confusión del despertar, se preguntó si era verdad y descubrió sobresaltado que la pesadilla era real. La revelación fue brutal y sintió que se desangraba por dentro.

Bajó las escaleras contando los escalones, para ocupar su mente con los números. Allí estaba Blanc, que no dejaba de observarlo desde la distancia. No había nadie más en el pasillo. Cuando Janik llegó a su altura, Blanc le preguntó si había visto algo extraño en el cuerpo de Irina cuando la encontró.

—No, ¿por qué iba a encontrar algo extraño en el cuerpo de Irina?

—¿No lo sabes?

—¿Saber? ¿Qué tengo que saber?

—Que el diablo la visitó.

—Vaya tontería.

—No son tonterías. Cuando tenía tu edad, el diablo lanzaba a los lugareños grandes trozos de roca desde lo alto. Tuvimos suerte de que respetara la abadía.

Janik pensó que se refería a algún desprendimiento o a un alud.

—Hubo una época que lo hacía de noche, mientras dormíamos. Cuando estábamos acostados, oíamos caer las rocas y partirse en mil pedazos.

—Los famosos desprendimientos que todo el mundo comenta —dijo Janik, con recochineo.

—Debajo de las ruinas de la abadía había un altar donde se adoraba a Satanás. Agustín de Lestrage, abad de la Orden de la Trapa, tuvo un sueño en el que Dios le mandaba destruir ese altar pagano y construir un monasterio al que llamó «La última voluntad de Dios».

—¿Has dicho que adoraban al diablo?

—¡Janik! No me interrumpas —le ordenó Blanc—. Buscó moradoras para el nuevo monasterio entre monjas cistercienses suizas, pero las religiosas se negaron. Don Agustín no se rindió y partió a Francia en busca de monjas ajenas a la fama del lugar. Ese mismo año comenzó la construcción del monasterio. Durante los tres años de trabajos se sucedieron desprendimientos, incendios y toda clase de desastres —continuó—. Además, se comenta que algunas monjas soñaban que el diablo las corrompía. Las religiosas abandonaron asustadas la abadía cuando solo se había construido una parte de las estancias. Todavía hoy los habitantes de Les Diablerets cuentan que, en su huida, gritaban: «¡El diablo, el diablo!».

—Vaya, otra vez el diablo —comentó Janik, cansado.

—Pero en estos últimos años es peor porque ahora viene a por las jóvenes atletas. Desde que edificaron la residencia, al diablo le gusta pasearse por los pasillos; puede oler las almas atormentadas. Yo lo puedo sentir.

—Y ¿no se te ocurre hacer algo? No sé, un exorcismo o algo parecido.

—No, no se debe molestar al diablo —dijo, con determinación—, o la próxima vez irá a por ti. El diablo tiene un solo propósito y muchas caras.

—Blanc, ¿de verdad crees en esas cosas?

Blanc rio antes de darse media vuelta y desaparecer por una de las puertas de servicio. Janik se quedó inmóvil en medio del pasillo. Lo único real de esa conversación era que Blanc creía firmemente en lo que decía.

Algo se rompió en alguna parte del cuerpo de Janik después de la muerte de Irina. Un dolor desconocido lo atenazaba. No era como el que sintió cuando murió su padre, que llenaba todo el cuerpo. El dolor por Irina no sabía de qué parte procedía, pero no era superficial como un dolor de piernas, venía de más adentro.

Janik comenzó a correr en dirección al circuito del río, que bajaba crecido por el deshielo. Podía respirar el verano. La imagen de Irina apareció en un recoveco del camino, pero esta vez su sombra iba más deprisa. Recordó cómo respiraba, de manera acompasada y suave hasta que cambiaba el ritmo y se hacía más fuerte. Recordó su cara concentrada, con la mirada puesta en algún punto lejano del horizonte, moviendo los brazos al compás de sus piernas. Con el brazo derecho hacía más recorrido que con el izquierdo. Ese era su único defecto en un estilo casi perfecto. Era gratificante contemplar su silueta cuando se adelantaba un poco. Su coleta, sus piernas largas y su pequeño trasero, que se marcaba a través de las mallas.

¿De qué murió?, se preguntaba Janik una y otra vez. Irina era una chica joven que se preocupaba por hacer bien las cosas. No se perdía una sesión de masaje y cuidaba la alimentación hasta el punto de separar las olivas de la ensalada por miedo a que le aportasen unas calorías de más. Un fallo del corazón, pensó. Buscó en su memoria si alguna vez Irina se había quejado de algún malestar.

Nada.

—¡Irina! —gritó fuerte—. ¡Siento no haberte dicho que te quería!

14

Eran las 9.30 cuando Frank Stone se despidió con un beso en la mejilla de Ekaterina. Su mujer había sido una atleta de élite en Rusia, además de la hija de uno de los representantes del partido comunista. Fue lo que se dice amor a primera vista y, después de unos días de conquista, Frank le propuso, para no tener que separarse, que terminase sus estudios en una de las universidades más importantes de Ginebra. Ekaterina aceptó y se casaron un año después en San Petersburgo por el rito ortodoxo.

Mientras bajaba las escaleras hacia el garaje, sintió una leve molestia en la rótula de la rodilla derecha. Se paró unos segundos hasta que el dolor desapareció y continuó su descenso. Entró en el Porche 911 Carrera de color azul, arrancó el motor y pulsó el botón del mando que abría la puerta del garaje. Vivía en una casa moderna, con forma de «U», situada en la ribera izquierda del lago Lemán, en Cologny, un pueblo de no más de cinco mil habitantes. Había escogido ese lugar para establecerse porque estaba a escasos kilómetros del aeropuerto internacional y a menos de hora y media en coche de Les Diablerets pero, sobre todo, porque quedaba a diez minutos a pie del club de golf.

Tenía una cita para jugar unos hoyos con su mejor amigo y debía darse prisa; Hugo no estaba acostumbrado a que le hiciesen esperar.

Hugo tenía la misma edad que Frank, aunque su pelo abundante, su piel bronceada y un cuerpo atlético le hacían parecer más joven. Era conocido en el mundo de las grandes empresas como el hijo mayor del presidente de la farmacéutica Poche y, en sociedad, como el soltero de oro al que toda mujer casadera quería arrimarse.

El bisabuelo de Hugo había fundado la farmacéutica junto a su socio Carl Maurer, ganador del Nobel de química por su trabajo sobre el enlace de átomos en moléculas a principios del siglo xx. Desde entonces, la empresa había crecido considerablemente en tamaño y volumen de negocio. Empezaron a comercializar los medicamentos a escala mundial hasta que el boicot de los alemanes en la Segunda Guerra Mundial los puso contra las cuerdas. Pero una buena maniobra conjunta entre su abuelo, que hizo una ampliación de capital, y los químicos, que descubrieron exitosos medicamentos, la situaron otra vez en el candelero. Ahora la farmacéutica contaba con más de cincuenta mil empleados y tenía fábricas en cuatro continentes.

Hugo había heredado de su abuelo la capacidad analítica y la constancia, una cualidad que le había servido para mantener, con el transcurso de los años, sus opciones en la carrera por la presidencia de la compañía. La sucesión se convirtió en una carrera de fondo. Conforme pasaban los meses, sus hijos veían que el viejo aún no estaba dispuesto a abandonar el barco. Era cierto que cada vez delegaba más, que los dejaba tomar decisiones importantes, pero cuando no estaba de acuerdo con ellos los trataba como a meros empleados. Hugo sabía muy bien qué tenía que hacer: esperar su momento.

El padre de Frank conoció al padre de Hugo en el Dolder Golf Club de Zúrich, donde trabajaba como empleado de mantenimiento. La amabilidad del padre de Frank no pasaba desapercibida entre los miembros del selecto club. Con el tiempo, la enorme brecha social que los separaba se fue reduciendo hasta casi desaparecer.

—¿Por qué no traes a tu hijo? —le preguntó en una ocasión el padre de Hugo—. Hay unos cursos de iniciación al golf para niños. Voy a apuntar al mío y no hay niños suficientes. Parece ser que pocos padres están dispuestos a que sus descendientes tengan en un futuro mejor *swing* que ellos. No te preocupes por el dinero de la matrícula, yo me hago cargo.

—Me parece una buena idea, menos de que se ocupe de la matrícula —dijo el padre de Frank muy digno.

Con los años, fue Frank Stone quien llegó a convertirse en un prometedor jugador de golf. Hasta que un accidente de moto el día en que cumplía dieciocho años le provocó una lesión en la columna.

A las 9.46, Frank aparcó el coche en la plaza número 73. Sacó la bolsa con los palos de golf y entró por la puerta del club con paso firme. Después del accidente pensó que podría continuar con su prometedora carrera deportiva, pero las lesiones hicieron que perdiera movilidad en las articulaciones y su *swing* nunca volvió a ser el mismo.

—Hola, Frank —lo saludó Hugo.

—¿Me has traído la chocolatina? —preguntó con impaciencia.

—Tranquilo, Frank, siéntate. Antes tenemos que hablar de lo de Corea. Te pido un café.

Frank se quitó la chaqueta blanca Lacoste y la dejó en el respaldo de la silla. Llevaba las gafas de sol puestas, eran tan imprescindibles como sus pastillas, le ayudaban a disimular el dolor cuando era tan fuerte que le hacía llorar. Desde que el médico le recetó morfina no había podido dejar de tomarla. Cuando Hugo y Frank se referían a ella, la llamaban «la chocolatina». En realidad, la podrían haber llamado de muchas maneras, pero siendo los dos suizos no se les ocurrió ninguna mejor.

—¿De qué quieres hablar? Me parece que no te vas a librar de una paliza —dijo Frank, impaciente por acabar la conversación y empezar a jugar.

—Ya sabes que me encantó la fiesta que montaste en París. Aquellas chicas eran estupendas, pero esta vez, si puede ser, que sean más jóvenes. No voy a tener que recordarte mis gustos a estas alturas —respondió Hugo con sarcasmo.

El camarero llegó con una bandeja con el café y el azúcar, además de un caramelo y un vaso de agua. Frank contempló durante unos segundos cómo se deshacía el terrón de azúcar en el café; después, levantó la cabeza y sonrió.

—Sí, sí, ya sé lo que te pone. Las chicas de París que tanto te gustaron fueron cosa de Serguei. Cuando se enteró de que íbamos para allí, se ofreció para encargarse de todo.

—Muy profesionales para ser modelos. ¿No te parece? —le preguntó Hugo con segundas.

Frank dio un sorbo al café. Pensó en lo que le había dicho su amigo. La verdad es que no era normal encontrar modelos tan dispuestas, y menos que tomaran la iniciativa de la forma en que lo hicieron.

—Las chicas de Serguei están muy bien enseñadas. Se nota que las elige él personalmente.

—¿Tienes preparado algo para Daegu? —le preguntó Hugo, sin rodeos.

—Sí, claro, pero esta vez será en nuestro hotel. Serguei se encargará de todo. Nada de salir fuera. He reservado dos suites. Invitaré a Hernández y Emmanuel, en agradecimiento por el favor que hicieron a nuestros amigos de la candidatura. Hay que comportarse como caballeros. ¿No te parece?

—¿Estás seguro? Desde que los de la BBC sacaron a la luz lo de los sobornos no está la cosa como para llevarlos de putas.

—Hugo, deja que yo me encargue. Nadie tiene por qué enterarse. Además, no son putas sino un servicio de acompañamiento, no lo olvides. Ahora, dame de una vez la chocolatina.

—Aquí tienes. Vamos a cambiarnos. ¿Qué tal nueve hoyos?

—Me parece bien, pero hoy no te doy más de tres golpes de ventaja —dijo Frank.

Se levantó de la silla, se puso la chaqueta y guardó la morfina en uno de los bolsillos.

—Con solo tres golpes me ganas, seguro. —Hugo sonrió.

—Vamos a dejarlo en cuatro, pero si te gano me debes una.

15

La forense Laura Terraux estaba de buen humor. Le acababan de traer su nueva camilla de autopsias. La mesa estaba construida en acero inoxidable, con base cerrada, puerta de registro, válvula de paso de agua, un interruptor de encendido y un enchufe hembra estanco. Además, en su interior había espacio para la bomba de succión. En la cubierta tenía una llave combinada, ducha retráctil, una tasa de lavadero y tres cribas perforadas desmontables y deslizables. Una auténtica maravilla. Le pareció ridículo alegrarse por estar dentro de la sala de autopsias. Miró a su alrededor. No había ventanas, unos tubos de luz fosforescente cruzaban el techo de un extremo al otro. El alicatado blanco de las paredes y las otras cinco mesas, abolladas por el uso, no ayudaban a animar el lugar de trabajo.

Su ayudante Julien apareció con el primer cadáver del día. Laura se colocó las gafas protectoras, se ató el delantal plastificado, pulsó el botón de grabar y se puso los guantes. Empezó con el examen externo. Se trataba de una persona mayor, que había muerto por atropello. Laura comprobó el nombre y el número de ingreso en la morgue. Vio en el brazo el extremo de una vía intravenosa y el tubo endotraqueal que sobresalía de la boca, restos de un intento de reanimación. Leyó que había muerto en el hospital, así que tenía que existir un informe médico. Hojeó el informe policial y llegó a lo que le interesaba: la doctora Renné había descrito de manera meticulosa el estado en el que el paciente llegó a Urgencias y su evolución hasta el momento de la muerte. Se adjuntaban radiografías y un escáner de tórax. Fue mirándolas conforme las colocaba en las pantallas luminosas pegadas a la pared más cercana a su mesa de autopsia. Mientras Julien ponía etiquetas en los recipientes de muestra, Laura alcanzó el escalpelo; estaba lista para empezar.

A las cuatro de la tarde, salió del hospital. No sabía cómo, pero su jornada laboral siempre se alargaba. Se montó en su coche, un Suzuki Gran Vitara con tracción a las cuatro ruedas. De camino a casa paró en el supermercado para comprar algunas cosas. Iba pensando qué necesitaba mientras empujaba el carrito, en el que metió dos envases de leche desnatada, un sobre de sopa preparada, un paquete de lonchas de pavo, plátanos, naranjas, tomates y huevos. Antes de llegar a la caja, pasó por su sección preferida; tres tabletas de chocolate y un paquete de bizcochos de mantequilla cayeron en el carro. Varias personas esperaban en la cola cuando llegó a la caja. Miró la hora. Quedaba poco para que empezara su serie favorita. Le gustaba verla mientras comía. Se impacientó. Un golpe en el tobillo le hizo volverse. Una joven se disculpó con una tímida sonrisa. En el interior de un pañuelo atado a su cuello, llevaba un bebé, que succionaba plácidamente el pecho de su madre. Laura la dejó pasar. Oyó los ruiditos que hacía el bebé mientras amamantaba; olió su colonia. Un sentimiento comenzó a crecer en su interior. Sintió una gran presión en el pecho y empezó a sentirse indispuesta. Últimamente, siempre le pasaba lo mismo, y cada vez con más frecuencia. Se obligó a respirar de manera pausada. Le entraron ganas de llorar. No encontró ninguna causa en particular a la que echar la culpa, simplemente porque sí, por ella misma. La joven madre acariciaba la cabecita de su bebé y, de vez en cuando, lo besaba cerrando los ojos. Laura contemplaba la escena inmóvil, hechizada. Le pareció increíble que en medio de señoras sobrealimentadas, cajeras de gesto arisco y adolescentes mascando chicle mientras escuchaban la música que salía a todo volumen de los auriculares, existiera ese momento de ternura y calma. Tenía cuarenta y un años. Quería saber qué sentía esa madre. Deseó ser ella.

Salió del supermercado y en cuanto llegó a casa encendió la televisión. Mientras se quitaba la chaqueta, vertió agua en un tazón y lo metió en el microondas un minuto y medio. Cuando

110

sonó el pitido abrió la puerta y echó en el agua el sobre con la sopa de pollo y fideos. Revolvió con una cuchara y lo colocó en una bandeja con un sándwich de atún y tomate y un vaso de agua. Se sentó en el sofá. Con ayuda de un pie, se quitó un zapato y luego repitió la operación con el otro. Probó la sopa y suspiró. Se sintió bien, la serie justo acababa de comenzar.

Laura apagó la televisión, otro día que le habían dejado con las ganas. Miró distraída por la ventana de la cocina mientras fregaba el plato y el tazón de la comida. Cuando acabó, se secó las manos y salió por la puerta trasera al porche. Le sorprendió que hiciera tanto calor. Descalza, bajó los escalones hasta el jardín. Contempló el enorme sauce llorón, el único árbol que había en el jardín. Caminó sobre la hierba hasta el sauce y se tumbó bajo sus ramas. Miró hacia arriba. No había mejor sombra que la de los árboles. Al revés que muchas, era una sombra reconfortante y luminosa. Vio cómo se creaban ante sus ojos figuras geométricas que iban transformándose, como las imágenes de un caleidoscopio. La primavera era la mejor época para estar fuera, con las hojas recién nacidas, de color verde fosforito, tiernas, translúcidas, que dejaban pasar los tímidos rayos de luz. Cerró los ojos y oyó los golpes de su corazón. Se sentía viva y fuerte. Había conseguido muchas cosas, más de las que nunca había imaginado. Pensó en su trabajo: doctora forense jefe; hasta ahora ninguna mujer había ocupado ese cargo. Abrió los ojos, contempló su casa de madera blanca con las ventanas rojas. Vio la mecedora en el porche y la manta de colores vivos apoyada en el respaldo. Recordó el viaje a México, donde la compró. Conoció el país viajando en autostop y sin dinero. Fue una locura. El recuerdo le hizo sonreír. Se acordó de Mario, de su risa, siempre de buen humor; lo había querido mucho.

Entró en la casa, atravesó el salón y salió a recoger el correo. Publicidad y extractos bancarios. Cerró la verja de hierro y entró. Volvió a hundir los dedos de los pies en la hierba del jardín. Dejó las cartas en la mesa de teka del porche. Pensó que no echaba en falta la compañía de un hombre, sabía lo que era vivir con alguien y, sinceramente, estaba mejor sola. Pero sentía ese

111

nudo en el pecho. Llevaba un tiempo así y no encontraba manera de deshacerlo. No se engañaba, escuchaba su cuerpo, que le gritaba: «Tienes que ser madre».

El lunes a las dos de la tarde recibieron una llamada en la morgue para avisar del fallecimiento de una mujer joven. Era necesario realizar la autopsia con el fin de conocer la causa de la muerte. Un celador del hospital trasladó el cadáver desde la ambulancia y se lo entregó a Julien, el técnico, junto con los documentos legales. Julien comprobó que los datos estaban adecuadamente rellenados. Leyó la pulsera identificadora: «Irina Petrova Kuznetsova. N.º 73245. 28/02/1986». Vio la anotación del médico sobre la posible causa de la muerte y que no decía nada de riesgos especiales, como hepatitis o VIH. Comprobó que el certificado que daba permiso para tomar muestras de tejido con fines terapéuticos, docentes y de investigación, estaba firmado por la familia.

Una vez que hubo revisado todos los documentos, Julien rellenó el libro de registros de la morgue y el libro de entrada con el número de autopsia, datos personales, tipo de autopsia y el nombre del médico que iba a realizarla. En ese momento, dudó. Miró el cuadro con los horarios de los forenses. Buscó el nombre de Laura. Vio que ya tenía dos autopsias programadas. Pensó asignarle el caso a Patrick, que entraba a trabajar a las tres de la tarde, pero enseguida desechó la idea. Laura lo mataría. Sabía que estaba interesada en ese tipo de muertes; él mismo había sido su ayudante en tres de ellas. Con paso resuelto, trasladó el cadáver de la morgue a la sala de autopsias.

Nada más entrar vio a Laura. Estaba trabajando en la nueva mesa. Dejó la camilla y se acercó hacia ella despacio. Por el camino saludó a Henry y a Honoré.

—Julien, ¿viste el partido de ayer entre el Lyon y el Paris Saint-Germain? —preguntó Henry. —El chico se detuvo delante de la mesa a los pies del cadáver de un hombre, de mediana edad, muy flaco, con la piel amarillenta.

—No lo vi. Pero he leído en el periódico lo que pasó.

—¿Qué opinas?

—Creo que fue penalti y tarjeta roja. El árbitro se equivocó.

Honoré estaba terminando de coser el tórax, mientras Henry metía celulosa en el cuello del cadáver.

—Yo tenía razón —dijo Honoré—. La amarilla era insuficiente. Tenían que haberlo expulsado.

—Vosotros los de Lyon siempre ponéis excusas cuando perdéis —dijo Henry, y se puso a silbar, de buen humor.

Acabó con la celulosa y se quitó los guantes. Julien vio como un malhumorado Honoré terminaba de suturar el cuello. Riendo, avisó al celador por el interfono para que se llevara el cuerpo. Quería irse pronto a casa. Se despidió de ellos y fue hasta la mesa de la forense. En la mesa de Laura, al contrario que en las otras, siempre reinaba el silencio. Ella se concentraba en cada autopsia y tenía presente en todo momento el papel tan importante que desempeñaba, además del respeto a los muertos. A Julien le gustaba trabajar para ella. No solo lo animaba con sus comentarios y opiniones si no que, además, aprendía.

—Laura, ¿puedo hablar un momento contigo? —preguntó en voz baja.

Ella no lo oyó, estaba totalmente ensimismada, así que tuvo que repetir la pregunta. Esta vez sí se volvió; su cara se alegró al verlo.

—¿Qué haces aquí? ¿No tenías un montón de papeleo por clasificar?

—Hay otro cadáver. Se trata de una mujer joven, deportista y, según el informe previo, ha muerto de forma súbita.

Julien vio que el cuerpo de la doctora se tensaba. La sonrisa desapareció y sus facciones se endurecieron.

—No se lo des a nadie, el cuerpo es mío.

—Pero tienes varias autopsias por realizar. Lo lógico sería dejarla para el turno de tarde.

—De ningún modo —dijo Laura con rotundidad—. Pon en el panel que yo me ocupo de esa autopsia. Pasa la menos urgente para la tarde o para mañana.

—¿Quieres que te ayude?

—Gracias, Julien —respondió aliviada—. El becario pone de su parte, pero me encantaría contar con un técnico de tu experiencia.

—Si te parece me lavo, y voy preparando el cadáver en la mesa cinco.

El becario de Laura apareció con los botes de formol. Los dejó en una mesa anexa y mientras los etiquetaba se volvió a disculpar por un error anterior. Julien identificó el cuerpo y comprobó que se correspondía con el historial. Colocó el cadáver con cuidado sobre la mesa en decúbito supino, lo desnudó y le puso un paño en la cara y los genitales. A un lado, dejó preparado el instrumental y etiquetó los botes con formol y los tubos para la recogida de muestras. Laura lo observaba de reojo. En cuanto vio que el cadáver estaba preparado, se apuró en terminar la autopsia dejando que el becario pusiera las costillas en su sitio y lo cosiera. Se lavó, se puso guantes nuevos, inició la secuencia de prosección de, según leyó, Irina Petrova. Laura inspeccionó y palpó el cadáver de la cabeza a los pies. Julien, a su izquierda, lo movía y anotaba los datos en el protocolo.

—Las fosas nasales parecen normales, el tabique también. Recoge muestras de la nariz y la boca. Me temo que si no encontramos restos de drogas, esta va a ser la sexta muerte súbita en lo que va de año.

Julien la miró preocupado.

—¿Sigues pensando que no son muertes naturales? —preguntó.

Laura asintió, concentrada.

—Demasiadas casualidades. Hay algo que se nos escapa —dijo.

—Pero las muestras analizadas de los otros cuerpos han sido negativas.

Laura miró a Julien. Tenía el pelo rubio, abundante. En ese momento lo llevaba tapado con un gorro. Sus ojos azules estaban ocultos por las gafas. Muchas veces cuando lo veía se acordaba del David de Miguel Ángel. Julien se giró para alcanzar las jeringas en las que guardar las muestras de fluidos. Laura admiró el trozo de tatuaje tribal que se asomaba por su nuca. Demasiado joven y guapo, pensó.

—Me da igual lo que digan en laboratorio. Estoy convencida de que algo ha matado a estas chicas —comentó, retomando la conversación.

Tomó el bisturí y realizó un corte en forma de «T» desde el hombro izquierdo al derecho bajo las clavículas y sobre el manubrio del esternón. Desde la mitad, cortó en perpendicular hacia abajo respetando el ombligo hasta la sínfisis del pubis. Después, en el tórax, levantó un poco la pared abdominal para no lesionar las vísceras. Por último, hizo un corte transversal en la parte inferior del abdomen. Julien midió el espesor del tejido subcutáneo a la altura del ombligo y lo anotó, tomó una muestra del músculo recto anterior y de piel y los introdujo en botes identificados con el número correspondiente.

—Por cierto, ¿qué tal el nuevo? —le preguntó a Laura, mientras veía que el becario se llevaba el cadáver de la anterior autopsia a la morgue.

—Muy verde. A veces prefiero hacerlo sola. En la primera autopsia del día, ha cortado la primera costilla desarticulando la parrilla costal.

Julien soltó una carcajada mientras la ayudaba a separar el diafragma desde el esternón hacia las costillas. Después cortó con el bisturí el músculo del cuello y desencajó el manubrio de la clavícula y la primera costilla.

—Por ahora, no hay nada reseñable. No hay adherencias entre la pleura visceral y parietal ni líquido en la cavidad pericárdica.

La doctora examinó la cavidad abdominal.

—Tampoco hay adherencias del epiplón.

Julien anotó el volumen de líquido peritoneal y la medida de la altura del diafragma. Por su parte, Laura comenzó la extracción de los órganos del tronco y del abdomen. Tomaron muestras para el análisis toxicológico. La doctora extirpó los pulmones y comprobó que sus arterias estaban limpias. Sacó el corazón, lo pesó y seccionó la vena cava buscando coágulos, no halló ninguno.

—Nada —comentó decepcionada—. Voy a examinar el interior del corazón a ver qué encuentro.

Julien asintió. Estaba concentrado en la disección del intestino en el fregadero de la mesa de autopsias.

—¡Aquí está! —exclamó Laura.

Dentro del corazón, en la vena cava, había un coágulo.

—Bueno, ya tenemos la causa —comentó Julien.

—Como las otras chicas. Todas han muerto de manera fulminante y de lo mismo: embolismo pulmonar masivo, infarto agudo o trombosis cerebral.

El joven ayudante asintió mientras colocaba al paciente boca arriba. Diestramente, efectuó un corte con el bisturí y procedió a cortar el cráneo con la sierra circular. Separó los polos frontales de ambos hemisferios con los dedos tirando de ellos hacia él suavemente. Diseccionó el bulbo para llegar a la médula y obtener muestras. Laura pesó el cerebro y comprobó las venas carótidas.

—El cerebro parece normal —comentó.

Mientras, Julien agarró el encéfalo y pasó un hilo, que sujetó a los bordes de un recipiente, dejando el cerebro en flotación en formol.

—Ten cuidado —le advirtió Laura—, el becario apoyó ayer uno en la pared del bote y se deformó.

Julien asintió y guardó el encéfalo en un bote herméticamente cerrado y con el nombre escrito en la etiqueta correspondiente.

—Dentro de quince días veremos qué hay —dijo, con tono alegre.

—Te voy a ayudar a reconstruir el cuerpo —se ofreció Laura.

—No hace falta, es mi trabajo.

—Ni hablar, me has hecho un favor ayudándome. Además, juntos acabaremos antes.

Entre los dos secaron y quitaron todos los líquidos ayudándose de cacillos y de una bomba de succión. Rellenaron el cuerpo con celulosa de forma que quedara lo más normal posible y procedieron a la reconstrucción del cadáver. Pusieron en el tórax la parrilla costal y añadieron más celulosa. Rellenaron el cráneo, encajaron la calota en las muescas hechas y volvieron a colocar en su sitio el cuero cabelludo. Lo cosieron, lo lavaron con agua y lo peinaron con un cepillo. Después, rellenaron el registro de las muestras para estudios histológicos, y Laura escribió sus datos y la fecha de la autopsia.

Nada más terminar, avisaron a un celador para que se llevase el cadáver a la morgue, donde irían a recogerlo los de la funeraria. Mientras se quitaba los guantes y el gorro, Laura se quedó observando al celador que lavaba con desinfectante todo el material y la mesa. Con el informe de Irina Petrova en la mano, se encaminó a las duchas y se acordó de Thomas Connors. Tuvo la certeza de que era hora de llamarlo.

16

Thomas contemplaba el cuerpo felino de Claire, enroscado entre las sábanas blancas. Cansado de sexo, desvió la mirada hasta sus largas piernas. Su cuerpo estaba medio oculto por su camisa y el sujetador de encaje. Se habían desvestido con urgencia, dejándose llevar por un deseo repentino y voraz, y la cama parecía un torbellino de ropas entrelazadas con las sábanas. En ese momento, Claire se movió con un gesto perezoso y de una lentitud asombrosa. Parecía una coreografía mil veces ensayada. Sin embargo, era algo natural en ella: la elegancia de sus manos al hablar, con aquellos movimientos de los brazos levantándose en el aire como si volara. Se giró hacia él y retiró un mechón de cabello de su hermoso rostro en un derroche de sensualidad.

¿Por qué no la quería? ¿Por qué no sentía su ausencia cuando estaba lejos?, se preguntó Thomas. Después de los primeros meses de novedad, de expectación ante el sexo, sus sentimientos estaban bloqueados, como si permanecieran ocultos en un armazón de hierro y sin posibilidad de crecer. Claire era alegre, misteriosa, una gran conversadora, sagaz... Suponía que el buen sexo que tenían postergaba el anunciado final y cubría ese amor que era incapaz de sentir.

—El sábado es mi cumpleaños —dijo Claire, de repente, mientras se tumbaba boca abajo sobre la cama.

—Pues, tendremos que celebrarlo. ¿Alguna idea?

—Se supone que tú deberías pensar algo.

—Vamos Claire, no seas así, nuestra relación no es de esas.

—Y ¿cómo es, que no me he dado cuenta? —preguntó, mientras ahuecaba la almohada.

—Sin compromisos, sin obligaciones, sin...

—Sin detalles —lo interrumpió.

—Si quieres definirla así, me parece bien —respondió él, dirigiéndose hacia la ducha.

—Quiero ir a Barcelona.

—¿Perdón? —exclamó Thomas, incrédulo, asomándose por el hueco de la puerta del baño—. ¿A Barcelona, España, o es un nuevo bar de moda, de aquí, de Lyon?

Claire sonrió satisfecha; había conseguido llamar su atención.

—A Barcelona ciudad. Viví durante unos años allí y me apetece mucho ir a pasar un fin de semana. Está a solo hora y media de avión. Además, es mi cumpleaños y yo elijo ese regalo.

—¡De acuerdo, pero tengo un congreso muy importante en Ginebra, así que tendré que llevarme algo de trabajo! ¿Te importa? —gritó Thomas desde la ducha.

—Para nada, ya encontraré en qué entretenerme... —respondió ella, pensativa.

Barcelona los recibió con una mañana brillante y luminosa. Después de dejar su equipaje en el hotel y despojarse de la ropa de abrigo, Thomas quedó en manos de Claire y de sus caprichos.

—Para que no gruñas, tengo una sorpresa para ti —anunció Claire, sonriente.

El Parque de Cervantes era un jardín dedicado a las rosas. Unas dos mil variedades competían en belleza, incluso en olores, en el llamado «Jardín de los Perfumes», donde se encontraban las rosas más perfumadas del mundo. Su fragancia daba la bienvenida, junto con una escultura femenina rodeada de olivos, desde la entrada de La Diagonal.

Thomas se sentó bajo la sombra de un tilo, desde donde contempló anonadado los parterres rodeados de un cuidado césped, los rosales miniatura y floribunda, dispuestos en bonitas formas, los pequeños arcos cubiertos de rosales trepadores...

Claire conocía el amor de Thomas por la jardinería, el único amor de su vida, pensó con tristeza. Miró fascinada su rostro, permanecía callado con los ojos bien abiertos, contemplando con detenimiento cada recodo, cada flor, cada rincón del parque, como si ese lugar contuviera un secreto mágico. A Claire le parecía ver en su mirada algo infantil y, ese descubrimiento, ese lado hasta ahora desconocido para ella, hizo que le atrajera todavía más.

—¿No dices nada? —preguntó Claire, mientras comenzaban la ascensión.

—No sé qué decir, no tengo palabras. Me quedo a vivir aquí. Voy a plantar mi casa donde los rosales asiáticos, bajo ese enorme ombú —dijo, señalando la planta.

—Estás deseando que te pregunte qué diablos es.

—Se trata de una hierba gigante...

—¡Anda ya! —lo interrumpió Claire—. Pero si tiene tronco y mide por lo menos diez metros.

—Ya, pero no tiene anillos y, como ves, el tronco es verde y muy húmedo. Su madera es inservible para hacer fuego, o para la talla, pero protege como ningún árbol de las tormentas o del calor.

—Plantaré uno en mi casa.

—Las raíces te la destrozarían en muy poco tiempo. Crece muy rápido.

Antes de llegar a la Ronda de Dalt, se sentaron en un banco bajo una gran pérgola llena de rosales trepadores. Allí admiraron la rosaleda y la magnífica vista de Barcelona.

—¿Cuánto tiempo viviste aquí? —preguntó Thomas, de repente.

—Cuatro años. Mi novio de entonces era un portugués muy guapo, apasionado de la historia y del arte. Si le hubiera dado a elegir entre una conversación con Gaudí o una vida feliz conmigo, te aseguro que hubiera escogido lo primero. Lo aguanté tres años. ¡Qué estúpida fui! Tiempo perdido —dijo con amargura, a la vez que se quitaba los restos de esmalte rojo del dedo corazón.

—Y ¿después? —quiso saber Thomas.

—Creía que nosotros no teníamos ese tipo de relación en la que nos confesamos nuestros secretos.

—*Touché* —admitió él, divertido.

—Vamos, es hora de comer. Te voy a enseñar dónde vivía, en el barrio de El Poble Sec.

—Que significa...

—Pueblo seco.

—Curioso nombre.

—Unos dicen que es porque no tuvo una fuente hasta mediados del siglo XIX; otros lo achacan a la abundancia de bares y bodegas.

—Pues, las opiniones no pueden ser más dispares...

—Cierto. Ese es el encanto de este barrio. Cada esquina tiene una historia, ya sea de amor o de lucha obrera —explicó Claire entusiasmada—. ¿Te imaginas este sitio en los años cuarenta? Mira dónde está: a los pies de la montaña de Montjuic, donde había un cementerio judío, termina en el puerto y limita con el barrio del Raval por esa avenida, el Paral·lel, que era la zona de los prostíbulos, cabarets, teatros, cafés-concierto... Algo así como el Broadway catalán, y todo ello se mezclaba con el ambiente portuario y obrero.

—Parece una película de cine negro.

—Exacto, pero sin esnobismos. Era un barrio de familias humildes y anarquistas. Aquí la Guerra Civil española fue terrible. Se construyeron más de mil refugios para proteger a la población civil de los bombardeos.

Thomas asintió, encantado. El Poble Sec le parecía fascinante, gente que gritaba, viejos que, cigarro en mano, hablaban en pequeños corros, o sentados en bancos al sol del mediodía. Pasaron por calles angostas con cuestas empinadas y bajo improvisadas techumbres hechas de cuerdas de tender que se combaban con el peso de la ropa. En ocasiones, parecía claustrofóbico; en otras, a la vuelta de un recodo, aparecía una pequeña plaza despejada, con palomas y niños en bicicleta.

—¿No nos perderemos? ¿Sabes por dónde vas? —preguntó Thomas, con cierta desconfianza.

Claire sonrió y le dio la mano.

—Esto es como el laberinto del Minotauro. Yo soy Teseo y tengo el hilo para sacarte.

El contacto de la mano de Claire molestó a Thomas, le coartaba los movimientos y la sentía como si fuera un papel pegado a su piel; no veía el momento de soltarse. En cambio, a Claire no parecía incomodarle en absoluto, actuaba de manera natural; incluso la aferró con más fuerza, aprovechando un cambio de dirección.

—Ya hemos llegado. Can Margarit es un restaurante de los de toda la vida.

El local estaba abarrotado de gente que hablaba en voz alta. Una taberna antigua y popular donde Thomas se sintió incómodo.

—¿Vamos a comer aquí?

Claire obvió su pregunta y, mientras esperaban que les dieran una mesa, le ofreció un vaso de vino que había llenado directamente de uno de los barriles dispuestos en la pared con grifos. Thomas aceptó el vaso, encantado de tener al fin la mano libre.

—Bebe y disfruta. ¡Es una orden! —exclamó Claire, levantando la voz—. Recuerda que es mi cumpleaños.

La comida fue espléndida, tomaron caracoles, unas enormes raciones de conejo con especias y ajos, y pinchos de ternera. Cuando terminaron, Thomas quiso marcharse al hotel, deseaba trabajar un rato y acabar antes del esperado espectáculo en El Molino. Tomó un taxi mientras Claire, decidida a aprovechar al máximo el buen tiempo, optó por ir a la playa.

—Cuando te apetezca, me llamas —se despidió, besándole la mejilla.

Una vez en el hotel, Thomas se dio una ducha y se tumbó en la cama en albornoz. Encendió el portátil mientras se acomodaba apoyando la espalda en el cabecero. Pero no había manera de concentrarse. Primero pensó que era por la postura y colocó dos almohadas mullidas; después, se sentó en la silla frente al escritorio, pero seguía sin estar a gusto. Volvió a la cama y acabó tirando las almohadas al suelo y mirando fijamente la luz que se colaba por la ventana. De repente, le resultó ridículo estar en una habitación de un hotel ubicado en plena avenida del Paral·lel, donde la promesa de una vida bulliciosa se le ofrecía al otro lado de los muros.

Se vistió con unos vaqueros, una camisa blanca y, por si refrescaba, se llevó una americana oscura. Llamó a Claire, que en ese momento comunicaba. Le dejó un mensaje y salió a la calle con un mapa, tenía ganas de explorar por su cuenta. Sorteó a la multitud que, apostada en las puertas del Teatro Apolo, esperaba para asistir a la primera función. Cruzó la calle; en un abrir y cerrar de ojos, se encontró en otro mundo. Un joven con auriculares le dio un folleto con una amplia gama de masajes orientales. Divisó las viejas chimeneas de fábricas que sobrevivieron a los bombardeos de la Guerra Civil, visitó el Mercat de les Flors, un edificio novecentista ampliado con la cúpula de Miquel Barceló, bajó por escaleras que conducían a ruinas solitarias cubiertas de hiedra y subió enormes pendientes para acabar topándose con un árbol en una calle sin salida.

No muy lejos de allí vio el escaparate de una joyería. Llamaron su atención unos bonitos pendientes de color azul que se parecían a los ojos de Claire. Sin pensarlo, pulsó el timbre para que lo abrieran.

—Bon días —dijo, en una mezcla entre castellano y catalán.

—*Puc ajudar-lo amb alguna cosa?* Ha visto algo que le guste? *English?* —preguntó una elegante señora de mediana edad, al ver que Thomas no entendía el catalán ni el castellano.

—Quisiera que me enseñara esos pendientes que tiene en el escaparate con la piedra azul —dijo Thomas en inglés.

—Ah, los zafiros, muy buena elección. Espere que los saque y se los muestre a la luz.

Eran unos pendientes largos en forma de lágrima, sujetos con un pequeño diamante en la parte superior rematado con un zafiro.

—Son unos pendientes preciosos. El zafiro aporta un toque de color a la joya. Son perfectos para llevar a diario, o para ocasiones especiales —explicó la joyera con una sonrisa—. El zafiro simboliza la verdad, la sinceridad y la fidelidad en las relaciones.

Thomas sonrió para sí mismo. Vaya ironía, quizá sería mejor olvidarlo y comprar una joya con otro tipo de piedra.

Cuando metía la cajita en el bolsillo de su americana, le sonó el móvil. Era Claire. Estaba en la habitación, no había visto el mensaje. De todas formas, tenía que ducharse y arreglarse para la noche barcelonesa. Con pereza, Thomas tomó un taxi de vuelta al hotel.

Durante el camino, notaba el estuche en el bolsillo. Dudó si había obrado de forma correcta, o si se había dejado llevar sin pensar detenidamente las consecuencias. No estaba seguro de la manera en que Claire interpretaría el regalo. Quizá resultaba demasiado formal, tal vez sugería algo que no era en absoluto cierto. ¿Trataba de manera inconsciente de avanzar en la relación? ¿O acaso se sentía culpable por no amarla? A través de la ventanilla, contempló parejas abrazadas, otras que iban de la mano, madres que empujaban carritos de bebé... ¿Deseaba eso en su vida? Y si era así, ¿estaba Claire incluida en ese deseo? De pronto, se acordó de Úna, de las medallas colgadas en la pared de la habitación, de las fotos en las que siempre aparecía sonriendo. Él se había hecho cargo de sus pertenencias durante su breve paso por Les Diablerets, había sido testigo de sus objetos más íntimos. Ahora estaban escondidos en unas cuantas cajas de cartón anónimas olvidadas en su trastero. Una vida interrumpida y otra destrozada, la de Maire. ¿Por qué se había colado este pensamiento, así, sin avisar, en medio de ese día radiante?, pensó Thomas molesto. ¿Qué debía hacer para sacarlas de su cabeza? Últimamente, aunque tratara de distraerse, su recuerdo incómodo permanecía al acecho, a la espera del momento más inoportuno para hacerse presente. Como ahora, pensó exhalando un suspiro. Se sintió ridículo por no poder controlar estos sentimientos, de algo parecido... a la culpa. La palabra se iluminó en su mente, como un anuncio de neón. Pero, ¿culpa de qué?

Comprobó aliviado que el taxi llegaba a su destino y, enfadado consigo mismo, mandó a la basura ese último pensamiento dispuesto a disfrutar del sol, la belleza y la noche barcelonesa.

Cuando llegó a la habitación, Claire se estaba secando el pelo. Al oírlo corrió hacia él y lo abrazó.

—He pasado una tarde fantástica. La brisa del mar, los rayos de sol, la gente feliz. No te he echado nada de menos.

—Mejor, porque yo tampoco. Aunque ahora que te veo desnuda, puedo decir que eres irresistible.

Thomas la tumbó en la cama y comenzó a besarle los pechos.

—Oye, Thomas, ¿por qué aceptaste venir a Barcelona conmigo?

—Por el sexo. No concebía estar todo un fin de semana sin ti.

—Eso me halaga. Lo mismo digo, pero ¿alguna razón un poco más, digamos, romántica? —preguntó Claire, molesta, zafándose de él.

—¿Hablas en serio? ¿Qué te pasa?

—No lo sé. Quizá lo que quiero son cenas románticas con velas, música, besos y todo ese rollo.

Thomas se puso de pie, mientras Claire lo miraba sentada desde la cama.

—¿Qué quiere decir con ese «quizá»? ¿Que lo has pensado, que lo deseas o que no puedes seguir así?

Claire lo miró fijamente y lo que vio no le gustó. Estaba claro que Thomas no deseaba otro tipo de relación y, de repente, tuvo miedo de perderlo.

—Nada, no me hagas caso, estoy ovulando y eso me pone tonta, pero también muy cachonda —susurró de manera sensual. Avanzó hacia él y le desabrochó el botón del pantalón.

Thomas quiso detenerla y preguntarle si estaba segura, si sus deseos repentinos eran casuales, o se trataba de algo meditado. Pero él mismo no estaba seguro de querer saber la respuesta, de conocer el verdadero alcance de sus sentimientos. Como siempre, el sexo tapó el incómodo problema. Lo único que Thomas tuvo claro era que los pendientes se quedarían en el bolsillo de la americana.

17

El Boeing 777 de la compañía Korean Air con destino a Daegu despegó del aeropuerto internacional de Zúrich a las 21.35 horas. Frank y Hugo estaban sentados en primera clase hablando de sus asuntos, cuando se encendió la luz que indicaba que la maniobra de despegue había finalizado. Hugo llevaba un tiempo con la vista puesta en la azafata. Cada vez que veía una chica atractiva, no podía evitar imaginarla delante de él con tacones y en ropa interior. La chica no tendría más de veinticinco años. Llamaron su atención sus preciosas piernas y, en particular, los gemelos contorneados. Le gustaban las piernas de las mujeres tanto como sus pechos. La azafata se acercó para ofrecerles algo de beber. Hugo pidió un whisky. Pudo ver su cara de cerca, los ojos azules realzados por el maquillaje llamaban la atención. Tenía una nariz preciosa y una sonrisa muy bonita. A Hugo le hubiese gustado invitarla a cenar, pero tenía otros planes y estaba seguro de que a ella no le iban a gustar.

Llegaron al Interburgo Hotel pasadas las diez de la noche. El viaje había sido largo, con escala en Seúl, y estaban cansados. Los dos se repartieron las suites situadas en la última planta. Lo primero que hizo Frank al entrar en la habitación fue dirigirse al gran ventanal que la recorría de un lado al otro. Desde esa altura, se podían ver los puntos blancos de las luces de las farolas que, como una serpiente, avanzaban en zigzag iluminando el cauce del río.

Los campeonatos empezaban al día siguiente. La ceremonia de clausura era el 4 de septiembre. Nueve días para ver uno de los mejores espectáculos del mundo. Frank había organizado su tiempo de tal manera que quedaba libre de sus compromisos por las tardes, aunque no tenía horario si una de sus atletas más importantes le pedía ayuda. Había adquirido un sexto sentido a la hora de tratar con las atletas de alto nivel. Era testigo de sus encumbramientos, gracias a la prensa y los aficionados, de la transformación que se producía en la personalidad de las chicas durante el proceso y de la caída ante el empuje de nuevos valores. Él tenía que prepararlas para ese momento. Muchas de sus atletas eran un ejemplo para deportistas de todo el planeta. Contaban con el apoyo de jefes de Estado y de hombres poderosos. Firmaban contratos millonarios o aparecían en las televisiones junto a estrellas de otros deportes como reclamo para marcas de ropa deportiva o de coches. Eran foto de portada en las revistas de moda y del corazón. Todo eso les reportaba fama y dinero, pero aumentaba su ego. La consecuencia más evidente era que no admitían la derrota cuando llegaba, y echaban la culpa de sus limitaciones a los demás. Aquel era el terreno en el que se movía Frank. Él había presenciado cómo su padre se manejaba con los poderosos miembros del club de golf, muchos de ellos acostumbrados a tratar a los demás con desprecio, y había aprendido de su padre esa virtud. Por eso era uno de los mejores, sabía lo que tenía que hacer y decir cuando una de sus atletas perdía los nervios.

Al día siguiente, después de la ceremonia de inauguración, un coche los esperaba a él y a Hugo en la zona VIP del aparcamiento. Al entrar, Frank reconoció al chofer como uno de los hombres de confianza de Serguei. Serguei había ganado mucho dinero en la Costa del Sol; primero con clubs de alterne, y después, en el sector inmobiliario. Cuando mejor le iban los negocios, llegó a Málaga un joven juez que no estaba dispuesto a aceptar sobornos. Serguei tuvo que dejar apresuradamente sus inversiones ilegales y volver a su país. Allí es donde conoció a Frank, y allí fue donde Frank le habló de la idea que tenía Hugo de introducir su empresa en Rusia. Estaban a punto de lograr su objetivo. El padre de Hugo llevaba más de veinte años intentándolo, sin éxito. Hugo sabía que si lo conseguía se ganaría definitivamente la confianza de su padre. Se excitaba solo de pensarlo.

El chofer condujo el coche hasta una zona residencial de la ciudad de Daegu. Se detuvo delante de una casa de dos plantas. Las grandes puertas exteriores se abrieron. En el porche, los esperaba Serguei.

—¿Qué tal la ceremonia? —preguntó.

Hugo estrechó la mano de Serguei y esperó a que Frank hablara.

—Ha estado muy bien. Esta cultura siempre sorprende por su mezcla de tradición y modernidad. Un espectáculo lleno de gente y...

—Para espectáculo, lo que os he traído desde el este de Rusia —interrumpió Serguei—. Pasamos dentro y lo comprobáis vosotros mismos.

—¿A qué estás esperando? —gritó Serguei al chofer—. ¡Ve a recoger a los del comité!

Serguei los acompañó al interior de la casa. Recorrieron un pasillo hasta llegar a un gran salón. La mayor parte de las chicas estaban sentadas o reclinadas en los sillones, vestidas con unos impresionantes trajes de noche que resaltaban los pechos diseñados con bisturí. A Frank le recordaron a las actrices cuando posan para la prensa el día del estreno de una película. Hugo se quedó parado ante lo que tenía enfrente, eran hermosas y muy jóvenes. Se fijó en dos chicas que llevaban un brazalete blanco, las reservadas para Hernández y Emmanuel.

—¿Os gustan? —preguntó Serguei.

Se acercó a una de ellas y le agarró el culo.

—Mirad qué duro lo tiene. Aunque tengo que reconocer que no tanto como tus atletas, ¿eh, Frank?

Frank no dijo nada. No le gustaban los modales de Serguei. Lo consideraba un hombre cruel. Trataba a sus empleados igual que a sus enemigos. Sabía que no había tenido una vida fácil, pero eso no justificaba sus métodos.

Serguei había nacido en una familia humilde. Su madre murió cuando él vino al mundo. Su padre trabajaba en una refinería lejos del pueblo y la abuela se hizo cargo del pequeño. Con el tiempo, su padre dejó de enviarles dinero. Las veces que aparecía por casa cuando tenía vacaciones era porque se había quedado sin pasta y no tenía adonde ir. Se pasaba el tiempo borracho y maldiciendo la hora en la que había nacido su hijo. Serguei dejó la escuela y se dedicó a robar piezas de moto para venderlas. Después de un tiempo, junto con otros niños de su pueblo, sustituyó las piezas de motos por el robo de joyas y dinero en casas. Una noche, la Policía, alertada por los vecinos, lo detuvo. Cuando el juez le preguntó quién se hacía cargo de él, Serguei le contestó que no tenía familia. Lo mandaron a un internado a más de dos mil kilómetros de su pueblo. Pasó cinco años entre esos muros. La disciplina era digna de cualquier regimiento del ejército ruso. Se levantaban a las seis de la mañana, hacían las camas y bajaban en ropa interior a formar, con temperaturas por debajo de cero en invierno. Luego se encargaban de las tareas diarias: fregar los pabellones, preparar las comidas, trabajar en el campo o hacer pequeños trabajos de ensamblaje de piezas para el ejército. Fue allí donde aprendió que había que hacerse respetar.

—Mis atletas no son putas —dijo Frank, molesto.

—Ya, ya, que no se acuesten contigo no quiere decir que no lo hagan con otros.

—Te recuerdo que mi mujer es rusa y fue atleta —repuso Frank, enfadado.

—Nada de lo que yo sé es importante ahora. Tú vienes de otra cultura, donde hay otras reglas, la gente no pasa hambre. No lo tomes como algo personal.

—Ya —respondió Frank, incómodo.

—Venga, hombre. No te enfades. Mira qué chicas. Las he traído desde Vladivostok. Un nueve sobre diez.

Hugo, que había permanecido de pie escuchando la conversación, agarró a Frank por el brazo y se lo llevó al sillón.

—Mira esa chica, la que lleva el brazalete blanco. No me digas que no es una preciosidad.

—Sí, sí, ya veo —dijo Frank dirigiendo la mirada al lado opuesto de la chica.

—¿Estás bien? ¿Tienes dolores otra vez? —le preguntó Hugo.

—No, no es nada. Cosas mías.

—¿Te has tomado tu dosis de morfina?

Frank se levantó sin mirar a Hugo y fue en busca de algo de comer. Hugo llamó a la chica del brazalete. La chica se acercó y se sentó a su lado en el sofá.

—Un *Manhattan* para mí —pidió Hugo al camarero desde el otro lado de la sala—. Y tú, preciosa, ¿quieres algo de beber?

—Un *Bloody Mary* cargado, por favor.

—¿Te gusta el vodka?

—No, el zumo de tomate —respondió la chica en un mal inglés.

—No te pases con la bebida, esta noche vas a estar conmigo y te quiero en plena forma.

A la chica le cambió el gesto de la cara. Serguei la había seleccionado para Hernández y Emmanuel. No podía desobedecer al jefe.

—No pongas esa cara preciosa. ¿Cómo te llamas? —le preguntó Hugo.

—Teresa.

Hugo intuía que no era su verdadero nombre, pero no le importaba. Iba a pasar con ella toda la noche.

—Solo una cosa, cuando estemos juntos no me cuentes tu vida, no me interesa lo más mínimo. No pienso salvarte, ni darte dinero.

Hugo era frío y calculador con las mujeres. Les decía que era un hombre casado y con hijos y, por supuesto, que los amaba con locura. Era suficiente para que las chicas lo dejasen en paz. Sabía que muchas de ellas estaban vigiladas por las mafias, y que la única manera que tenían de escapar de sus redes era saldando sus deudas con el dinero de un cliente rico, pero él solo quería sexo. Su deseo de poseerlas podía más que sus principios morales.

Todo había empezado en la época del instituto. Acababa de dejar la adolescencia y descubrió lo placentero que era acostarse con diferentes chicas a lo largo de la semana. Tenía claro que no quería pasar el resto de su vida al lado de una sola mujer. Así que, a los veinte años, empezó a quedar con jóvenes estudiantes que se pagaban los estudios vendiendo su cuerpo. Eso le causó más de un problema. Las estudiantes pronto se encaprichaban con él. Encontró la solución en sustituir a las jóvenes estudiantes por prostitutas más profesionales.

—Teresa, yo hablo con Serguei y le damos el brazalete a otra.

—¿Y el dinero? —preguntó la chica preocupada.

—No te preocupes por el dinero —respondió Hugo—. Vas a estar conmigo esta noche y te vas a alegrar del cambio. Ya lo verás cuando aparezcan esos dos por la puerta. Ahora dame el brazalete, que voy a arreglar esto.

Hugo dejó el vaso encima del sillón, le quitó el brazalete y fue a hablar con Serguei. Al cabo de unos minutos, Serguei se lo puso a otra de las chicas. Hugo volvió con Teresa.

—Todo arreglado. Ahora dime, ¿cuántos años tienes?

En ese momento aparecieron Hernández y Emmanuel por la puerta, acompañados del chofer. Frank se levantó del sofá y fue a su encuentro.

—¡Bienvenidos!

—¿Cómo es que no hemos ido al hotel directamente como habíamos acordado? —preguntó Hernández.

—Cambio de planes.

Los miembros del comité se miraron sorprendidos. Hugo posó enérgicamente la mano en el muslo de Teresa. Le hubiese gustado perderse en una de las habitaciones y mandar a paseo a los demás. Las chicas se quedaron en el salón charlando y picando unos entremeses fríos. Los hombres cenaron en una sala contigua. Serguei había encargado la cena a un restaurante de la ciudad, no le gustaba que nadie ajeno a su círculo presenciase los encuentros.

—Y ahora los postres —anunció el anfitrión con una sonrisa.

La puerta corredera que separaba el salón del comedor se abrió. Una por una, las chicas desfilaron y comenzaron a quitarse los vestidos, a la vez que se acercaban con movimientos sensuales hacia los hombres. Hugo no dejaba de mirar a Teresa, su cuerpo brillaba como el de una sirena recién salida del agua.

18

Thomas miraba la foto que había encontrado entre las cartas y los recortes de periódico de Úna. Recordó el momento en que se la hicieron. Se anunciaba buen tiempo y los vecinos más cercanos se habían reunido para cortar la hierba que había crecido durante la primavera. Thomas manejaba la guadaña con facilidad. Era un trabajo duro, pero le gustaba. Nunca pensó en otra forma de ganarse la vida que no fuera el campo. Veía a su alrededor las inmensas extensiones de pasto y lo mucho que quedaba por hacer. El sol, el calor y, a su lado, Maire extendiendo con la horca la hierba que él había cortado. A la hora de la comida, Albert les hizo la foto. Estaban sentados en el suelo, bajo un árbol. Maire se apoyaba en su pecho y Thomas la sujetaba entre sus brazos, con la barbilla en el hombro derecho de ella. Sonreían.

Thomas metió la foto en una de las cajas y las bajó al trastero. Esperaba que algún día Maire se las pidiera. Cerró la puerta con llave y subió los cuatro pisos por las escaleras hasta llegar al ático. Se quitó los zapatos y paseó por la casa descalzo. Miró la hora, aún eran las seis de la tarde; decidió que trabajaría un poco. Se sirvió una copa de vino, cortó un poco de queso y se sentó fuera, en la terraza. Dejó el ordenador sobre la mesa y por un momento cerró los ojos. Le llegó el olor de los geranios, los claveles, las alegrías y los rosales que trepaban por la pared situada a su izquierda. A la derecha, en la parte sombría, había plantado ciclámenes, fucsias, begonias y hortensias. Vio que empezaban a florecer las margaritas. Miró el sol, todavía quedaban dos horas para que pudiera regar. Era su momento preferido del día, cuando el aroma de las flores se mezclaba con el de la tierra mojada; le recordaba su niñez en Irlanda.

Pasadas las ocho, mandó un último correo y apagó el ordenador. Comprobó que en la terraza daba la sombra y aprovechó para regar su frondoso jardín urbano. Se entretuvo en quitar las hojas secas y cortar las flores marchitas. Entró descalzo en el salón. Enseguida se dio cuenta de que llevaba las plantas de los pies manchadas de barro; sus huellas habían quedado impresas en la tarima del suelo. Cuando viniera Lupe lo miraría con ojos de odio. Prefirió limpiarlo antes que enfrentarse a esa mirada. Se dio una ducha rápida y se vistió con un pantalón de vestir y una camisa blanca. Claire lo esperaba en el Bang, un club elitista cerca de Dijon.

Desde su estancia en Barcelona, había decidido mostrarse más cauto respecto a su relación. Para él, Claire era una pareja perfecta, sobre todo, si la situación se mantenía como hasta ese momento. Viajar a Irlanda le había afectado más de lo que suponía y, desde luego, no necesitaba añadir complicaciones a su vida. Pero aún pensaba en los pendientes que había comprado en Barcelona. No le parecía justo guardarlos o regalárselos a otra persona; eran de Claire. Se arriesgaría y se los daría esa noche. Esperaba que ella no le diera excesiva importancia al regalo. Condujo tranquilo disfrutando de la última luz del día. En la radio sonaba una canción de Nina Simone; su voz cálida lo envolvía como un abrazo.

Cuando llegó ya era de noche. Enseñó su documento de identidad al guarda de la entrada. El hombre confirmó en el ordenador si Thomas estaba en la lista y, lo más importante, si iba acompañado. Le cobró setenta euros por la entrada que incluía cuatro consumiciones y le abrió la barrera. Cuando entró en el recinto, vio unos cuantos Ferraris y Aston Martins aparcados. En la terraza, mujeres cubiertas de joyas con minifaldas que dejaban fuera la mitad de las nalgas, se tomaban una copa. La mayoría llevaba ropa de gasa transparente o iban vestidas solo con lencería fina. Vio a unas cuantas que solo llevaban un tanga y joyas en el cuello. La noche templada invitaba a disfrutar de la vida y del sexo. Parecían mujeres encantadas con su papel de objeto de deseo. Les gustaba ser exhibidas por sus maridos o acompañantes como quien pasea a perritos caros de compañía. Esa noche había bastantes señores de más de cincuenta años junto a rubias impresionantes. Mientras caminaba por las terrazas, Thomas contó quince de estas parejas. Sabía por experiencia que, a lo largo de la noche, estas Marilyns serían devoradas por jóvenes leones.

Sacó el móvil y llamó a Claire.

—Hola, Claire. ¿Dónde estás?

—Te oigo fatal, Thomas. ¿Dónde estás tú?

—Estoy delante de la terraza principal.

—Yo, en el salón. Voy para allí.

Camino del edificio principal, se cruzó con una mujer vestida con un mono de cuero negro que dejaba los pechos y el culo al descubierto; llevaba a un hombre atado con una correa. Thomas no pudo evitar sonreír. Nunca imaginó que ese mundo existía y, menos aún, que iba a formar parte de él. Un año atrás, Claire lo había introducido en el mundo *swinger* de Cap'Adge y le pareció ciencia ficción. Sabía que una de las cosas que le unían a Claire era el sexo y la diversión asegurada cuando estaban juntos.

Lo esperaba en lo alto de la escalinata. Llevaba un minivestido de gasa azul, unas sandalias de tacón de aguja y una flor del mismo color como único adorno, sujetando la parte derecha del pelo. Ni joyas ni abalorios. Preciosa, como siempre. Mientras Thomas subía las escaleras, Claire se dio la vuelta y se agachó fingiendo que estaba recogiendo algo del suelo. Thomas vio que no llevaba ropa interior. Claire se volvió y le dedicó una sonrisa traviesa. Cuando llegó hasta ella, se puso seria.

—¡Thomas, llegas tarde! —exclamó, y le rodeó el cuello con los brazos—. La mejor fiesta del año, y tú te retrasas.

—Vamos, Claire. Son las diez de la noche, habíamos quedado a menos cuarto. Me he entretenido viendo el ambiente. Por cierto, demasiado elitista para mi gusto.

—Antes te gustaba —replicó ella, apartándose de él.

—Antes.

—¿Me vas a fastidiar la noche?

–No es mi intención.

–Y ¿cuál es?

–Beber, mirar y divertirme.

–Pero ¿te vas a quedar en un rincón en plan soy-un-*voyeur*-dejadme-tranquilo?

–De ningún modo –contestó Thomas, y le agarró el culo–. Que sepas que no me gusta tu vestido. No deja nada para la imaginación.

Claire sonrió satisfecha y fue a besarle en los labios. Thomas desvió la cara. Tomando la iniciativa, le besó el cuello. Claire apretó los puños con rabia.

–Te voy a follar ahora mismo, aquí, contra la pared –le susurró Thomas al oído.

–No es posible, tengo otros planes –dijo Claire, que se zafó de él y entró en la mansión.

–Espera –dijo de improviso Thomas–, tengo algo para ti.

Metió la mano en el bolsillo lateral de la americana y sacó una cajita pequeña de color oscuro forrada de terciopelo. Claire abrió la boca, pero no logró articular palabra; estaba demasiado sorprendida. Abrió el estuche con una lentitud que a Thomas le resultó exasperante, y dejó escapar un pequeño grito al ver los pendientes de zafiros.

–Y ¿esto? –preguntó cuando se repuso de la sorpresa.

–No tiene importancia. Los vi en un escaparate y me parecieron perfectos para tus orejas de duendecillo del bosque.

–Vaya, no sé qué decir, salvo gracias.

–De nada. Y ahora, ¿qué tienes pensado? –preguntó él cambiando de tema.

–Espera que me los ponga y te llevo de la manita al interior del palacio de la lujuria y el placer.

Thomas la siguió a regañadientes.

El salón recordaba uno de los salones de Versalles. Decorado con molduras de oro en estilo barroco, en las paredes se alternaban los ventanales con enormes espejos. Los techos, de una altura considerable, estaban pintados con motivos mitológicos. De ellos colgaban unas gigantescas lámparas de araña.

—No me extraña que sea uno de los tres clubs más importantes del mundo —dijo Thomas, admirado—. Nunca había visto nada igual.

—Aquí solo entran ricos, amigos y recomendados —explicó Claire.

—Y ¿en qué grupo estás tú?

—En el cuarto.

Thomas la interrogó con la mirada y Claire se cerró la boca a modo de cremallera. Él comprendió que no le contaría cómo había logrado que accedieran a ese club reservado solo a los dioses del Olimpo. Además, a ella le gustaba fomentar el misterio en torno a su vida y solía dejar las explicaciones inconclusas, las preguntas sin respuesta y hacer que los hechos cotidianos parecieran experiencias ambiguas. Thomas no sabía si era así con todas las relaciones que había tenido, o si era una estrategia para retenerlo. La verdad es que ese esfuerzo por parecer una *femme fatale* de los años cincuenta le divertía, y prefirió no darle más vueltas.

Se dirigieron a la barra del bar, que ocupaba la parte izquierda del gran salón. Thomas pidió un mojito y Claire, una copa de champán. En medio de la sala se habían formado tríos, cuartetos y orgías *gang-bangs*. Sonaba una canción de Madonna. Elegantes rubias con sus collares de perlas hacían felaciones, mientras en el centro de la sala una dama de la alta sociedad, o eso le pareció a Thomas, estaba inclinada hacia adelante. Tenía detrás una fila de hombres que, condón en mano, esperaban su turno ante la mirada complaciente del marido. Cuando terminaban, ella los despedía con un *merci*. En cada una de las cuatro esquinas del salón, bailaban dentro de sus jaulas las gogós. Acabaron sus copas y pidieron otras. Claire agarró a Thomas y lo llevó hasta el fondo de la sala. Pasaron al lado de la protagonista de una *gang-bang* que tenía la cara llena de semen. Descendieron por unas amplias escaleras hasta llegar a las catacumbas del palacio. Claire lo llevó por un laberinto de celdas repletas de cuerpos entrelazados, donde se escuchaba una banda sonora de gemidos. Dejaron atrás una habitación completamente agujereada que permitía practicar sexo a través de las paredes. Todo estaba lleno de vericuetos y habitáculos en los que perderse hasta que, por fin, llegaron a su destino. Era un cuarto oscuro donde no se veía absolutamente nada. No sabías lo que tocabas ni quién te tocaba.

—Esto no me hace ninguna gracia —comentó Thomas—. No me gustan las sorpresas, quiero saber con quién lo hago.

—Tranquilo, confía en mí, solo vamos a estar otra mujer y yo. Nadie más.

Thomas asintió dejándose desnudar por cuatro manos. El suelo estaba cubierto de alfombras y mullidos cojines. Olía a algo exótico, le recordó al Gran Bazar de Estambul. Reconoció por su olor el cuerpo de Claire y recorrió el de la invitada a tientas. Le gustó, era pequeño y de formas redondeadas, con pechos grandes, naturales, sin silicona. Los tres cuerpos se juntaron intercambiando saliva, gemidos y mordiscos.

Cuando terminó, Thomas salió fuera con su ropa en la mano. Tenía calor. Claire prefirió quedarse en el cuarto. Se dirigió a los baños, donde la encargada le entregó una toalla y unas chanclas. Se dio una larga ducha.

Relajado y cansado de sexo, con su copa en la mano, Thomas se tumbó al aire libre en una *chaise-longue*. Apoyó en el respaldo la cabeza mojada y contempló las estrellas. Distinguió la constelación de Aquila con su estrella Altair, a su lado Delphinus; un poco más abajo, Sagitarius y, a la derecha, Scorpius con Antares. De repente lo invadió el cansancio. Al día siguiente tenía trabajo, quería irse a casa. Llamó a Claire por teléfono para decírselo. Cerca, oyó sonar un móvil con la misma melodía que el de Claire. Se levantó y, por curiosidad, siguió el sonido. Vio a Claire pensativa, mirando el móvil. A continuación, cortó la llamada sin responder. El móvil de Thomas también quedó en silencio. Se dirigió resuelto hacia ella. Estaba acompañada de otra mujer. Nada más acercarse vio quién era. Las dos se dieron cuenta de su presencia e interrumpieron su conversación. Claire fue a decir algo, pero Thomas levantó la mano y con un gesto le ordenó que se callara.

—Por favor, Claire, no digas nada.

Miró a Rose que, avergonzada, se cubría la cabeza con las manos.

—Claire, te aseguro que estoy tan enfadado que no sé ni qué decirte. Tenías muchas mujeres para elegir pero tú, creyéndote una diosa, elegiste a la única prohibida. Te lo advertí.

Claire lo miraba con una leve sonrisa en la cara.

—No te das cuenta de lo que has hecho. Has jodido lo nuestro. —Hizo una pausa y meditó lo que iba a decir a continuación—: De momento no tengo intención de volver a verte. Cuando puedas, deja las llaves del apartamento en el buzón de mi casa. Me has mentido.

—Solo ha sido sexo, Thomas, y te lo has pasado bien —dijo Claire, altiva—. Ahora te las vas a dar de indignado. No me has parecido muy disgustado allí dentro.

—Déjalo, Claire. Para mí, no todo vale —dijo en voz baja—. Te dije que no me acostaba con mis empleados y a ti te han dado igual mis principios. Me has manipulado y estoy seguro de que a Rose también —dijo al tiempo que señalaba a su secretaria.

Thomas dio un paso atrás y le repitió:

—Deja las llaves en el buzón.

Retiró con un puntapié una silla que obstaculizaba su paso y se marchó hacia el coche.

19

El estadio estaba a las afueras, camino de la ciudad de Gyeongsan. Por la ventanilla del autobús, observaba los letreros, que parecían jeroglíficos, y a los transeúntes; a sus ojos eran todos iguales. Desde que emprendió el viaje, no lo había abandonado una sonrisa interior. Ahora pertenecía al club de los elegidos. Había pasado noches despierto imaginándose ese momento y ahora que había llegado, lo embargaba una paz interior difícil de explicar.

El autobús, escoltado por dos motos de la Policía, paró en la zona de seguridad. A través del cristal, Janik vio a cientos de atletas esperando en uno de los laterales del estadio. Bajaron del autobús y un voluntario los condujo hacia la zona donde se encontraba una chica con la bandera de Suiza. Esperaron unos minutos hasta que la gran columna empezó a moverse.

–Mira el del gorro azul, es Tyson Gay. Y allí delante, allí, con el equipo de Jamaica, está Usain Bolt –dijo Peter.

La fila se movió hasta que llegaron al arco que daba paso al estadio. En las gradas, la gente aplaudía. El calor y la alegría de decenas de miles de personas se transmitían por todos los rincones. En las dos grandes pantallas situadas a los lados del estadio se podía seguir la masa multicolor de deportistas andando sobre la pista de atletismo. Las cámaras de fotos de los atletas, que acababan de desfilar, no paraban de emitir destellos de luz. Los hombres y mujeres más veloces, más resistentes y más fuertes del planeta se concentraban en diez mil metros cuadrados. Solo 1.945 atletas de 202 naciones habían superado las exigencias mínimas para participar. Y Janik estaba entre ellos. Había cumplido uno de sus sueños. Han merecido la pena todos estos años de esfuerzo y sacrificio, pensó. Miró hacia las gradas. Se imaginó que su padre lo seguía desde algún rincón. Unos metros más adelante vio a los representantes de Rusia, Irina no estaba con ellos.

La ventana estaba semiabierta y la habitación en penumbra. Podía oír el zumbido de un mosquito desde la cama. Esperó a que se posase sobre la piel, pero hacía un buen rato que pasaba de largo, quizá intuyendo algo. Decidió incorporarse para ver si lo cazaba al vuelo. Cuando oyó su zumbido cerca, cerró las manos. Pudo sentir que el aire que había movido alrededor de sus manos había empujado al mosquito fuera de su alcance. Se levantó y siguió su rastro a duras penas, hasta que se posó en el cristal de la ventana. Se acercó despacio, tan cerca como pudo. Alzó la mano y, cuando iba a aplastarlo, vio que algo se movía fuera, en el cristal. El mosquito desapareció de su vista. Abrió la ventana. Había algo debajo, oculto entre unas macetas grandes. Un bulto cubierto por una manta. Se vistió deprisa, dejó la habitación y bajó los pisos que lo separaban de la terraza.

Oía ladridos de perros que venían desde alguna parte cercana. Giró el pomo de la puerta y salió al exterior. Miró hacia las dos macetas y allí estaba el bulto. Se había movido ligeramente a un lado. Por un hueco de la manta, sobresalía una melena rubia. Se aproximó y, de repente, apareció el rostro de una chica. Era Irina. Miró a Janik, con aquella mirada que ponía cuando él hablaba y ella lo escuchaba. Se levantó. La manta cayó al suelo. Estaba desnuda. Los ladridos de los perros se oían cada vez más cerca. La cara de Irina se iluminó con una sonrisa. Escuchó los gruñidos que provenían de la entrada y se volvió. Un hombre sujetaba con cada mano las correas de dos mastines. No pudo ver su cara, pero sus ropas y su manera de moverse le eran familiares. Los perros se levantaban nerviosos sobre las dos patas traseras esperando que su amo diese una orden. Irina corrió a su encuentro. Los perros no le prestaron atención, la conocían. Irina besó al hombre con pasión, mientras él posaba sus manos en las caderas

140

desnudas de ella. Los dos mastines, libres de sus ataduras, corrieron en busca de su presa.

Janik se levantó sobresaltado. Pasó unos segundos sin saber dónde se encontraba y con el susto metido dentro. En la cama de al lado, Viktor, un prometedor atleta de 800 metros, dormía plácidamente. Miró el móvil, eran las seis de la mañana. En unas horas, tenía la eliminatoria del 1.500.

20

A la mañana siguiente, no quiso ir a trabajar. Decidió hacerlo desde casa. Tenía que corregir los últimos detalles sobre su ponencia. El congreso de Ginebra trataba sobre la importancia de la recogida de muestras en los lugares donde se había cometido un acto delictivo y la necesidad de unificar criterios. Sonó el teléfono, miró el número por si era Claire pero era uno desconocido. Lo descolgó.

—Hola, buenos días. Soy la doctora Laura Terraux. Nos conocimos en el hospital de Monthey. ¿Hablo con el señor Connors?

—Sí, buenos días, doctora.

—Perdone la molestia pero, ¿se acuerda de la última conversación que tuvimos?

—Sí, estaba preocupada por los numerosos casos de muerte súbita.

—Bueno, usted me comentó que si ocurría otro lo llamara. El caso es que ha ocurrido. Ayer practiqué la autopsia a una joven con idéntico resultado.

El cuerpo de Thomas se tensó.

—¿Era deportista?

—Sí.

—¿Profesional o amateur?

—Profesional. Procedía del centro de alto rendimiento Les Diablerets.

Thomas se quedó mudo, no hacía mucho que había estado en el centro.

—Perdone..., ¿señor Connors?

—Sí, sigo aquí. Estaba pensando que estuve allí hace nada.

Sin saber por qué, pues apenas lo conocía, Laura sintió una punzada de rabia. Había estado por Monthey y no la había llamado.

—¿Cuándo se encontró el cuerpo? —preguntó Thomas.

—Por la mañana. Lo encontró un amigo de la chica.

—¿Murió como las demás, por la noche?

—Exacto. Los primeros análisis reflejan que sucedió mientras dormía —confirmó la doctora—. La muerte le llegó de forma inesperada y fulminante.

—De acuerdo. Y ¿en qué puedo ayudarle?

—He hablado esta mañana con la Policía. Sabía de antemano cuál iba a ser la respuesta. La misma de siempre, no hay caso. Son muertes naturales. Pienso que habría que indagar... —La doctora permaneció en silencio un instante—. Usted tiene experiencia y medios para hacerlo.

Thomas se sentó en una silla y tocándose una sien con la otra mano dijo:

—Está bien, creo que tiene razón. Voy a comentar el caso con algún compañero a ver qué opina.

—Gracias, señor Connors.

—Perdone, doctora Terraux, si no le importa, como ya hemos sido presentados podríamos tutearnos; incluso en francés me cuesta hablar de usted a la gente. Recuerde que soy irlandés.

Laura rio.

—A mí me pareciste más americano. ¿Dónde se ha visto un irlandés sin acento?

—*Mea culpa*. La necesidad hace que dejemos cosas por el camino.

—Ya lo creo... —respondió Laura, pensativa—. Bueno, Thomas, veamos qué averiguas. Por mi parte, volveré a revisar las autopsias para comprobar que no se nos ha pasado algo importante por alto.

—Tengo un congreso la semana que viene en Ginebra. Creo que el martes, no estoy seguro. Tendré que preguntarle a mi secretaria, pero haré un hueco. Como está a menos de dos horas de Monthey, podríamos vernos y contrastar lo que tengamos.

—Dímelo con tiempo para saber si tengo guardia.

—No te preocupes, te lo confirmo mañana.

—Vale... pues, gracias, Thomas. Espero tu llamada.

—De acuerdo, adiós.

Thomas encendió el portátil y salió a la terraza. Al cabo de diez minutos, lo apagó. No se concentraba, tenía la mente en otra parte. En su cabeza aparecía el rostro de Úna-Maire en el depósito. Recordó los recortes de prensa de Úna, sus fotos de juventud. ¿Por qué Úna guardaba aquello? ¿Qué representaba él, un desconocido, para ella? Un pensamiento sobrevoló su cabeza y le paralizó la respiración. Se levantó, entró en la casa. Se puso a dar vueltas alrededor del salón. No podía ser. Era imposible. ¿Imposible? Salió fuera, encendió el ordenador y buscó en sus archivos la carpeta de Maire. La abrió. Leyó la partida de nacimiento de Úna.

«Úna Kovalenko Gallagher, nacida en Kilconnell, Condado de Galway el 2 de mayo de 1987.»

Thomas contó mentalmente hacia atrás nueve meses.

Llevaba unas noches durmiendo mal. Con gesto cansado, entró en las oficinas de la Interpol. Cuando el ascensor llegó a su planta, respiró hondo y se dirigió a su despacho con paso ligero sin dirigir la mirada a nadie en concreto. Tenía que hablar con Rose, sabía que no podía esquivar más el tema, pero lo violentaba. También se había instalado en su cabeza la duda sobre Úna. De manera consciente, intentaba borrar la palabra que acudía una y otra vez a su mente. Se había negado a llamar a Maire para aclararlo, porque a esas alturas de su vida le parecía ridículo plantearle esa posibilidad.

No voy a dar ese paso, pensó, de ningún modo. Veinticuatro años es mucho tiempo para que, en algún momento, Maire hubiera encontrado la oportunidad de hablar conmigo. Además, me marché a primeros de septiembre, hubiera sido mucha casualidad que precisamente en esos pocos días se hubiera quedado embarazada. Úna era hija del ruso, seguro, o de otro, quién sabe. Enseguida se arrepintió de ese pensamiento. No estaba siendo justo con Maire. Hablaba desde el despacho. Descubrir que nada más irse a Estados Unidos ella había salido con otro y, no solo había tenido una hija con él si no que incluso se había casado, le había dolido. Ahora ya no tiene importancia, han pasado veinticinco años y Úna está muerta, pensó. Se acordó de las demás deportistas que habían fallecido. Mirando los hechos con frialdad, no había nada extraño, tan solo una estadística fuera de lo normal y una forense demasiado eficiente.

Thomas se recostó en la silla y pensó. Su mesa del despacho estaba impoluta, no parecía que trabajara nadie. Los libros de consulta estaban colocados por temas en la inmensa librería de nogal; los bolígrafos, en un bote; las hojas, apiladas en la esquina derecha formando un perfecto rectángulo y el ordenador, en el centro exacto. Daba la impresión de que la habitación hibernaba. Thomas repasó los hechos una y otra vez. Estaba desconcertado. No encontraba pruebas ni motivos para investigar. Enroscaba y desenroscaba sin cesar el capuchón de una estilográfica. Ese tic lo ayudaba a pensar cuando se quedaba en blanco y su cerebro se negaba a continuar. Hojeó toda la información que le había mandado la doctora Terraux, buscó en Internet las noticias de los periódicos de aquellos días. Me rindo, se dijo. Por hoy ya basta.

Miró la hora, la una. Pensó que sería una buena idea ir a un restaurante y comer un buen solomillo regado con vino tinto. No se acordaba de la última vez que su comida no hubiera consistido en algo rápido. Se miró instintivamente la tripa, no estaba nada mal para un hombre de cuarenta y tres años. Se mantenía en forma, aunque no adivinaba el motivo, ya que no practicaba ningún deporte ni cuidaba su alimentación. Suponía que eran los genes y el trabajo duro en la granja de sus padres. Recordó haber leído que los músculos tienen memoria.

Con nostalgia, miró la pluma que sujetaba entre sus manos. El color dorado original se había desgastado dejando paso al metal. Su madre se la compró cuando lo contrataron como perfilador en el FBI. Estaba tan orgullosa... Pero no entendía que a esos niveles, en los que uno se codeaba con peces gordos, no se podía utilizar una pluma dorada que no fuera de oro de verdad. Así que la guardó sin usarla y a cambio se compró una

Parker 105. La sacó del cajón. Era una estilográfica preciosa. El cuerpo estaba acabado en oro amarillo y su textura era única, diseñada para parecerse a la corteza de un árbol, sólida, con un perfecto agarre. El plumón, con una sección de resina negra, estaba realizado en oro macizo de catorce quilates. Solo la usaba para firmar en actos oficiales.

Unos pequeños golpes sonaron en la puerta.

—¿Puedo pasar? —preguntó una voz al otro lado, a la vez que entraba sin esperar respuesta.

Era Rose. Llevaba una carpeta roja sujeta por ambas manos pegada a su pecho. Parecía protegerse con ella. Entró y cerró la puerta.

—Yo... disculpe señor Connors, pero tengo que hablar con usted, de lo del otro día —dijo en voz muy baja.

—No es necesario —respondió Thomas, incómodo—, estoy muy ocupado.

—Pero... es que esta situación me supera y no puedo trabajar así. Cada vez que entra o sale del despacho yo... me agobio esperando que me dirija la palabra y que me pida alguna explicación sobre lo sucedido la otra noche.

Rose calló, avergonzada. Se acordó de los gemidos de Thomas en aquel cuarto oscuro. Recordó su olor. Se mordió el labio inferior y bajó la cabeza. Apretó la carpeta contra sí misma.

Thomas dejó de fingir que estaba ocupado, guardó la pluma en el cajón y la miró.

—No me apetece hablar de ello. Pienso que no fue culpa suya y, por mi parte, voy a actuar como si nunca hubiera pasado. Mañana me voy a las oficinas de Ginebra para preparar las jornadas mundiales del ADN, y hasta dentro de una semana no volveré. Esto ayudará a olvidar el asunto. ¿Le parece bien?

—Sí, señor Connors, aunque yo... quería disculparme...

Thomas cortó la frase con un rotundo:

—El incidente está zanjado. ¿Desea algo más? —preguntó secamente.

—Nada más, buenos días —respondió la secretaria, azorada.

Thomas maldijo para sí. Deseaba marcharse cuanto antes a Ginebra.

Por la tarde, ya en casa, hizo la maleta con lo necesario para la semana. Dejó una nota a Lupe, su asistenta, para que cuidara el jardín, y anotó la cantidad de abono líquido que debía echar en el agua para regar las flores. Mandó un mensaje a Claire recordándole que dejara sus llaves en el buzón. Los días pasaban y ella seguía sin devolvérselas. Llamó a la doctora Terraux para confirmar su cita.

—Hola, Laura. Soy Thomas, ¿estás ocupada?

—Hola, Thomas. Tengo poco tiempo. Me estoy preparando para realizar una autopsia, espera que ponga el manos libres y así podemos hablar.

Thomas oyó unos ruidos y luego volvió a oír la voz de la doctora.

—Perdona, este móvil es un trasto —se disculpó—. Se oye fatal en este agujero.

—Nada, va a ser un momento. Solo te llamaba para concretar lo de mañana por la tarde. Me parecía que podíamos quedar en mi despacho de la Interpol, en Ginebra, así no tenemos que fijar una hora en concreto.

—Me parece perfecto —contestó ella, mientras se enjabonaba las manos y los antebrazos—. De esa manera no tengo que estar tan pendiente de la hora.

Thomas le dio la dirección, el número de despacho y, con un hasta mañana, se despidieron.

Eran las 18.10 cuando lo avisaron desde seguridad que tenía una visita: Laura Terraux. Thomas confirmó que la esperaba.

La doctora apareció en el despacho, trayendo consigo el aire fresco de la tarde. Llevaba el pelo suelto alborotado y tenía las mejillas rojas.

—¡Qué frío hace en esta ciudad! —dijo al entrar.

Thomas no sabía si debía darle la mano o tres besos, según la costumbre suiza. Se levantó y rodeó la mesa para ir a su encuentro. De manera torpe, hicieron las dos cosas. Se dieron la mano y se dieron un beso fugaz, sin tocarse apenas. Laura se quitó la chaqueta de punto y la colgó en el perchero. Llevaba unas botas negras altas hasta la rodilla y un vestido de manga larga, con pequeñas flores negras sobre fondo verde; un cinturón negro le remarcaba la cintura.

—¿Qué tal el viaje? —preguntó Thomas.

—Bien, me encanta conducir, aunque me he confundido al entrar en la ciudad. El GPS me mandaba por una calle que estaba cortada por obras y hasta que he encontrado otro camino he tardado un rato —respondió, mientras sacaba del bolso una carpeta—. ¿Y tu congreso?

—Por ahora, todo marcha sobre lo previsto. Las jornadas comienzan mañana y el lío de organización, reserva de hoteles y demás, ya está resuelto.

Thomas se dirigió al ventanal que ocupaba la parte de atrás de la mesa, y subió los estores para que entrara la luz natural.

—Qué oscuro está el día —dijo mirando la calle—. Creo que va a llover.

Laura echó sin remilgos encima de la mesa una carpeta, que produjo un leve siseo al deslizarse. Thomas se dio la vuelta y la miró.

—He repasado todas las autopsias una por una detalladamente. No hay mucho que deducir: muertes súbitas, provocadas por algún coágulo. Punto y final —dijo con sorprendente calma.

—¿Nada más?

—Nada. Estaban limpias. Los análisis toxicológicos descartan el uso de drogas u otras sustancias. Son muertes naturales.

—Entonces, ¿sugieres que todas estas muertes son pura casualidad? —preguntó Thomas, decepcionado—. He hojeado los informes. Cuanto más sé, más raro me parece este asunto. Mi olfato me dice que hay algo que no cuadra. Piénsalo, todas eran de Europa del Este, mujeres, jóvenes, deportistas. Y todas han muerto de la misma manera.

Una amplia sonrisa se dibujó en la cara de la forense. Thomas pensó que era muy atractiva; admiró su cara moteada por diminutas pecas y los ojos verdes que se clavaban en él.

—Dopaje con eritropoyetina —anunció satisfecha.

Thomas, intrigado, se sentó en su silla y la invitó a que tomara asiento. Laura prefirió quedarse de pie.

—En 1997, estalló un gran escándalo tras la revelación del informe Donati. Ese médico italiano acusaba al ochenta por ciento de los ciclistas profesionales de doparse con EPO —hizo una pausa y continuó—: La eritropoyetina es una hormona que el organismo humano produce de manera natural en el riñón. Su producción se ve estimulada en situaciones, como la hipoxia, en las que es necesario aumentar los niveles de hematíes en sangre.

—Doctora, le recuerdo que no tengo conocimientos de medicina —dijo Thomas.

—La hipoxia es una enfermedad en la cual el cuerpo se ve privado del suministro de oxígeno. En una hipoxia grave, las células sanguíneas desoxigenadas pierden su color rojo y se tornan azules —explicó, mientras se retiraba su pelo moreno de la cara—. Por ejemplo, las células cerebrales, que son extremadamente sensibles, comienzan a morir en menos de cinco minutos después de que se haya interrumpido el suministro de oxígeno.

La forense sacó un cuaderno de su bolso y comenzó a ojear lo escrito.

—Es que he tomado notas para que nada se me escape —se disculpó—. La síntesis de eritropoyetina en los laboratorios, obtenida en los años ochenta, abrió enseguida un amplio abanico de posibilidades sobre su uso indebido en los deportes de resistencia.

Thomas la miró con gran interés.

—¿Qué mejoría obtiene el deportista? —preguntó, apoyándose en el brazo de la silla.

—En un deportista que practique una especialidad de resistencia, el consumo de EPO presenta grandes beneficios. Cuando se inyecta esta sustancia, se estimula la formación de hematíes, los glóbulos rojos, lo que eleva la tasa de hemoglobina. Como consecuencia de ello, los músculos, aun recibiendo la misma cantidad de sangre, captan más oxígeno, trabajan de forma más eficaz y se retrasa la aparición de fatiga —le explicó, cada vez más animada—. El investigador sueco Bjorn Ekblom dijo en un estudio que el uso de la eritropoyetina sintética puede hacer que un deportista rebaje en medio minuto su récord personal en una prueba de veinte minutos de duración. Se trataría por tanto de una mejora de casi un tres por ciento.

—¿Esto cuánto supone para un atleta? —preguntó impaciente.

—Conseguiría que un corredor de diez mil metros rebajara su récord personal de veintiocho a veintisiete minutos. Una diferencia similar a la existente entre el récord de su país y el récord olímpico.

Un silbido salió de la boca de Thomas. Le parecía increíble.

—Ahora te cuento lo mejor —dijo ella con voz misteriosa.

—Por favor, estoy en ascuas —añadió Thomas acompañando sus palabras con un gesto de la mano que la invitaba a seguir con su explicación.

—Los deportistas que se inyectan esta sustancia ven subir sus cifras de hematocrito, porcentaje de glóbulos rojos frente al total de la sangre, hasta niveles increíblemente altos, que pueden llegar al sesenta por ciento.

—Y ¿cuándo representa un peligro para el organismo? —preguntó Thomas, cada vez más interesado.

—Según los hematólogos, cuando se supera la cifra de cincuenta y cinco se considera que la sangre comienza a espesarse de forma peligrosa. Inyectada en grandes cantidades, la EPO eleva las cifras de hemoglobina en un veinte por ciento. —Laura hizo una pausa—. La sangre del deportista con una cifra de hemoglobina muy superior a la normal aumenta peligrosamente su viscosidad y no circula por los vasos con la misma fluidez. La sangre se coagula fácilmente.

—Pero eso es demencial... —murmuró Thomas.

—Exacto, y aquí reside el principal riesgo para el deportista, no solo por la mayor viscosidad del torrente sanguíneo, sino porque otro de los efectos de la eritropoyetina es el aumento de la cifra de plaquetas. Si el trombo aparece en zonas vitales del organismo, como las arterias del cerebro o las coronarias, la consecuencia no puede ser peor: muerte súbita.

—Ya veo dónde quieres llegar —comentó Thomas animado.

—Espera, que hay más. La muerte en extrañas circunstancias de dieciséis ciclistas holandeses, incluido el campeón Bert Oosterbosch, entre 1987 y 1990, se relacionó enseguida con la administración de eritropoyetina. Todas las muertes se iban produciendo de la misma forma: paros cardíacos mientras los ciclistas dormían.

—Pero ¿cómo es que no había oído hablar de eso? —preguntó Thomas extrañado—. Son muchas muertes para que no haya sido una noticia de carácter mundial, y además en Europa.

—No lo sé. La verdad es que fueron dieciséis muertes en tres años, todas en Holanda. Según diferentes expertos en medicina deportiva, el aumento de la viscosidad sanguínea, unido a la baja frecuencia cardíaca durante el sueño, fue la causa.

La forense lo miró esperando una reacción. Se veía que las neuronas de Thomas funcionaban a toda velocidad, sacaban conclusiones, hilvanaban teorías.

—La sangre se vuelve barro —murmuró Thomas satisfecho—. Doctora, ya tenemos caso.

21

Después de comentar los casos de muertes súbitas y su relación con el dopaje, Thomas le propuso a Laura que cenaran juntos. Ella aceptó encantada. Tenía una amiga de la facultad que vivía en Ginebra e iba a aprovechar para dormir en su casa y pasar el día siguiente juntas.

—Intentamos vernos —explicó Laura—, pero lo cierto es que suelen pasar meses entre visita y visita.

Thomas la miró extrañado.

—Pero si estáis muy cerca... En Estados Unidos, si un amigo vive a hora y media es casi un vecino.

—Lo sé. El problema es que a las dos nos apasiona nuestro trabajo —se excusó—, y nos ocupa la mayor parte del tiempo.

—Sí, ya veo.

A Laura, las palabras de Thomas le sonaron a burla. Su cara solía reflejar sus emociones con demasiada claridad, y no pudo disimular su malestar. Alcanzó su chaqueta y se dio media vuelta.

Él notó la tensión y preguntó:

—Perdona, ¿pasa algo?

—Nada, tienes razón —dijo Laura—. Mi trabajo es mi actual amor. ¿Vamos a cenar? Me muero de hambre.

Abrió la puerta del despacho y salió al pasillo. Se había comportado como una cría. ¿Qué le pasaba? ¿Desde cuándo oír que su única pasión era el trabajo le molestaba tanto? Oyó que se cerraba la puerta. Después, sintió a su lado la presencia de Thomas que se estaba poniendo la gabardina.

—No me hagas caso, últimamente estoy un poco susceptible.

—Vale —dijo él, y sonrió.

Desde la Place Bel-Air subieron por la Rue de la Cité hasta llegar a la parte antigua de Ginebra, la *vieille ville*. El viento del norte se había detenido y la noche prometía ser cálida. Pasaron por delante de la catedral. Cerca de allí, entre unas callejuelas, se encontraba el hotel-restaurante Les Armures. El comedor principal, conocido como «La Salle des Artistes», se situaba en la planta baja. Tenía enormes vigas de madera en el techo y estaba decorado con armaduras medievales que parecían custodiar las paredes. Thomas se quitó la corbata y la guardó en el bolsillo de la americana, que dejó en el guardarropa junto a la gabardina.

—Bueno, doctora, te aseguro que en este sitio te vas a olvidar del estrés. ¿Te gusta el queso?

—Me encanta.

—Pues ya somos dos.

Se sentaron junto a la ventana. Laura se quitó la chaqueta. Thomas admiró sus largos brazos bien torneados y cubiertos de pecas. Intentó fijarse en otra cosa, así que abrió la carta y pidió la famosa *fondue* de queso y dos *raclettes*. Para beber, se decidió por un vino blanco, un Simon Bize Savigny. Laura pidió lo mismo. Mientras esperaban la comida, Thomas retomó el tema de la muerte de las atletas.

—Todas murieron de manera fulminante. Irina Petrova, la última chica, murió de un ataque cardíaco.

—Pero ¿por qué siendo tan joven?

—La mayor parte del corazón obtiene la sangre que necesita de las dos arterias coronarias. Si uno de estos vasos se obstruye, el lado del corazón que irrigaba ese vaso deja de funcionar por falta de oxígeno.

—¿Así de fácil?

Laura asintió.

—¿Y ese fue el caso de esta deportista?

—Exacto —respondió Laura, mientras mordía un trocito de pan.

—¿Y Úna Kovalenko?

—Murió de embolia pulmonar. Ocurre cuando un coágulo de sangre que está fijo en una vena del cuerpo se desprende y llega al pulmón donde se obstruye el paso de la sangre por una arteria.

—Pero ¿cómo se desarrolla?

—Bueno, normalmente el trombo se produce en las piernas, los muslos o las caderas. Si se suelta y acaba atrancado en una arteria pulmonar, es posible, en caso de que sea pequeño, que no cause síntomas. Si es más grande, puede provocar daño pulmonar o la muerte.

Thomas se quedó pensativo mientras cortaba el pan en pequeños trozos. Laura miró sus manos, luego su cara. Estaba ausente. Deseó poder acompañarlo en sus pensamientos, pero optó por guardar silencio. Laura recibió la llegada de la *fondue* con alivio. El camarero colocó el recipiente de hierro en el centro de la mesa. Debajo de la marmita crepitaba una llama azul. Thomas salió de su ensimismamiento y repartió el pan. Del interior del recipiente salían densas burbujas de queso fundido. Con la ayuda de los largos tenedores, pincharon un trozo de pan y lo introdujeron en la *fondue*. Al sacarlos, soplaron antes de comerlo.

—Mmm, delicioso —dijo Laura a la vez que cerraba los ojos—. Cuando saques el siguiente trozo de pan de la marmita, prueba a echarle un poco de pimienta, verás cómo tiene un sabor más intenso.

—Tienes razón, qué rico. No tengo palabras —dijo Thomas después de probarlo.

Como si hubieran llegado a un acuerdo, comieron sin hablar, disfrutando de la *fondue*. La llegada de las *raclettes* y unas copas de vino blanco los animaron a retomar la charla.

—Estas patatas cocidas con queso fundido me encantan —dijo Thomas.

—Y a mí —asintió Laura, encantada.

—¿Las demás chicas de qué murieron? —preguntó Thomas de repente.

Laura sacó su libreta con las notas sobre el caso mientras el camarero recogía la mesa. Thomas pidió el postre.

–Verusha Antonova y Nathasa Stepanova murieron en enero por parada cardíaca. En marzo, Yelena Ustinova, de embolia cerebral, y en mayo, Arisha Volkova, de embolia pulmonar.

–De lo mismo que Úna... –dijo Thomas para sí mismo.

–Exacto, la misma causa de muerte y el mismo mes. Como puedes comprobar, todas las muertes se debieron a lesiones obstructivas.

–Es obvio que eran del Este pero, ¿de qué país?

–Todas rusas –contestó Laura mirándole a los ojos–. ¿No te parecen demasiadas coincidencias?

Thomas asintió, mientras saboreaba el helado de chocolate.

–¿Qué incidencia tiene este tipo de muerte en deportistas?

–Según un estudio realizado en Estados Unidos, los casos de muerte súbita son de cuatro por millón.

–¡Vaya! Se ha sobrepasado con creces esa estadística –se asombró Thomas.

–El estudio se hizo contando como muerte súbita el fallecimiento que se produce en la primera hora desde el inicio de los síntomas, o la muerte inesperada de una persona aparentemente sana que se encontraba bien las veinticuatro horas previas.

–¿No tomas postre? –preguntó Thomas al acabar el suyo.

–Imposible, estoy llena. Ahora mismo lo que me apetece es dar un paseo y quemar unas cuantas calorías de las cinco mil que, por lo menos, tenía esta cena.

–Vale, pago y nos vamos.

–No te molestes, ya he pagado yo cuando he ido al baño.

–¿Has pagado la cena?

–Sí, ¿algún problema?

–Ninguno.

Salieron por la Place Neuve y continuaron por la Rue de la Croix Rouge en dirección a la Promenade des Bastions. Después se encaminaron hacia el lago. Se acercaron al Jet d'Eau por el muelle de Gustav Ador y se sentaron en el extremo del puente del Mont-Blanc. Desde el banco del muelle vieron cómo zarpaban los barcos que hacían las travesías por el lago Lemán. Thomas miraba fijamente el agua, parecía cansado.

—¿Cómo es la muerte súbita? Quiero decir, ¿qué le pasa a la persona? —preguntó sin volver la cabeza.

—Las víctimas de muerte súbita presentan de manera brusca una pérdida completa del conocimiento y no responden a ningún tipo de estímulo. Pueden tener los ojos abiertos o cerrados y, enseguida, dejan de respirar. El color de la piel pierde rápidamente su tono rosado habitual y se torna azul violáceo.

Laura cruzó las piernas y se abrochó la chaqueta con el cinturón de lana a juego.

—¿Se puede parar ese proceso?

—Depende del tiempo que transcurre entre que el corazón se para y la desfibrilación. Se calcula que, por cada minuto de demora, existe un diez por ciento menos de posibilidades de que el paciente se recupere. Si no tenemos a mano un desfibrilador, la segunda medida es el masaje cardíaco, pero solo para ganar tiempo.

—Entonces, si ocurre por la noche, mientras duermen, como todas estas chicas...

—No hay ninguna esperanza —lo interrumpió Laura—. Transcurridos cinco minutos, ya tendrían algún daño cerebral.

—Esta semana intentaré hacer alguna llamada y ver qué averiguo. No tengo ni idea de dopaje. No sé por dónde empezar —reconoció Thomas.

—Habría que comenzar por el entorno de las chicas. Alguien les suministrará las drogas, seguramente un médico —dijo Laura, torciendo la boca en un gesto de disgusto—. Y ese médico las comprará en algún sitio.

—Quizá en Internet.

—Puede. Es importante averiguar en qué círculo se movían las chicas, porque seguro que habrá otras que estén dopándose.

—Pero estas deportistas se habrán enterado de las muertes e intuirán el peligro que corren.

Laura se encogió de hombros a modo de respuesta.

—¿Tú crees que será EPO adulterada o de mala calidad?

—No lo sé —reconoció Laura—. Por lo que he podido leer, además de EPO, se toma hormona de crecimiento y esteroides anabolizantes. Lo llaman «el cóctel».

—¿Lo dices en serio?

—Todo es poco para ganar.

Thomas bostezó y se tapó la boca con la mano.

—Estás cansado. Venga, vamos.

Fueron hasta una parada de taxis. Thomas prefería andar hasta su hotel. Antes de subirse al coche, Laura le dio la mano. El apretón fue frío y enérgico. Se la notaba incómoda, igual que él. Odiaba las despedidas en todas sus formas. Le parecían un acto obligado e hipócrita, pura parafernalia. Durante unos segundos sus miradas se cruzaron. Laura le obsequió con una breve sonrisa que a Thomas le gustó. Quedaron en llamarse la semana siguiente.

Media hora después, Thomas entraba en su habitación del hotel. Se desnudó, se duchó y se metió en la cama con el pelo mojado. Al rato encendió la luz de la mesilla de noche, el paseo lo había despejado. Miró la hora, le pareció un buen momento para llamar a George, a Washington. Marcó su número de móvil particular.

—¿Qué hay, amigo? ¡Cuánto tiempo! —exclamó George, desde el otro lado de la línea.

—Madre mía, George, menudo acento yanqui tienes. No me había dado cuenta hasta ahora.

—Te recuerdo que soy yanqui; es decir, el amo del universo conocido...

—Y por conocer —Thomas acabó la frase.

—¿Qué me cuentas, franchute?

—*Touché*.

—¿Estás bien? ¿Sigues con el bombón francés?

—No.

—¿No?

—Agua pasada.

—Eres mi héroe. Pero ha tenido que ser hace poco. Cuando nos vimos, hace un par de meses, estabas con ella —comentó, extrañado, George.

—La semana pasada.

Thomas se incorporó en la cama, dobló la almohada y apoyó en ella la cabeza.

—¿Qué pasó?

—Nada importante. Me la jugó en un *ménage à trois*.

—¿Con un tío? —preguntó George. Parecía encantado con la conversación.

—No te pases, con otra mujer, que casualmente trabaja para mí. Una de mis reglas es no mezclar trabajo y sexo.

—¿La conozco?

—Creo que sí. Es Rose, mi secretaria.

Se oyó un silbido al otro lado de la línea.

—¿Qué tal fue?

—No pienso contarte nada. No voy a ser yo el que alimente tus fantasías.

—Mal amigo...

—Ya lo creo —contestó Thomas con una sonrisa.

—¿Alguna en el horizonte?

—Ninguna. ¿Y tú qué tal? —preguntó cambiando de conversación.

—Bien, sin novedad. He engordado dos libras y Catherine, en represalia, me ha quitado los bollos, las hamburguesas y demás. En fin, todo lo que me gusta. Dice que cuando quiera quedarse viuda me dejará volver a las andadas. Llevo tres días masticando comida para vacas.

—¿Comida para vacas?

—Sí, ya sabes, todas esas porquerías tipo verdura, tomate, lechuga.

—Ya... Oye, George, te llamaba porque quería que me dieras tu opinión sobre un asunto que quizá podría llegar a ser un caso.

—Creía que ya no te dedicabas a estos asuntos. Dispara, soy todo oídos —contestó George.

—En el último año, han muerto seis chicas de muerte súbita en la zona de los cantones de Vaud y Valais, en Suiza. Todas eran deportistas profesionales rusas. Dos de ellas, las últimas, murieron en el mismo centro de alto rendimiento.

—¿De qué densidad de población estamos hablando? —preguntó George con voz seria.

—No lo sé, desde luego no llega al millón de habitantes.

—*Okay*. Sin duda, es extraño. Apostaría que se trata de *doping*.

—¿Qué sabes de ello?

—Demasiado. Estoy en la DEA, amigo, todo lo que huele a droga me compete. Cada vez se consumen sustancias dopantes con más asiduidad. En muchos gimnasios es un descontrol. Un informe de la AMA...

—De la... —lo interrumpió Thomas.

—Agencia Mundial Antidopaje —explicó George—. Un estudio sostiene que el origen de la implicación de la mafia estadounidense en el tráfico de sustancias dopantes se remonta a los años setenta. Entonces, la familia Gambino, que poseía los gimnasios Gold's Gym en California, financió un documental, *Pumping iron*, protagonizado por Arnold Schwarzenegger.

—¿El actor?

—Sí, el que luego sería gobernador de California era por entonces adicto a los gimnasios y había logrado siete veces el título de Mister Olympia. Esa película inició la moda de los cuerpos de músculos hipertrofiados, que alcanzaría su apogeo poco después con el mismo Schwarzenegger. Él nunca ha desmentido que consumió esteroides mientras protagonizaba *Conan El Bárbaro*.

—Cierto, me acuerdo de esa película y las que después siguieron con esos héroes tan musculados...

—Exacto. Pues esa moda se tradujo en un aumento de la demanda de hormonas y anabolizantes, y la mafia empezó a inundar el mercado negro. Muchos de los actores de segunda fila que hinchaban sus cuerpos en los gimnasios acabaron enrolados en películas porno-gays, industria también controlada por la mafia. Si no me falla la memoria —George hizo una pausa—, hacia 1995 la mafia neoyorquina perdió el control de los esteroides, que pasó a manos, principalmente, del crimen organizado ruso, una amalgama de setenta familias.

—De acuerdo, pero yo estoy buscando otro tipo de dopaje. Se llama EPO.

—Creo que hay un informe muy bueno de Interpol acerca de esa sustancia. A ti te será fácil acceder a él.

—Me interesa eso que me has contado sobre la mafia rusa. Puede que tenga algo que ver con las chicas muertas. No sé..., no tengo ni idea por dónde empezar.

Thomas se quitó el doblez de la almohada y se tumbó en la cama.

—Oye, George, lo siento, pero me voy a dormir. No puedo pensar con claridad. —Apretó con dos dedos de la mano izquierda el puente de la nariz a la altura de los ojos—. Tengo una semana tremenda, con un montón de conferencias. Cuando acabe, empezaré a informarme de qué va todo este mundillo.

—Ya he leído lo del congreso de ADN. Espero que les metáis a algunos países en la cabeza la necesidad de preservar la escena del crimen y tomar muestras fidedignas antes de que haya pasado por allí una manada de búfalos.

—¿Búfalos?

—Bueno, lo primero que se me ha ocurrido. Me da igual, gallinas, elefantes...

—Sí, son muy parecidos.

—*Okay*, Thomas, te dejo. Duerme y ya hablaremos. Veré qué averiguo, seguro que en los archivos de la DEA puedo encontrar información.

Thomas asintió.

—Ah, y queda pendiente lo del trío, necesito detalles —añadió George.

—*Bye*, George.

Thomas colgó con una sonrisa.

22

Era principios de noviembre. Una capa blanquecina cubría las faldas de los montes. La temporada de esquí había comenzado. El valle se había convertido en una gran autopista hacia la diversión. Los hoteles y las casas estaban a rebosar y el tren cremallera no paraba de escupir esquiadores. Muchos pasaban cerca del centro de alto rendimiento y se detenían a contemplar el castillo militar. Debido a la poca altitud y al hecho de que la ciudad estaba ubicada a los pies de la montaña, la nieve rara vez caía en Monthey. Sin embargo, esa mañana llovía agua nieve. Las finas mallas que llevaba Janik dejaban pasar el frío, que calaba los huesos. Viktor se había unido a su entrenamiento.

Hasta el final de las series, la respiración de Viktor no dio muestras de acelerarse. Janik, que no le quitaba ojo, no encontraba ninguna evidencia de cansancio en su compañero.

—¿Qué tal vas? —preguntó Viktor adelantándose a él.

—Bien, bien —mintió Janik.

—¡Vamos! Ya solo quedan tres.

Al terminar, Janik lo observó. Buscaba signos de debilidad, pero lo único que encontró fue un gesto de satisfacción. En la primera competición de pista cubierta, Viktor no solo ganó a Janik sino que batió el récord suizo de 1.500. Janik tenía un sentimiento de fracaso, cuando la realidad era que había hecho un buen registro. Salió del estadio para tomar un poco de aire fresco y soltar los músculos agarrotados. En ese momento, notó un pinchazo en el gemelo izquierdo. Lo primero que hizo cuando llegó a la residencia fue ver al fisioterapeuta.

—No tiene muy buena pinta —le dijo este.

—¿Qué puede ser?

—Tendrás que hacerte una ecografía, pero parece que es una rotura de fibras.

—¿Para cuánto tiempo tengo?

—Si se confirma la rotura, para un mes más o menos.

—¡Mierda! ¡Qué mala suerte! —exclamó Janik con una sensación de derrota—. Antes de las Olimpiadas tendré que ganarme un puesto.

El fisio le mandó unos ejercicios del tronco superior. Y poco a poco, inició unas sesiones con una bicicleta especial. Así estuvo semana y media, hasta que un día no se levantó de la cama. No sabía qué le pasaba, sentía una profunda tristeza. Pasaba las mañanas tumbado viendo como su compañero de habitación entraba y salía. Viktor se percató de su estado y, por primera vez, no encendió la consola en todo el día.

—A ti te pasa algo, ¿quieres que llame al médico? —le preguntó.

—No es nada, mañana estaré mejor —contestó Janik para que lo dejase en paz.

Viktor recogió su bolsa de deporte, metió sus zapatillas de clavos y, antes de marcharse, preguntó si quería algo de comer.

—No, gracias.

Pero al día siguiente estaba peor. A pesar de llevar un día sin probar bocado, no tenía apetito. Se alimentaba de las golosinas que Viktor guardaba en uno de los cajones de su mesilla. La mayor parte del tiempo miraba los objetos de la habitación, aprendiendo de memoria dónde estaban y qué forma tenían. Conforme el día avanzaba y la intensidad de luz iba cambiando, los objetos parecían alejarse hasta que desaparecían por completo en la oscuridad. Esa transformación lo distraía. El tiempo iba pasando sin más. El silencio de la habitación solo se alteraba por fragmentos de las conversaciones de los deportistas que pasaban por el pasillo. Viktor se marchaba temprano y no aparecía hasta la hora de meterse en la cama. No hablaban mucho. A Janik no le apetecía y su compañero iba a lo suyo.

El tercer día, sus pensamientos lo llevaron hasta un callejón sin salida. Si sus piernas decidían parar y no volver a iniciar la marcha, ¿qué le quedaba? En ese momento le llegó una imagen. Como un fogonazo en medio de la oscuridad, se vio de niño después de enterrar a su padre, huyendo de su dolor. Sobre él cayó la soledad del corredor, la soledad que lo había acompañado durante toda su existencia. Se sintió vacío, abandonado y a merced de un cronómetro. Necesitaba que alguien lo acariciase. Janik se dio la vuelta y abrazó la almohada. Estaba acostumbrado a sufrir, pero cada vez le pesaba más la ausencia de cariño. Las lágrimas comenzaron a mojar la funda de la almohada y hundió la cabeza en ella con más fuerza en un intento de detenerlas.

La mañana siguiente se levantó, recogió el ordenador portátil, el teléfono móvil, la cartera y las llaves del coche. Una ráfaga de aire frío arremetió contra él nada más dejar los muros protectores de la residencia. Le vino a la memoria la época en la que vivía con sus padres, cuando la vida era más sencilla. Arrancó el coche y no paró hasta ver la luz encendida de la cocina de su casa.

Lo despertaron las pisadas de su madre yendo y viniendo. El pánico que había sentido había desaparecido, pero la tristeza seguía acompañándolo. Era como si lo hubiesen vaciado de ilusiones. Le costó esfuerzo salir de la cama y vestirse.

—¿Qué haces aquí? —le preguntó su madre.

—Si te molesto, me voy —contestó Janik dolido.

—¿Te ha pasado algo? —quiso saber ella.

—Nada que te interese. —Al instante se arrepintió de su respuesta.

—Ya veo que ha sucedido algo, cuando quieras me lo cuentas —dijo su madre saliendo de su habitación—. Si te entra hambre, en el frigorífico hay comida.

Su habitación estaba tal y como él la había dejado la última vez. La cama enorme ocupaba gran parte de la estancia. A uno de los lados de la cama, había una mesilla con dos cajones que hizo su padre especialmente para él. Lo primero que hacía cada vez que se tumbaba era pasar las palmas de las manos por sus patas, recorriendo cada veta, cada muesca de la madera. Eso lo reconfortaba. Enfrente de la cama había una estantería de tres cuerpos con los trofeos y las medallas que había ganado durante su carrera deportiva.

Se vistió y bajó a la cocina. Abrió uno de los armarios y el frigorífico. Le sorprendió que estuviesen repletos de comida. Cuando llegaba a casa, la despensa solía estar vacía.

—¡Podías haber avisado de que ibas a venir, hubiera limpiado un poco la casa! —gritó su madre desde su habitación.

—No pasa nada, estoy acostumbrado —respondió Janik—. ¿Te ayuda alguien con la compra?

—Sí, me la traen una vez a la semana. ¡No voy a esperar a que tú me ayudes! —volvió a gritar su madre.

Janik se preparó el desayuno, y se arrepintió de haber dejado la residencia. Subió a la habitación y marcó el número de la asistente social. Ella le comentó que su madre había rechazado el tratamiento médico, que se negaba a ir al hospital, y que fue a verla y no la dejó entrar.

—Por lo menos conseguí convencerla de que las vecinas le llevasen algo de comer —dijo con resignación.

—¿Qué puedo hacer por ella? —preguntó Janik.

—Lo mejor es llevarla a un centro especializado, pero son muy caros y el seguro no cubre más que una pequeña parte.

—¿Cuánto dinero se necesita?

La chica le dio una cifra aproximada. No tenía ese dinero. Le empezó a faltar el aire, colgó, necesitaba salir de casa. En la calle se acordó de cuando era todavía un adolescente y recorría el pueblo con sus amigos. Entonces su vida parecía estar pegada a aquellas casas, a esos muros en los que se había apoyado tantas veces mientras discutía sobre quién era el mejor esquiador o el mejor tenista del mundo. Cuando regresó, lo que más le apetecía era dormir. Cerró las cortinas y se echó sobre la colcha de la cama. Sintió que un escalofrío le recorría la espalda y llegaba hasta la nuca, se colocó en posición fetal y se agarró las rodillas con las manos.

Tenía que hacer algo con su vida. Podía estudiar de nuevo, aunque no tocaba un libro desde que su madre empezó a beber. El pánico creció otra vez. Se agarró con fuerza las rodillas y emitió un sonido gutural. En la residencia se había apuntado a un curso de yoga especial para atletas, donde había aprendido a relajarse repitiendo en voz alta «Om». Al parecer, tenía efectos beneficiosos; relajaba los músculos, oxigenaba el cerebro y, lo más importante, aparcaba los pensamientos por unos minutos. Cerró los ojos.

Ooooommmmm.

La cara de Irina aparecía en su mente como una sucesión de rápidos fotogramas sin sentido. Respiró profundamente.

Ooooommmmm.

El armario al fondo, las zapatillas de clavos colgadas en la barra por los cordones.

Ooooommmmm.

Su madre estaba sentada en la silla de la cocina con una botella de vino.

Despertó unas horas más tarde y bajó a la cocina. Su madre miraba por la ventana con la vista extraviada.

—Podemos cenar juntos. ¿Quieres que te prepare algo? —le preguntó en un intento de acercarse a ella.

—No, cenaré tarta de manzana y un vaso de café con leche. No tienes que esforzarte en ser un buen hijo.

—No empieces, mamá. Por una vez vamos a comportarnos como cuando estaba papá.

A su madre le cambió la cara.

—Eres una mala persona —dijo.

—No soy una mala persona. En todo caso, un mal hijo.

Su madre se dio cuenta de que había sido cruel y bajó la cabeza.

—¿Qué vas a hacer estos días? —le preguntó.

—Ver la tele, leer la prensa, no sé...

—Algo tendrás que hacer. La vida en el pueblo es aburrida, no hay muchas cosas con las que entretenerse.

—Ya me las arreglaré.

—Tú no has venido para estar conmigo, a ti te pasa algo —le dijo su madre. Por la voz y la mirada, se veía que había bebido—. ¿Te han echado de la residencia?

—No me han echado de ningún sitio.

—Hijo, ¿por qué no le cuentas a tu madre lo que te pasa? —insistió.

—No me pasa nada, solo quería estar en casa.

—¿De verdad has venido para cuidarme?

—De eso quería hablarte. He pensado que estarías mejor en un sitio donde...

—No necesito ir a un asilo —se adelantó su madre—. No dejan fumar ni tomar de vez en cuando una copita, y siempre tienes a alguien vigilándote.

—¿Y qué pasa si te caes y te haces daño?

—No necesito a nadie. Yo sé cuidar de mí misma, ¿entendido? Tú no eres el más indicado para dar consejos, no pasas ni un mes al año en casa.

—Mamá, no hables así. Estás enferma y necesitas cuidados. No puedes seguir comportándote como si estuvieses sola en este mundo.

—Desde que murió tu padre y te marchaste, estoy sola.

Janik se levantó de la mesa. Mientras subía las escaleras, oyó a su madre quejarse. No le apetecía hacer nada, además tenía dolor de cabeza y el nudo de su estómago se había vuelto más grande.

La Rote Fabrik era una antigua fábrica de seda situada a orillas del lago en Seestrasse. Sus paredes de ladrillo rojo estaban cubiertas de toda clase de grafitis. Era conocida como el templo de la música alternativa. Tenía cuatro salas donde se celebraban conciertos y *performances* de todo tipo. Aquella noche en la sala Aktion había un concierto de música electrónica. Pensó que tal vez la música sería un buen medicamento contra la angustia. Se puso un jersey de cuello alto, buscó la cartera y bajó al descansillo. Se cambió las zapatillas de estar en casa por las botas y descolgó el anorak de la percha. Su madre salió a su encuentro.

—¿Adónde vas?

Janik dio un portazo sin mirar atrás. Nunca había salido de noche solo. ¿Estaba iniciando una especie de travesía sin rumbo?, se preguntó.

La sala estaba a rebosar. Se situó en uno de los laterales, lejos de la barra. El primer DJ se presentó y la gente coreó su nombre. Los focos se apagaron y los aplausos llenaron la discoteca. De repente, las luces de colores iluminaron la sala. Después de unos segundos en silencio, la música empezó a sonar. Activada por una palanca imaginaria, la gente comenzó a moverse al unísono, como una manada de flamencos. Janik se dio cuenta de que estaba fuera de lugar. A su alrededor, bailaban y gritaban al ritmo de la canción. Lo empujaban como un barco a merced de la corriente. Acabó en la otra punta de la sala, cerca de la barra. Vio que todos pedían una bebida de color azul y los imitó. Se mezcló con la marea hasta que encontró un escondrijo vacío cerca de la pared. Aquella especie de líquido parecía un medicamento. Le dio unas vueltas con la pajita y lo aspiró. Para su sorpresa, era dulce y apenas sabía a alcohol. Lo terminó y pidió otro. Su cerebro empezó a notar el efecto. El dolor de cabeza desapareció. Por primera vez, se olvidó del nudo en el estómago y de las razones por las que había aparecido. Pidió otra copa y ya no volvió a su madriguera. Se sentía parte de aquel grupo de flamencos. Levantó los brazos y la bebida salió disparada del vaso. Su mirada se cruzaba con la de los demás, que lo observaban sonrientes. Janik comenzó a reírse sin parar. Hacía mucho tiempo que no se sentía tan bien.

23

Thomas se encontró con su jefe en los pasillos.

–Enhorabuena, Thomas. Estas jornadas han sido un éxito. Por lo que he oído, las delegaciones están muy satisfechas.

Miró a Alain Neuilly con agradecimiento. Era un tipo curioso. Por su aspecto, no parecía que fuera jefe de nada. Era bajito, con una prominente barriga. Desde hacía unos meses había renunciado al cinturón después de librar un dilema sobre cómo llevarlo; arriba de la cintura o abajo. Ahora lucía unos extravagantes tirantes a juego con el pantalón. Su cara redonda sonreía abiertamente; sus mofletes, como dos manzanas relucientes, reflejaban las luces del techo. Se estaba haciendo injerto de pelo, y en la zona de la calva se cruzaban varias hileras de cabello. Parecía el pelo de una muñeca.

–Gracias, señor Neuilly –respondió Thomas a la vez que se daban un fuerte apretón de manos.

–¿Se va mañana a Lyon? –preguntó Neuilly, uniendo sus manos por debajo de la tripa.

–Precisamente de eso quería hablar con usted. Si tiene un momento...

–Por supuesto, Thomas. Parece un asunto serio –dijo su jefe, al ver la expresión sombría de Thomas–. ¿Podemos ir a la cafetería?

–La cafetería estaría bien.

Llegaron a los ascensores y apretaron el botón de la última planta. Situada en el piso octavo, tenía unas vistas impresionantes al lago Lemán. Entraron en la cafetería. La terraza estaba reservada para los valientes que querían respirar aire puro y frío.

–¿Cuándo va a llegar el verano? –preguntó Neuilly–. No he podido disfrutar ni un solo día de mi piscina. A este paso la cambiaré por un *jacuzzi* de agua calentita.

—Creo que sería la mejor opción —comentó Thomas por decir algo; en realidad, le importaban poco las frivolidades de los jefes.

Thomas pidió un café solo con hielo y el señor Neuilly, una coca-cola *light*, aduciendo que tenía que adelgazar.

—He llegado a un punto sin retorno, ni un kilo más. Lo malo es que, por ahora, ni un kilo de menos. En fin, ¡qué aburridas son las miserias! —exclamó, y se sentó en una mesa con la bebida.

Thomas decidió tomar la iniciativa en la conversación. El señor Neuilly era un buen jefe, eficiente y trabajador, pero entre sus virtudes no se contaba la de escuchar a su interlocutor. Sus monólogos eran célebres, sobre todo cuando atañían a temas personales; después de un rato de conversación, uno se daba cuenta de que no había abierto la boca.

—Mire, señor Neuilly, quería comentarle un caso del que me enteré el mes pasado para saber su opinión.

—Dígame de qué se trata.

—Voy a ser breve. Recibí la llamada de una amiga, quería que repatriara el cadáver de su hija a mi país. Como usted sabrá, soy irlandés...

El señor Neuilly asintió.

—Buena gente cu...

Antes de que prosiguiera, Thomas continuó:

—La forense encargada de la autopsia me comentó que la chica había muerto de manera súbita, al igual que otras cinco jóvenes. La última hace diez días. El martes me reuní con la forense y llegamos a la conclusión de que merecía la pena investigar. Todas las muertas tienen un mismo patrón: son jóvenes, atletas, han muerto en la misma zona, los cantones de Vaud y Valais, y tienen la misma nacionalidad: rusa. ¿Qué le parece señor?

—¿Y la Policía?

—Para ellos no hay caso. Son muertes naturales.

—No sabe los años que lleva la Interpol luchando contra el *doping,* porque doy por sentado que se trata de eso. Según un informe de la Agencia Mundial Antidopaje, treinta y un millones de personas se dopan. Interpol hizo una exhaustiva investigación y estimó que el tráfico de sustancias dopantes movía más dinero que la cocaína. La industria del dopaje es una empresa global que genera ganancias de decenas de miles de millones de euros. —El señor Neuilly hizo una pausa y dio un trago a su bebida—. Desde actores, en el mundo del porno hay una gran demanda, hasta gente del espectáculo, deportistas aficionados, musculitos de gimnasio, guardaespaldas, policías y militares. Se consumen setecientas toneladas de esteroides anabolizantes...

—Perdone que lo interrumpa, ¿de cuántas dosis hablamos?

—De unos catorce mil millones, ¿qué le parece?

—Estoy asombrado.

—Pues, espere. Todavía hay más —dijo Neuilly haciendo un gesto teatral con las manos—. Anualmente, se consumen setenta toneladas de testosterona sintética y treinta y cuatro millones de viales de EPO y hormona del crecimiento, que equivalen a unos tres millones y medio de consumidores.

—¿Qué hay de los deportistas profesionales?

—No le damos gran importancia, son una parte ínfima del *doping*. Lo que pasa es que cuando los pillan se le da mucha publicidad.

—¿Cómo es que sabe tanto de este tema?

El señor Neuilly acabó su refresco y contestó:

—Hace unos años fui el responsable de organizar a escala global unos seminarios sobre el dopaje. En aquel entonces, ya era alarmante. La cumbre fue un fracaso. Países que creíamos imprescindibles que acudieran, como España, rehusaron nuestra invitación —suspiró de manera ostentosa.

—Ya entiendo, señor. Pero, perdone mi ignorancia, ¿para qué las usa, por ejemplo, el ejército?

—Hijo, en Irak y Afganistán el producto estrella son los esteroides que los soldados adquieren por Internet, beneficiándose, por cierto, de las tarifas de correo inexistentes, o a través de camellos locales que rondan alrededor de sus cuarteles. En agosto de 2005, la Policía italiana incautó más de doscientas mil dosis de esteroides cuando desarticuló en Trieste una trama que vendía por Internet sustancias prohibidas a los soldados estado- unidenses destinados en Irak.

—Pero ¿qué beneficios produce? —preguntó Thomas con interés.

—El gusto de los soldados por sustancias como las anfetami- nas, que mantienen el cuerpo despierto y generan euforia y optimismo, o como los esteroides anabolizantes, que crean mús- culo e incentivan el ánimo agresivo, no es una novedad. —Neui- lly hizo una pausa y añadió—: Los esteroides anabolizantes fueron desarrollados por científicos nazis y administrados, conjunta- mente con anfetaminas, a sus soldados en el frente, que funcio- naban como conejillos de indias en este sentido.

—¿Qué son los esteroides anabolizantes?

—Son la sintetización en laboratorio de la testosterona, la hormona masculina.

Thomas asintió agradecido.

—Mire, Thomas, en cuanto escarbe, se dará cuenta del pro- blema tan enorme al que nos enfrentamos. Recuerdo que un agente de aduanas del aeropuerto de Sidney dio el alto a Sylves- ter Stallone cuando fue a Australia para promocionar *Rocky Balboa*. En su maleta llevaba cuarenta y ocho ampollas de Jin- tropín, una hormona de crecimiento china que se vende por Internet. Es un producto prohibido; se usa para aumentar la masa muscular y disminuir las grasas.

Thomas puso cara de sorpresa.

—No lo había oído. ¿Qué le pasó a Stallone?

—Poca cosa, la sanción fue meramente administrativa y le salió por unos noventa mil dólares. Según el actor, los médicos le prescribieron hormonas del crecimiento y testosterona por una dolencia que prefirió no revelar, así que las tomaba como medicamentos y no como drogas, ya que en Estados Unidos son legales.

El señor Neuilly se incorporó y acercó su cara a la de Thomas.

—Este negocio es prácticamente legal y tiene consecuencias desastrosas para la sanidad de los países industrializados y para la salud de sus habitantes; especialmente de los más jóvenes, cada vez más propensos a construirse un cuerpo falso mediante la química de las hormonas.

Volvió a recostarse en su sillón de mimbre y continuó:

—Existe un informe del especialista italiano Sandro Donati elaborado a partir de nuestros datos. Se lo haré llegar.

—He oído hablar de él. Gracias, me interesa mucho. De paso, me gustaría investigar estas muertes. Si pudiera tomarme una semana para ver qué averiguo, se lo agradecería.

De repente, el señor Neuilly se levantó de la mesa, metió tripa y se abrochó la americana. A continuación dijo:

—Desde hoy, Thomas, tiene vía libre para investigar los casos de los que ha hablado. Si necesita un ayudante, hágamelo saber. Recibirá un correo interno privado con todas las claves de seguridad para que pueda acceder a los informes reservados. Conozco su pasado en el FBI, sabrá hacerlo. Espero que consiga algún resultado. Para mí, este tema es un quebradero de cabeza. Y lo cierto es que, muy a mi pesar, la Interpol no ha conseguido resultados satisfactorios.

Le dio la mano a la manera marcial.

—Gracias, señor, si hay algo lo encontraré —dijo convencido.

El señor Neuilly se encaminó hacia las escaleras. Thomas supuso que para intentar bajar algún kilo de más. Le sorprendió su semejanza con Alfred Hitchcock.

En dos días, Thomas ya tenía casi todo resuelto. Se había pasado por su despacho y le había dado la noticia a Rose. En ningún momento se miraron a la cara. Le pidió a Charles que lo sustituyera, era joven y ambicioso. Thomas estaba seguro de que se esforzaría por hacer bien las cosas y seguir escalando puestos. En su despacho, se ocupó de los correos e hizo unas cuantas llamadas telefónicas. El tercer día recogió su ordenador junto a diversos objetos y papeles personales. Cuando terminó, cerró su despacho con llave. Había decidido alojarse en Monthey durante la investigación. Al llegar a su casa hizo un par de maletas y encargó a Lupe que cuidara las plantas. Reservó *online* una habitación de hotel. Se preguntó si Claire había dejado la llave en el buzón. Bajó a comprobarlo y, con alivio, descubrió que sí lo había hecho. Estaba atada a un curioso llavero, un liguero.

Llegó al hotel de Monthey a última hora de la tarde. La habitación era amplia y luminosa. Contigua al dormitorio, había una sala de estar. Contaba con un mullido sofá frente a una televisión de plasma de bastantes pulgadas y, a la derecha, bajo un ventanal, había una mesa grande. Se quitó la camisa y se puso una sencilla camiseta gris de algodón. Se descalzó. Era agradable pisar el suelo de madera. Cuando reservó la habitación, hizo hincapié en que quitaran todas las alfombras de la suite. Dejó el portátil encima de la mesa y algunos documentos que le había hecho llegar el señor Neuilly. Conectó el escáner con la impresora y el fax. En la pared colgó una pizarra de corcho que se había traído de casa y puso el mapa de los cantones de Vaud y Valais. Con una chincheta, clavó las fotos de las chicas encima del lugar en el que habían muerto. Pidió en recepción una silla de despacho más cómoda. Recopiló toda la información que tenía sobre las jóvenes muertas. Descubrió que era poca cosa. La mayor parte de los datos los conocía por Laura. No eran suficientes. Llamó a la Policía de Monthey.

Le contestó una voz solícita. Era la centralita.

—Hola, buenas tardes. Me llamo Thomas Connors y trabajo para la Interpol. Necesito hablar con el responsable del levantamiento del cadáver de Irina Petrova.

—Un momento, por favor.

Tras una pequeña pausa, seguida de unos horribles segundos de musiquilla de feria, se oyó una voz masculina:

—Sí, ¿qué desea?

—Hola, buenas tardes. Me llamo Thomas Connors y trabajo para la Interpol...

—Y está investigando la muerte de las deportistas —lo interrumpió el policía.

—Exactamente.

—Esta mañana nos han llamado desde las altas esferas informándonos de su llegada a Monthey y de su objetivo. Nos han ordenado colaborar con usted en todo lo que desee, así que estamos a su disposición. Soy el sargento Fontaine y serviré de enlace entre usted y nuestro departamento. ¿Qué desea?

—Toda la información de la que dispongan sobre estos casos —respondió Thomas de manera escueta—. Envíala a este correo electrónico.

Thomas le deletreó la dirección de correo especial de la Interpol.

—En cuanto haya recabado todos los datos, se los mando —dijo el policía, dando por acabada la conversación.

—Perdone, sargento Fontaine, pero ¿cuándo podríamos vernos? —preguntó Thomas—. Me interesa su punto de vista sobre el caso.

—No hay ningún caso —aseguró el policía. Su voz denotaba impaciencia. Tras una breve pausa, añadió—: Si desea verme, mi turno acaba a las diez. Si se pasa antes, aquí estaré.

—Gracias, sargento. Iré sobre las siete.

—*D'accord* —dijo, y colgó.

El sargento Fontaine era un tipo grande. Llevaba un bigote y una perilla bien cuidados, en un intento por parecer refinado, supuso Thomas. Pero era inútil. Andaba como si fuera un bloque, prácticamente sin mover los hombros. Cuando volvía la cabeza, giraba todo el tronco. No era más alto que él, pero si Thomas equivalía a una puerta de armario, la anchura del sargento era de dos. Enseguida supo que al policía no le gustaba hablar de esas muertes. Lo encontraba una pérdida de tiempo. Entraron en un pequeño despacho provisto únicamente de un archivador y una mesa con dos sillas. No había cuadros, ni plantas, ni ningún otro elemento decorativo. Tomaron asiento y el sargento fue al grano:

—Todas las muertes fueron por causa natural. Algunas autopsias las firmó la patóloga jefe doctora Terraux. Una profesional con años de experiencia. Su firma reúne todas las garantías.

—Pero ella les expuso sus dudas sobre las conclusiones finales de las autopsias.

—Cierto, estaba alarmada porque le parecía que eran demasiadas muertes similares en muy poco tiempo.

—Y ¿qué hicieron?

—Investigamos por si podía tratarse de alguna alarma alimentaria o de algún tipo de droga nueva o adulterada. Ya sabe, con la gente joven uno nunca está seguro. Pero, en cuanto recibimos los análisis toxicológicos con los resultados negativos, archivamos lo poco que había.

Thomas asimilaba lo que había dicho el sargento. Le parecía de sentido común. Él también hubiera actuado así.

—¿Hubo algo que le extrañó?

—¿A qué se refiere? —preguntó Fontaine, tamborileando con sus enormes dedos sobre la mesa.

—No sé, algo que le chocara, algo fuera de lo común —respondió Thomas, disimulando el malestar que le causaba aquel ruido.

—Bueno, la penúltima chica, creo que se llamaba... Perdone, no recuerdo... Un momento, voy a mirar...

—Úna Kovalenko Gallagher —le ayudó Thomas.

—¡Vaya, cómo se lo ha aprendido! —exclamó impresionado—. Bueno, pues, cuando encontramos a esa chica tenía entre sus manos un papel. En un primer momento, pensamos que podía ser una nota de suicidio. El rígor mortis hacía imposible quitarle el papel de las manos sin que se rompiera. Tuvimos que tener mucho cuidado. Antes de levantar el cadáver, el juez nos dio luz verde para abrir la mano...

—Pero no era una nota de suicidio —lo interrumpió Thomas.

—No, no lo era. Resultó que se trataba de un poema.

—Y ¿qué tiene de extraño?

El sargento dejó de hacer ruido con los dedos. Thomas lo agradeció.

—Cuando murió Irina Petrova, de esa sí me acuerdo —aclaró—, hurgamos un poco entre sus cosas, más que nada para obtener una primera idea sobre su muerte y desechar un suicidio. Ya sabe que estos chicos pueden verse arrastrados por lo que hacen los demás. Encima de su mesa había un cuaderno, de esos normales de colegio, de anillas. Al ponerlo boca abajo y sacudirlo un poco, cayó una hoja suelta al suelo. Era un poema.

Thomas comenzó a ponerse nervioso.

—¿Podía tratarse de la misma persona?

—Sin lugar a dudas. Era la misma letra. El mismo autor o la misma autora.

—¿Estuvo usted presente en las dos escenas?

—Sí.

—¿Se les hizo análisis grafológico?

—¿Para qué? No estábamos investigando nada. Pensamos que el mismo chico las estaba cortejando. Una bobada de niñatos. Yo creo que se aburren metidos tanto tiempo dentro de ese centro... Y le vuelvo a recordar que no fueron suicidios, si no muertes naturales.

—¿Quién tiene los poemas?

—¡Quién los va a tener! ¡Las familias! —exclamó ante lo que creyó una pregunta ridícula.

—¿Tiene copias?

—No.

Thomas entendió que no iba a sacarle nada más al sargento. Los dos se estaban impacientando. Le pidió la dirección de la familia de Irina, le dio las gracias y se fue. Tenía que encontrar el otro poema, el de Úna. Estaba seguro de que no estaba entre las cosas que metió en el trastero. De todas formas, volvería a mirar. Decidió llamar a Laura. No contestó. Miró la hora, las siete y cuarto, pensó que podía ir caminando hasta el hospital para que le informaran sobre los enseres personales de los fallecidos. En el recinto hospitalario, una joven recepcionista le dijo que la doctora Terraux tenía la tarde libre. Se llevó una decepción. Pensaba darle una sorpresa. Respecto a las pertenencias, el protocolo mandaba que todo se recogiera en bolsas de plástico y, si no había nada inesperado con la autopsia, se las daban a la funeraria, que después las entregaba a la familia. Thomas le dio las gracias y se marchó al hotel.

En ese momento la doctora Laura Terraux se encontraba en la clínica privada de reproducción asistida. Después de meditarlo a conciencia, había decidido ser madre soltera. Estaba cansada de muchas cosas, como de esperar un príncipe azul o rosa o del color que fuera para formar una familia. La consulta de enfermería estaba decorada con cientos de fotos de bebés sanos y felices junto con notas de agradecimiento de los padres.

—¿Cuándo fue su última regla? —le preguntó la enfermera.

—Ayer.

—¿Tiene una menstruación regular?

—Sí.

—Entonces, estamos a tiempo de preparar un ciclo este mes. Empezaremos el tratamiento mañana.

—¿Tan pronto? —preguntó Laura, sorprendida.

—Tiene las analíticas de esta mañana, le hemos hecho todas las preguntas y pruebas pertinentes, solo nos queda empezar. Voy a llamar al médico para que le explique el protocolo a seguir. Mientras tanto, lea este folleto y trate de estar tranquila. Si quiere que esperemos a otro ciclo, no tiene más que decirlo.

—Gracias, es usted muy amable. No hará falta. Tengo muchas ganas de comenzar.

La enfermera salió y volvió a aparecer al cabo de unos instantes.

—El doctor está ocupado en otra consulta. Si no le importa, pasaremos primero por secretaría para solucionar las cuestiones burocráticas. Así vamos ganando tiempo —dijo desde el marco de la puerta.

Laura recogió su bolso y la siguió por un pasillo hasta la secretaría, donde una mujer de mediana edad con voz dulce le informó de lo que tenía que hacer:

—Rellene los impresos A y B. No olvide poner todos los dígitos de su cuenta bancaria y firma. En esta hoja en blanco, tiene que autorizar que consiente y conoce el tratamiento y las consecuencias que puedan derivarse.

Laura obedeció. Notó que al escribir le temblaba un poco la mano. Era feliz.

Hacía una mañana espléndida. Thomas escogió un traje de verano ligero, una camisa blanca sin corbata y sus eternas gafas Ray-Ban. A primera hora había hablado con el director de Les Diablerets. El señor Samuel Laurent se había mostrado sumamente contrariado con la llamada. Al final, se ofreció a colaborar. Lo esperaba a las cuatro de la tarde. Thomas insistió en que quería entrevistarse con el joven que había encontrado el cadáver de Irina y con la compañera de habitación de Úna, además del entorno más próximo a las chicas. Antes condujo hasta Montreux. Había quedado con el tío de Irina Petrova a las nueve.

La farmacia Vasil estaba en una calle estrecha con el pavimento de adoquines y balcones llenos de flores. Aparcó al final de la calle en una zona que se ensanchaba dando lugar a una pequeña plaza. Llamó al timbre. Le abrió un hombre mayor. Tenía una cara amable con unas gruesas cejas blancas, al igual que su pelo. Movió la cabeza a modo de saludo y, con un brazo, señaló la entrada de la farmacia. Thomas lo siguió. Se fijó que andaba encorvado y arrastraba un poco los pies. Lo invitó a pasar a la rebotica. Thomas vio que era su vivienda. Se sentaron en torno a una mesa camilla cubierta por un mantel de flores y puntillas en los bordes.

—Voy a preparar café, ¿le apetece uno? —preguntó el hombre en francés con un marcado acento ruso.

—Sí, por favor.

Retiró una pesada cortina, con el mismo estampado que el de la mesa, y entró en una pequeña cocina. Desde donde estaba, Thomas veía el trasiego del hombre con el café.

—Lo preparo a la manera rusa; es decir, muy fuerte. ¿Le gusta así o se lo rebajo con leche?

—Me gusta fuerte, lo tomaré como usted —dijo, sintiéndose cómodo.

En la vieja radio del estante sonaba música del Este. Su sonido era triste y lleno de melancolía. El aparador del salón estaba repleto de figuritas, marcos con fotos, cucharillas de diversos países; Thomas supuso que las coleccionaba. Se levantó para verlas mejor. Pudo leer inscripciones de Irlanda, Nepal e incluso de la Antártida.

—Tiene una colección sorprendente de cucharillas.

—Empecé de joven y desde entonces no ha dejado de crecer. La gente me suele traer una de recuerdo de sus viajes. Con el tiempo, quité los libros de los estantes y los sustituí por las cucharillas. Total, a mi edad ya no leo...

Se oyó el silbido de la cafetera y el señor Petrov la retiró del fuego. Se acercó a la mesa del saloncito con la cafetera en una mano y el salvamanteles en la otra. Los colocó en el centro.

—Hay algunas que son verdaderas obras de arte. Fíjese en esta de San Petersburgo —dijo, abriendo la vitrina para sacarla—. Está labrada en oro con el escudo de la ciudad y del zar Petrov. Mire en este lado cómo ha reproducido el autor el palacio de verano Peterhof. Se ven hasta las ventanas.

Thomas apreció la obra de arte en miniatura.

—Tiene razón, es muy bonita.

El tío de Irina la dejó en su sitio y fue a la cocina a por dos vasitos de cristal. Ambos se sentaron a la mesa. El señor Petrov sirvió el café.

—¿Esta era su sobrina? —preguntó Thomas, señalando una foto colocada sobre una repisa junto a la ventana, en una especie de altar.

—Sí, era muy guapa y una extraordinaria deportista. Muy luchadora. Dios mío, ¡qué gran pérdida! —se lamentó, bajando la cabeza—. No tenía que haber venido a Suiza.

—¿Por qué lo dice?

—No sé, me siento responsable de su muerte. Al morir mi hermano, mi cuñada me pidió que la ayudara, no quería que Irina se criara en Rusia. Cuando acabaron las Olimpiadas de

Pekín, muchos medios rusos no entendieron que Irina no consiguiese una medalla. Tenían grandes esperanzas puestas en ella y lo consideraron un fracaso. Yo era el hermano mayor de Carl, no tenía familia, estaba bien posicionado económicamente... Me sentí en la obligación de ayudar.

—¿Cuánto tiempo llevaba Irina en Suiza?

—Llegó el año pasado, en septiembre. Hablaba muy poco francés, lo justo para hacerse entender. Fue directamente a Les Diablerets. Estaba feliz por tener una plaza allí.

Tomó un sorbo de café y Thomas lo imitó. Estaba tan cargado que sospechó que esa noche le costaría dormir.

—¿La veía preocupada por algo últimamente?

—La muerte de su compañera Úna la afectó mucho. Yo le quité importancia. En la vida la gente muere. Nosotros, los que hemos pasado por mucho, estamos acostumbrados, pero la juventud desconoce las miserias de la vida y una de ellas es morirse.

—¿Sabe si eran amigas?

—Creo que tan solo compañeras en el centro.

—¿Solía traer amistades a su casa?

—No, que yo recuerde. Ya sabe, la edad hace que olvidemos cosas, lo cual creo que es un acierto.

Thomas sonrió. Detrás del hombre, en la pared, había una foto enmarcada del equipo ruso de atletismo. En ella reconoció a Úna e Irina.

—¿Le importaría dejarme esa foto? Se la devolveré enseguida.

—Antes me gustaría que me dijera para qué está aquí —respondió con amabilidad.

—Como ya le he dicho por teléfono, es simplemente una formalidad antes de cerrar el caso.

—No le creo —dijo con tono serio el señor Petrov—. Inténtelo otra vez.

Thomas pensó la mejor manera de contarle algo sin decir demasiado.

—Hemos recibido una denuncia por parte de una persona, cuyo nombre no puedo revelar, que sostiene que las muertes de las chicas no son naturales.

La cara del anciano se transformó. Su cuerpo pareció hundirse sobre sí mismo. Thomas no supo adivinar sus sentimientos.

—Eso que me acaba de decir es una barbaridad. ¿Está insinuando que alguien ha matado a mi sobrina?

—No lo sabemos. Tenemos que investigar.

—Pero... la autopsia era normal, tuvimos los permisos... Ella fue incinerada y enterrada en Rusia. Está diciendo tonterías.

—¿Y sus cosas personales? —preguntó temeroso Thomas—. ¿Se acuerda de una hoja con un poema escrito?

—Pero ¿qué tiene que investigar? —quiso saber, confundido—. Eso son cosas de las películas americanas. Irina ya no está y... no importa nada más.

—Perdone que insista. Sé que suena extraño, pero solo es un mero procedimiento burocrático. ¿Guarda algo de su sobrina?

—No sé... Su ropa y otras cosas las dejé en una iglesia. Creo que todavía queda algo de ropa de deporte en su armario. Si quiere le traigo la caja con los pocos objetos personales que guardé. Y —dijo señalando la pared abatido— puede llevarse la foto.

El hombre se levantó despacio y desapareció por el lado derecho de la cocina. Thomas descolgó el marco y sacó la foto de su interior. Estaba tomada con una cámara digital. En una esquina, tenía puesta la hora y el día: 13:40, 5.04.2011. En ese momento, el señor Petrov dejó una caja encima de la mesa. En silencio, apartó a un lado los vasos y la cafetera. Thomas dejó la foto en una silla.

—¿Me puede decir dónde se sacó la foto?

—No lo sé. Se la dieron en Les Diablerets.

Thomas se quedó pensativo.

—Señor Petrov, ¿usted estudió farmacia?

—Exacto. También químicas. Obtuve una beca para investigar aquí hace catorce años. Perdone, pero no creo que pueda ayudarle en nada más. Mi sobrina era muy reservada y realmente nos veíamos muy poco. Vivía solo para el deporte. Era su obsesión —afirmó pensativo—. Si me disculpa, tengo que abrir la farmacia. Se puede llevar la caja. Ya me la devolverá.

—Por supuesto, ha sido muy amable. Gracias por el café.

Lo acompañó hasta la calle y se despidieron con un apretón de manos.

Ya en el hotel, Thomas se quitó el traje y se vistió con unos vaqueros y una camiseta negra de manga corta. Sacó del frigorífico una botella de agua. Colocó la caja encima de la mesa de despacho. Bebió un poco y vació el contenido del interior. Lo primero que vio fue un mechón de pelo rubio; no quiso tocarlo. Extrajo diversas postales y algunas cartas, todas escritas en ruso, una camiseta de la selección rusa, varias medallas y un cuaderno. Su corazón se aceleró. Lo abrió. Una hoja sobresalía, arrugada. La metió en una bolsa plastificada y la dejó sobre la mesa. Thomas leyó el poema escrito a lápiz. Examinó el papel cuadriculado, desgarrado en la parte izquierda como si alguien hubiera escrito con prisa y tirado de la hoja, sin pensar demasiado el resultado. El lápiz corroboraba su suposición: un trazo fino, nervioso, palabras de distinto tamaño, las letras desviadas a la derecha. Estiró la bolsa de pruebas de plástico. En su interior, la nota se alisó un poco. Releyó el poema.

Te he buscado sin saber qué buscaba
Te he soñado sin recordar nada
Te he escrito versos sin nombrarte
Te he hecho el amor sin tocarte
Dos minutos para amarte
Y una vida para encontrarte.
Pero ¿qué haces si la vida te viene torcida?
¿Qué haces si no eres de esos valientes que gritan?
Ahora que te veo, lo creo
Ahora que te escucho, lo entiendo
Ahora que estás muerta, lo siento.

Thomas se peinó repetidamente con la mano y después se tocó la nuca con un movimiento horizontal; todo aquello no tenía sentido, y era precisamente ese sinsentido la razón de su

182

pesadumbre. Llamó a Maire, pero no obtuvo respuesta. Decidió que iría a Irlanda la semana siguiente. Necesitaba ver el poema de Úna y preguntarle unas cuantas cosas.

Sonó el teléfono.

—Hola, mamá.

—Hola, cariño. Te llamo para que me aconsejes sobre la orquídea que tengo en casa, la *Phalaenopsis,* creo que se llama. Este mes está siendo muy caluroso y, como hemos tenido un invierno tan suave, no ha habido bajada de temperaturas que propiciara la floración. Ahora solo tengo una vara de floración desarrollándose... Perdona, Tommy, lo primero, ¿cómo estás hijo?, ¿comes bien?

—Todo bien mamá, gracias por preguntar.

—Bueno, tesoro, en la vida lo más importante es la salud, ya lo sabes. Y el amor, claro, acompañado de un poco de dinero, porque si no ¿de qué vives? Del aire seguro que no... —Hizo una pausa—. Como te decía, estoy preocupada. No es época de que sigan desarrollándose raíces y hojas, ¿qué te parece? Ahí está la orquídea, ya veo que no va a tener flores este año.

Thomas sonrió ante los pequeños problemas que preocupaban a su madre.

—¿Sabes si tiene algún keiki?

—Tiene dos o tres hijitos.

—De acuerdo. Puede que la planta madre esté en las últimas e intente hacer una maniobra desesperada por reproducirse.

—¡Ay hijo! Ni las plantas pueden llegar a viejas...

—Tú tranquila, normalmente los keikis crecen con el calor pero, por si acaso, destapa el nudo, quítale la pielecilla y expón la yema a la luz. A ver qué pasa.

—Gracias, cariño, eres un amor. Ya te contaré. ¡Ah! Se me olvidaba; no vuelvas a regalarnos un viaje. A tu padre cada vez le gusta más el pub, beber cerveza y cantar viejas canciones irlandesas, ya no quiere ni ir a bailar conmigo. Así que ni te cuento lo que he tenido que hacer para que aceptara ir al crucero.

—De acuerdo, mamá.

Después de unas horas dándole vueltas al caso, lo dejó. Tenía hambre. Un agujero en el estómago le recordó la hora que era. Se calzó unas zapatillas de deporte y salió a comer. Eligió un restaurante sencillo con terraza al aire libre. Mientras comía una ensalada de quesos y unos *crêpes* rellenos de verduras, no podía quitarse de la cabeza el extraño poema.

24

Janik había quedado con Nicola; se habían conocido en el club de atletismo cuando eran unos adolescentes.

—¿Tienes planes para esta tarde? —le preguntó su madre después de que Janik acabara de hablar con Nicola.

—Voy a salir a cenar.

—No sé para qué has venido si no estás nunca en casa.

—No empieces, para el caso que me haces...

—Eres un desagradecido, si te viera tu padre...

—Si viniera papá, pensaría que se había equivocado de casa.

La llamada de Nicola había logrado que Janik se olvidase por un momento de sus preocupaciones. Estuvo un buen rato en la ducha disfrutando del agua caliente y de la sensación de no tener los músculos en tensión.

El restaurante era un espacio alargado. Mesas y sillas de Ikea, pegadas a enormes ventanas, ocupaban todo el lado derecho del local. Janik no prestó mucha atención a la comida. La conversación discurría en un tono ameno. La mayor parte del tiempo hablaron sobre los años en el instituto y lo mucho que habían cambiado. Después de cenar se montaron en el coche en dirección a la discoteca. Ella le contó que había dejado una relación que había tenido en Berlín y que pronto iría a estudiar al CERN, gracias a una beca especial del Gobierno. Se hizo un silencio y, después, Nicola le preguntó directamente si tenía novia.

—Salí con una corredora, pero ya lo hemos dejado —mintió.

El efecto del alcohol aún corría por sus venas. En ese estado incluso él mismo se creyó que era cierto.

—¿La echas de menos?

—No, murió —confesó sin miramientos.

—Vaya, lo siento —dijo Nicola—. ¿Cómo murió?

—En un accidente de coche.

Llegaron a la discoteca. Era un local enorme de dos pisos con restaurante y jardín. Después de beber unas copas de champán bailaron un buen rato. Janik no se acordaba de quién de los dos besó a quién en primer lugar, pero hubiera apostado una buena suma de dinero a que fue ella.

—¿Te apetece venir conmigo a casa de mi tía? —le propuso—. Está de vacaciones en Francia.

Sin esperar la respuesta de Janik, Nicola lo agarró de la mano y se lo llevó fuera de la discoteca como a un niño.

—El champán me pone cachonda —le dijo ella al oído nada más entrar en la casa.

Él no le contestó, la confesión de Nicola lo había dejado fuera de juego.

Nicola se acercó hasta que su cuerpo rozó el de Janik, le rodeó el cuello con los brazos y lo besó repetidamente sin despegar sus labios.

—Vamos dentro —le susurró.

Janik la agarró de la cintura. Como un levantador de pesas antes del primer movimiento, dobló las rodillas hasta que sintió todo el peso de Nicola repartido por su cuerpo. Las piernas de ella se acomodaron rodeando las caderas de Janik con fuerza. Nicola pesaba demasiado para sostenerla durante mucho rato y, aunque Janik lo intentaba con todas sus fuerzas, al final dejó que resbalara. Nicola lo miró a los ojos y lo atrajo hacia ella en un hábil gesto de malabarismo. Le desabrochó el cinturón y los pantalones de Janik cayeron al suelo. Él se sentía torpe y decidió tomar la iniciativa. La sostuvo hasta ponerla contra la pared, pero tropezó con sus pantalones y casi se cayeron los dos al suelo. Nicola se rio con una carcajada. Janik tenía que hacer algo para no parecer un idiota, así que liberó las manos de su cintura y agarró con fuerza sus pechos. Ella soltó un suspiro de placer.

—Rómpeme la camiseta.

Janik agarró la camiseta e intentó quitársela como había visto en las películas, pero aquella camiseta no parecía estar hecha para el cine. Nicola apretó su cuerpo contra el de Janik y le susurró al oído que la acompañara. Sin dejar de besarse, salieron del pasillo y se metieron en la habitación.

Los primeros rayos del amanecer lo despertaron. Se vistió despacio, intentando no hacer ruido. Nada le apetecía más que quedarse junto a ella, aprenderse de memoria su cuerpo, pero tenía que volver a casa. La alegría de aquellas horas pasadas junto a Nicola dieron paso a la desazón por el recuerdo de su madre. Después, el director de la residencia lo llamó para decirle que tenía que presentarse al día siguiente en Les Diablerets. Un investigador de la Interpol quería hablar con él. Anonadado, Janik dijo que sí, aunque decidió que nada más acabar la entrevista regresaría a Maur.

25

Thomas rehusó usar el despacho del director y prefirió un lugar menos intimidante como la biblioteca. Le gustó en cuanto entró en ella. Estaba situada en la parte antigua del centro de alto rendimiento. Por su decoración, supuso que se trataba de la biblioteca original del castillo. Era una sala diáfana, de estilo clásico, con altos techos y las paredes forradas de estanterías de madera. El centro estaba despejado; mesas pequeñas, separadas entre sí por biombos de poca altura, se repartían por la estancia. Olía a libro, a papel y a cuero. Eligió una mesa situada al fondo, en una de las esquinas. Comprobó que alrededor no había nadie, excepto en la otra parte de la sala donde un par de chicos habían retirado el biombo y compartían mesa.

Se sentó y esperó. Janik Toledo apareció a los pocos minutos. Entró sin hacer ruido y cerró la puerta con sumo cuidado. Desde lejos, Thomas le hizo una señal con la mano y lo observó mientras se dirigía hacia él. Tenía la mirada baja y, en ningún momento, salvo al principio, volvió a mirarlo. Caminó despacio. Parecía nervioso. Se sentó frente a Thomas con cuidado de no hacer ruido al mover la silla.

—Hola Janik. Me llamo Thomas Connors y trabajo para la Interpol. He venido por la muerte de Úna Kovalenko e Irina Petrova. Sé que fuiste tú quien encontró el cadáver de Irina, además de ser su mejor amigo. Aunque, si te parece, podemos empezar por Úna.

Thomas intentaba que Janik se sintiera cómodo, había observado que retorcía las manos sin parar, agarrándose los puños de su sudadera.

—¿Conocías a Úna?

—Solo de vista. Alguna vez coincidíamos en el comedor o entrenando en el estadio de Monthey, pero la verdad es que nunca hablamos.

—¿Quiénes eran sus amigos?

—Una era una chica muy popular, tenía muchos amigos.

—Me refiero a su círculo próximo.

—No sé, su grupo de entreno quizá. Se juntaba bastante con dos ciclistas irlandesas de pista.

—¿Una conocía a Irina?

—Sí, claro que la conocía, pero una vez que le pregunté a Irina sobre ella, no me dijo gran cosa.

—¿Qué opinas tú? ¿Eran amigas?

—Yo creo que sí, que tenían cosas en común.

—¿Como qué?

—Bueno, eran rusas y las llevaba el mismo mánager, Frank Stone.

Thomas notó un cambio en el tono del chico, su voz se había vuelto cortante. Decidió seguir por ese camino.

—¿Qué opinas del mánager?

—No me gusta.

—¿Por qué?

—Porque no —dijo, removiéndose en su asiento.

—Explícate.

—Creo que lo único que le importa es ganar dinero. Tiene mucho poder. Trae atletas de alto nivel de fuera y no se preocupa de las de aquí, que todavía están empezando.

—¿Tú crees que quiere que sus deportistas triunfen a cualquier precio?

—Sí, sobre todo las chicas. Las exprime y cuando ve que no dan más de sí, vuelve a Rusia y trae otras.

—¿Crees que sus atletas se dopan? —preguntó de repente Thomas.

Janik puso cara de sorpresa. Realmente la pregunta lo había pillado desprevenido.

—No, para nada. Una no sé, pero Irina, no, ni hablar... Nunca se hubiera dopado. Yo la conocía... Era muy seria con

189

sus entrenamientos, su alimentación... Se cuidaba, era muy profesional.

—¿Estás seguro de que no tomaba nada?

—Sí, segurísimo —respondió Janik con firmeza.

—¿Notaste algo diferente en el comportamiento de Irina el día anterior a su muerte?

—No, por la noche estuvimos celebrando que habíamos conseguido la mínima para el campeonato del mundo de Daegu. Ella, a su manera, estaba feliz.

—¿Por qué dices a su manera?

—Porque era muy reservada para todo; parecía no alegrarse excesivamente por nada.

—¿Podría decirse que tú eras su mejor amigo?

—Podría.

—¿Alguien más?

—Anna, su compañera de habitación.

—¿Está aquí?

—Ahora está de gira, pero vuelve la semana que viene.

—¿Quién entrenaba a Irina?

—Olivier, mi anterior entrenador. Frank le pidió a Olivier que la entrenase.

—¿Te importaría darme su número de teléfono?

—No, claro que no.

—¿Tenía Irina algún médico?

—Que yo sepa no. La residencia tiene sus propios médicos y fisioterapeutas.

—Tengo entendido que la residencia fue construida con los fondos de la farmacéutica Poche.

—Ni idea. Creo que hay una placa en la entrada con el nombre de la familia. Lo que sí sé es que los fisios siempre utilizan los productos de Poche. Y nos dan todos los productos que necesitamos.

—¿Todo legal?

—Claro, claro. Hablo de cremas para inflamaciones, vitaminas, minerales y demás suplementos.

—Nada que tenga que ver con hormonas —insistió Thomas.

—No, nada que tenga que ver con hormonas.

—¿Quién es tu mánager?

—El mismo que el de Irina, Frank.

—¿Por qué no me lo has dicho antes?

—No me lo ha preguntado.

—Pero ¿no me has dicho que el señor Stone no piensa más que en el dinero?

—Sí, no me cae bien, pero es el mejor mánager de Suiza. Si se ha fijado en mí es porque piensa que le voy a dar dinero. Eso significa que voy a poder correr en los mejores mítines de Europa, y seguramente bajar mis marcas.

—¿Tú te dopas?

—¿Qué clase de pregunta es esa? —preguntó Janik, indignado—. Nunca lo he hecho ni lo haré. Yo paso de esas mierdas. Es ganar con trampa.

Thomas vio que decía la verdad, eso, o era un estupendo actor.

—De acuerdo. Volvamos a la muerte de Irina. Tengo entendido que tú fuiste quien descubrió el cadáver.

—Sí, Anna se levantó temprano porque tenía que ir a Ginebra, creo, para hacer una sesión de fotos con una revista.

—¿No te comentó nada sobre Irina?

—No, la noche anterior estuvimos Anna, Irina, Peter y yo en la habitación de las chicas celebrando que habíamos conseguido la mínima para los mundiales.

—¿Peter?

—Sí, Peter vino con nosotros en el coche a competir y volvimos juntos al centro. Esa noche quedamos en vernos en la habitación de Irina y Anna.

—¿Tomasteis algo en la fiesta?

—Unas cervezas.

—¿Nada más?

—No era cuestión de emborracharnos, teníamos que entrenar temprano a la mañana siguiente.

—Parece que sois muy buenos chicos...

—Eso parece.

—¿Quién fue el último en irse?

—Peter y yo.

—¿Sabes si luego ellas salieron de la habitación? ¿Te comentó algo su compañera Anna?

—No me dijo nada.

—¿Dónde te alojas, en la misma planta?

—No, en la cuarta.

—¿Con quién salía Irina?

—Con nadie.

—Si era tan guapa, ¿alguien estaría interesado en ella?

—Ni idea —dijo el chico, nervioso.

—¿A ti te gustaba? —preguntó Thomas con malicia.

—No —respondió Janik ruborizándose.

Thomas sonrió.

—¿Qué aficiones tienes?

—El atletismo.

—¿Te gusta ir de fiesta, el cine o la música?

—No tanto como para llamarlo aficiones. El tiempo libre lo paso conectado a Internet o veo alguna peli.

—¿Te gusta leer?

—No mucho. Alguna revista de atletismo.

—¿Y escribir?

—No. Bueno, paso mis entrenamientos al ordenador. Tengo un programa especial que analiza los ritmos de carrera, pero no, nada más.

—¿Estás seguro? —insistió Thomas.

—Sí.

—Janik, esto es algo serio. Ya sé que se trata de muertes naturales, pero al tratarse de gente joven investigamos para comprobar que no se nos ha escapado nada.

Janik se removió inquieto en la silla. Quería marcharse.

—Cuando entraste en la habitación de Irina, ¿qué pasó?

Se detuvo y juntó sus manos como si fuera a iniciar una oración.

—La puerta no tenía echado el pestillo por dentro —dijo—. Entré. Enseguida vi que Anna no estaba. Se adivinaba el cuerpo de Irina debajo del edredón. La llamé desde la puerta, pero no me contestó. Me acerqué despacio hasta la cama. Le moví el brazo, la volví a llamar. No me respondió. Dormía de lado, cara a la pared. Yo... solo podía ver su espalda. Le di la vuelta y cayó como una muñeca encima de la cama. Tenía los ojos cerrados, parecía dormida.

—¿Qué hiciste a continuación?

—Fui a pedir ayuda. Creo que grité.

—¿Dejaste la puerta abierta?

—Sí.

—¿Te fijaste si entró alguien?

—Enseguida se agolparon mirones en la puerta.

—Me he fijado que hay un pasillo largo hasta los ascensores, así que se veía bastante bien la puerta de Irina —dijo Thomas.

Janik asintió.

—¿Quién fue el primero que traspasó el umbral y entró en la habitación?

—Blanc, el conserje. Echó a todo el mundo y cerró la puerta.

—¿Estás seguro?

—Sí. A los pocos minutos llegó el director y uno de los médicos de la residencia.

—¿Entraste con ellos?

—No, me quedé fuera. Cerraron la puerta.

—¿Te acuerdas cuando llegó la Policía?

—No, pero me pareció una eternidad.

—Rellena estos datos. —Thomas le mostró una hoja—. Cuando acabes me la das.

Janik obedeció.

—Gracias, Janik, has sido muy amable. Si recuerdas algo que te parezca importante sobre lo que hemos hablado, no dudes en llamarme. —Thomas le tendió su tarjeta—. Aquí puedes localizarme.

En cuanto salió de la biblioteca, comparó su letra con el poema de Irina.

—Doctora Terraux, por fin nos conocemos —dijo el médico, y le tendió la mano—. Soy el doctor Moller.

Laura le estrechó la mano. Le pareció un hombre muy atractivo. Era alto y delgado, de piel bronceada. Laura supuso que practicaba algún tipo de deporte al aire libre. Se había informado muy bien acerca de la clínica y del doctor. Le reconfortó su sonrisa franca, llena de seguridad.

—Voy a explicarle paso a paso lo que vamos a hacer estos días. Vamos a ver... —Miró la pantalla del ordenador—. Está usted en su segundo día de menstruación, de modo que mañana iniciaremos el tratamiento.

—¿Mañana? —preguntó, asombrada.

—Exacto. Si no deberemos esperar a la siguiente regla. Usted decide.

—No tengo duda sobre lo de empezar cuanto antes, el problema es que soy una persona bastante ocupada y tendré que organizarme.

—Tengo que decirle que el estrés no ayuda en absoluto a la concepción —recalcó la última palabra alzando ligeramente la voz—. Veo en su historial que, aparentemente, no tiene problemas en las trompas. Si le parece, elegiremos inseminación artificial con semen de donante. Es la mejor opción en casos como el suyo, en los que, como nos aclaró la semana pasada, no se dispone de pareja o donante conocido.

Laura asintió, un poco avergonzada.

—Mire, este es un proceso sencillo —prosiguió el médico—. Consiste en introducir el semen del donante en su útero en las horas próximas a la ovulación, después de que se le haya estimulado la creación de óvulos.

—¿Qué proceso debo seguir? —preguntó Laura.

—Como le he dicho, empezamos a partir del tercer día de menstruación incitando la ovulación a través de un tratamiento hormonal. La finalidad de este tratamiento es conseguir un mayor número de óvulos, un nivel hormonal adecuado y una ovulación más precisa. El tratamiento suele durar de siete a doce días, en los que debe inyectarse las hormonas que son las que se encargan de que ovule. —Hizo una pausa, confirmando que Laura seguía su explicación—. Cada dos días deberemos hacerle análisis de sangre, para hacer un seguimiento, y una ecografía, para comprobar que la dosis funciona. Una vez pasado el período de hormonación, descansaremos un día. Al siguiente, debe pincharse el Ovitrelle, que hará que los óvulos maduren y estén listos para fecundar.

—¿Qué probabilidades de éxito tiene el tratamiento?

—En nuestra clínica, la tasa de éxito de la inseminación artificial intrauterina con estimulación ovárica presenta el veinte por ciento de posibilidad de lograr un embarazo por cada ciclo. En forma acumulativa, puede llegar al cincuenta tras varios intentos. Recomendamos realizar unos cuatro para aprovechar plenamente la utilidad de esta técnica simple.

—¿Y si no me quedo embarazada?

—Le recomendaríamos cambiar el procedimiento por otro de fertilización asistida más complejo, como la reproducción in vitro.

Laura asintió. Sabía de lo que hablaba el médico porque había leído sobre ello.

—Pero, doctora Terraux, vayamos por partes. Vamos a comenzar una apasionante aventura y tiene que ser positiva. Es una mujer sana y joven. Hoy día tener cuarenta y un años no es problema para concebir.

El doctor Moller le hizo unas recetas para que iniciara el tratamiento.

—Tiene que comprarse esta caja de inyecciones, que son de gonadotropinas. Una cada día vía subcutánea y siempre a la misma hora. Empiece mañana con la inyección y tome dos pastillas de ácido fólico. El lunes haremos una ecografía y unos análisis de sangre.

Laura se quedó callada. Le parecía increíble ser la protagonista de esa historia. Tenía un nudo en el estómago y le costaba respirar.

—Yo... tendré que cuadrar mi agenda. No sé si podré el lunes. Tengo guardia —se excusó.

—Creo que no me ha entendido, doctora Terraux —dijo el médico con seriedad—. Usted se tiene que adaptar a nuestros horarios. Hay veces que quizá tenga que venir dos días seguidos para comprobar la maduración de sus óvulos. Esto es una ciencia. Por lo tanto, algo inexacto. Establecemos el tratamiento basándonos principalmente en la edad de la paciente, la morfología de los ovarios, la analítica hormonal, la masa corporal, la respuesta a la estimulación ovárica. ¿Me he explicado?

—Perfectamente. Mi agenda a un rincón —contestó Laura queriendo quitar gravedad a la conversación.

—Ya veo que me ha entendido. —El médico miró la pantalla—. Pasado mañana la veo, a las doce.

—Aquí estaré.

—¿Alguna duda?

—Quizá, las inyecciones. ¿Dónde me las pongo?

—Como la heparina. Pellízquese un trozo de piel de la tripa e introduzca la aguja en posición vertical. De todas formas, vienen con instrucciones detalladas.

Laura salió aliviada de la clínica. Recibió el calor del sol como un buen presagio. Todo iba a salir bien, se dijo convencida. Buscó en su Blackberry una farmacia de guardia. Vio que estaba lejos, pero decidió ir dando un paseo. Tenía que trabajar por la tarde. Por primera vez en mucho tiempo, no le apetecía ir. De pronto, le parecía una aberración abrir cuerpos en un sótano con luz artificial durante horas. Montreux le gustaba. Era una ciudad elegante, refinada, con *glamour*. No había querido ir a una clínica de Monthey porque era una ciudad pequeña y todos se conocían. Quería evitar chismorreos.

En la farmacia le dijeron que solo disponían de esos medicamentos por encargo. La dependienta le aseguró que los tendría esa misma tarde.

—Es imposible. Por la tarde trabajo y tengo que iniciar el tratamiento mañana —dijo, contrariada.

—¿No puede enviar a alguien a recogerlos? —preguntó la joven dependienta.

—No.

—Si le parece, voy a llamar y veremos si pueden traerlos en el último reparto de la mañana.

—Muchas gracias.

La joven le hizo un gesto afirmativo mientras hablaba por teléfono. Laura suspiró aliviada.

—Tendrá que pagar por adelantado. Son medicamentos muy caros y no podemos arriesgarnos a traerlos y que luego no los recoja.

—Por supuesto.

Laura sacó su tarjeta de crédito.

—Son mil doscientos francos.

Adiós al dinero para sus vacaciones a Grecia. Miró el reloj, todavía tenía tres horas por delante para vagabundear por Montreux hasta que acabara la mañana. Volvió sobre sus pasos y llegó a la Place du Marché, donde se encontraba la clínica. Quería comprar alimentos de calidad y nada mejor que hacerlo en aquel mercado, con su imponente estructura metálica donada por Henri Nestlé hacía más de un siglo. Antes de entrar, se acordó de que tenía una llamada perdida de Thomas y aprovechó para llamarlo.

—Buenos días, doctora —contestó él con una gran energía.

—Hola, Thomas. ¿Cómo estás? Disculpa por no haberte atendido ayer, estaba atareada.

—Tranquila, solo llamaba para decirte que estoy en Monthey. Me he instalado en el hotel Monthey Palace mientras dure la investigación.

—Es una noticia fantástica. Me tienes que contar cómo lo has conseguido y qué has averiguado.

—Si te parece, quedamos para comer —propuso Thomas.

—Imposible. Estoy en Montreux y tengo cosas que hacer.

—¡Qué casualidad! Esta mañana he estado allí entrevistando al tío de Irina.

—Si quieres, lo dejamos para esta noche. Salgo a las once. Podemos quedar en mi casa. Ya sé que es un poco tarde pero... —dijo Laura.

—Por mí está bien. Mándame la dirección y esta noche te cuento.

—De acuerdo, Thomas. Nos vemos sobre las once y cuarto en mi casa.

Laura salió del trabajo más pronto de lo habitual. Con el tiempo justo para limpiar la casa un poco por encima y meter unos muslos de pato con verduras en el horno. La cocina no era lo suyo, pero con ese plato no solía fallar y lo preparaba cuando quería quedar bien. El problema llegaba si la misma visita repetía, porque su repertorio culinario acababa ahí y no tenía más remedio que tirar de comida preparada o llamar a algún restaurante. Preparó una ensalada y subió a arreglarse. Eligió un vestido verde sin mangas por encima de las rodillas. Era perfecto. Iba entallado en la cintura, moldeaba sus caderas y le subía los pechos. Se recogió el pelo. Se miró satisfecha, el verde hacía juego con sus ojos. Se puso rímel y colorete; un poco de brillo en los labios completó el maquillaje. A los dos minutos volvía a subir a su habitación. Pero ¿en qué estaba pensando? Aquello no era una cita. ¡Qué tonta! Con ese aspecto, le estaba diciendo a Thomas muchas cosas que de ningún modo quería insinuar. Se cambió de ropa. Se puso un vaquero desgastado roto en las rodillas y una camiseta blanca de algodón.

—Me gusta tu casa —dijo Thomas.

—Y a mí —respondió Laura.

Estaba contenta. Al día siguiente comenzaba con su primera dosis de hormonas y cada vez que se acordaba le daba por sonreír. Thomas estaba ocupado aliñando la ensalada. Cualquier mujer se sentiría atraída por él a primera vista. Era alto, guapo, conservaba todo el pelo en la cabeza y tenía un bonito hoyuelo en la barbilla. Observó sus hombros anchos y los músculos de sus brazos, que se movían conforme daba vueltas a la ensalada. Pensó que seguramente era de esos que te levantan en el aire y te hacen el amor contra la pared. Soltó una carcajada; definitivamente, llevaba mucho tiempo sin acostarse con un hombre.

—¿Qué es tan gracioso? —preguntó él.

Si tú supieras..., pensó Laura mordiéndose el labio inferior, pero dijo:

—¡Oh, nada! He recordado un chiste que han contado esta tarde en la sala de autopsias.

—Compártelo, ¿no? —dijo él, y colocó la ensaladera en el centro de la mesa.

Laura tuvo que pensar con rapidez para acordarse de alguno.

—Primero tengo que dejar claro que no sé contar chistes. No tengo gracia, pero bueno, allá va. Están dos amigos en el monte cazando, cuando uno de ellos tiene un accidente. El otro, asustado, llama al teléfono de Urgencias. Le responde una señorita. El cazador le cuenta que su amigo está muy mal, que no se mueve. La mujer le dice que se asegure de que está muerto. De repente, se oye un disparo y al instante el cazador le dice: ya está, y ahora, ¿qué?

Thomas se rio con ganas.

—El chiste es bueno y la que lo ha contado, *no comment*.

Durante la cena, Thomas le puso al día de su investigación. Le habló de la conversación con el señor Petrov, con Janik y con Blanc, el conserje.

—Ese Blanc es un tipo extraño. Esta tarde, después de estar con el amigo de Irina, he ido a verlo y me ha contado cosas muy raras acerca del diablo y las muertes. Lo mismo que la otra vez. Cuando le he preguntado por qué cerró la puerta de la habitación de Irina, me ha dicho que para espantar a los moscones y que, una vez dentro, rezó por su alma. Creo que es un pobre viejo un poco loco. ¿Qué opinas del poema?

—Bueno, el final da un poco de repelús. Esa frase, «Ahora que estás muerta lo siento», no sé... Creo que quien lo escribió o sabía que iba a morir o la encontró muerta y lo dejó en su cuarto.

Thomas se echó más patatas y carne. Laura no quiso repetir.

—Oye, qué rico está este plato, y las verduras asadas ni te cuento —dijo Thomas.

—Muy amable, me gusta cocinar.

En cuanto lo dijo, Laura se arrepintió. ¿Qué le costaba decirle que odiaba cocinar? En su subconsciente, debía de tener grabado lo que decía su madre de que al hombre se le conquistaba por el estómago. Pero a ella no le interesaba Thomas...

—Pero ¿por qué dejarlo dentro del cuaderno de Irina? —preguntó Thomas, retomando la conversación.

—Quizá alguien lo encontró y lo escondió allí —respondió Laura.

—Es un sitio ridículo para esconderlo.

—Puede que pensase volver luego y al final no le fue posible. Está claro que Úna tenía agarrado un poema en su mano. Pero no podemos saber cuándo se lo dieron, desde luego, fue antes de morir. El rígor mortis hizo difícil quitarle la hoja de papel.

—Pero no sabemos qué dice ese poema ni si es del mismo autor —aclaró Thomas—. He hablado esta tarde con Maire, la madre de Úna, y me ha confirmado que los de la funeraria le entregaron una bolsa. No la ha abierto, y por mucho que he insistido, no va a abrirla. Tengo un billete de avión para mañana.

—¿Y no puede pedir a alguien que la abra, vea si hay un poema y te lo mande?

Thomas movió la cabeza negando la sugerencia.

—No sabrían cómo es la letra que buscamos. ¿Y si hubiera varios escritos? No sé... apuntes de clase que le hubieran dejado...

—Pero Thomas, en la bolsa del depósito solo se pone lo que lleva encima el cadáver. Nada de apuntes de clase —insistió Laura con asombro.

—Bueno, lo cierto es que me apetece ir.

Laura asintió. Estaba abriendo el frigorífico para sacar el postre.

—Vale, eso me convence más. ¿Y cuáles son los siguientes pasos que vas a seguir?

—Tengo que investigar a la farmacéutica Poche, la principal suministradora de los complejos vitamínicos que usan los deportistas del centro; estudiar todo lo referente a la EPO; entrevistar al mánager de las chicas, un tal Frank Stone, que parece un sujeto de cuidado, y comprobar si representaba a todas las fallecidas. También hablar con la compañera de cuarto de Irina, Anna, que vuelve el jueves. Visitar a los familiares de las otras chicas muertas y, si puedo, husmear un poco en su entorno, averiguar si recibieron poemas...

—Para, para —lo interrumpió Laura—, demasiadas cosas. Además, ¿no te vas a Irlanda?

Thomas asintió. Estaba disfrutando del postre.

—Este helado de vainilla con el chocolate caliente por encima está riquísimo. ¿Me pones más chocolate, por favor? —preguntó a la vez que levantaba el plato como los niños.

Laura sonrió. Echó unas onzas en una cacerola con un poco de mantequilla y lo derritió a fuego lento. Unos instantes después, bañó el helado en chocolate.

—Creo que deberías tener un ayudante.

—¿Cómo quién? Aquí no conozco a nadie y el único que podría hacerlo es una especie de increíble Hulk con poca paciencia para la investigación.

—Como yo —respondió Laura.

—¿Tú? —preguntó Thomas sorprendido.

—Sí, yo. Lo haría bien. Soy lista. Soy médico. Puedo investigar en Internet sobre el tema del *doping* mejor que tú y necesito alejarme un poco del depósito. Trabajo muchas horas. Tantas que ya, por ejemplo, casi no como carne, ¡con lo que me gustaba!

Thomas se quedó mudo. Mezcló el chocolate con un trozo de helado y se lo llevó a la boca.

—Cuando trabajaba de perfilador siempre contaba con un médico o forense como ayudante. No lo había pensado. La investigación sería más ágil y podríamos contrastar opiniones. Hablaré con mi jefe para ver qué le parece y qué tipo de contrato se debe hacer.

—No es tan fácil. No puedo pedir una excedencia ni unas vacaciones ahora. A no ser que se contrate un sustituto para mi puesto, cosa que no va a pasar —Laura se detuvo, pensativa—, o que un agente de la Interpol convenza al director y al jefe de personal de que soy imprescindible para una investigación de interés nacional.

—¿De interés nacional? —repitió Thomas con sorna.

—Esa es la idea.

—De acuerdo, *mademoiselle* Terraux. Antes de irme de viaje, le aseguro que usted será mi ayudante.

26

La luz que se filtraba por las cortinas lo despertó y pensó que estaba en Les Diablerets. Repasó la conversación con el investigador de la Interpol, no dejaba de pensar en la pregunta sobre si Irina se dopaba. Apartó ese pensamiento y viajó hasta la noche que pasó con Nicola. Rememoró cada segundo, cada minuto, cada momento que había pasado a su lado. A su mente vinieron las caricias, los susurros velados; aún sentía la forma de su cuerpo entre las manos. Cuando salió de la habitación para darse una ducha, su madre subía por las escaleras. Tenía el aspecto de haberse pasado otra vez con la bebida.

—¿No te da vergüenza dejar a tu madre sola?

Janik no contestó. Se duchó y bajó al comedor. Mientras ponía la mesa, recibió una llamada de Frank en el móvil. Después del Campeonato del Mundo no solo había perdido a Olivier como entrenador sino también un mánager. No le había quedado otra opción que aceptar el ofrecimiento de Frank Stone.

—Por fin das señales de vida, ¿va bien la recuperación?

—Sí, va bien —mintió.

—Me ha dicho Viktor que te pasaste por la residencia el otro día y te marchaste sin decir nada.

—Estoy con mi madre, aquí estoy más tranquilo.

—Claro, lo entiendo. Te llamaba porque tenemos que quedar para hablar de algo importante.

—Me lo puedes contar por teléfono.

—No, es mejor que quedemos para comer. Si te viene bien, claro. Hay un restaurante en las afueras de Zúrich que se llama Brahms —propuso Frank—. ¿Lo conoces?

—No, pero lo buscaré.

—Hecho, nos vemos allí el martes a las doce.

—Allí estaré.

Cuando Janik llegó al restaurante, el deportivo de Frank estaba aparcado enfrente del edificio.

—Hola, Janik —lo saludó el mánager, que lo esperaba sentado a la mesa—. Toma asiento, estoy hambriento.

Janik colocó el cojín de la silla torpemente. El camarero se acercó y les entregó la carta.

—Janik, si no te importa, pido por los dos —se ofreció Frank, que parecía ser un cliente habitual—. A menos que sientas predilección por algún plato en concreto.

—No, no tengo nada pensado.

—Entonces, para empezar tomaremos una ensalada de judías verdes con guisantes y después una lubina con cintas de calabacín; de beber, yo voy a tomar una copa de Sauvignon blanco. ¿Tú, qué vas a beber? —preguntó, dirigiéndose a Janik.

—Una coca-cola *light,* por favor.

El camarero tomó nota y los dejó solos.

—Janik, antes que nada, ¿qué tal va tu lesión?

—Bien, es una pequeña rotura de fibras.

—Eso está bien, aún estamos a tiempo.

—¿A tiempo de qué?

—Sobre eso quería hablarte. Ya sabes que siempre he pensado que tienes calidad suficiente para llegar a ser una estrella. Creo que ahora es el momento para dar el salto. Janik, voy a ser sincero contigo, eso evitará que los dos perdamos el tiempo. Viktor lleva dos años con el doctor Ferraris.

—No sé quién es el doctor Ferraris —lo interrumpió Janik.

—El doctor Ferraris es uno de los mejores médicos deportivos del mundo. Tiene bajo su supervisión a futbolistas, ciclistas, atletas y nadadores de varios países. Lo verdaderamente importante es que cree que ha dado con la poción mágica.

—¿Qué es eso de la poción mágica?

—Bueno, con una de las pociones mágicas —se corrigió Frank—. Este es el segundo año que Viktor y Ferraris están juntos. Si todo sale según lo previsto, Viktor estará entre los mejores mediofondistas de Europa. En este mundo nos conocemos todos. Cuando un atleta mejora sus marcas en tan poco tiempo es por algo, o mejor dicho, por alguien.

A Janik le vino a la cabeza la imagen de Viktor al acabar una de las series. Todo encajaba. No había duda, se estaba dopando.

—Soy de los que piensan que es posible mejorar solo con la alimentación —dijo.

—Janik, entiendo que pienses de esa manera. No tienes que sentirte culpable por tomar hormonas. El deporte profesional exige de métodos profesionales. Hoy día tomar hormonas marca la diferencia entre ser un deportista aficionado y un profesional.

El camarero llegó con los primeros e interrumpió durante unos instantes la conversación.

—Ferraris ha dado con el sistema para que sus deportistas lleguen a las competiciones sin rastro de las sustancias dopantes —prosiguió Frank—. Ese ha sido su mayor logro, pero no es el único que ha dado con la solución.

—Yo creo en los métodos naturales como medio de entrenamiento —afirmó Janik con convencimiento—. En los hidratos de carbono, en las proteínas como recuperadores, en una buena planificación para lograr los objetivos. Y el doctor Hendrik también. No sé qué pensaría si...

—¿Y qué has conseguido? —lo interrumpió Frank—. Una marca aceptable, pero nada más. Ya no has vuelto a mejorarla, ni siquiera estás cerca de igualarla. Janik, no entiendes que a esos niveles se necesita otra clase de combustible. Los romanos ya daban bebidas estimulantes a los caballos de las cuadrigas. En los años setenta, se emplearon esteroides y anabolizantes, en la década de los noventa llegaron la EPO y la GH, la hormona de crecimiento, junto con hematopotenciadores, recuperantes, estimulantes, hormonas sintéticas y, ahora, el dopaje genético.

—A ver si lo he entendido, me estás diciendo claramente que me dope.

—Sí, para que compitas en igualdad de condiciones con los demás. Mira, Janik, yo no soy un político que se hace fotos al lado de los grandes campeones, ni soy el aficionado que se emociona con los éxitos de sus deportistas; solo me aseguro de que los deportistas de mi país estén en igualdad de condiciones cuando compiten. ¿Lo entiendes? No es una cuestión de dinero, es una cuestión de orgullo.

—Ya, pero...

—Nosotros no ponemos las reglas. El cuerpo humano tiene sus límites y te puedo asegurar que ya se han pasado hace años. ¿Qué país no quiere que sus deportistas destaquen?

—Sí, pero es algo que está fuera de la ley. Estás haciendo trampa —respondió Janik.

—No me jodas, qué te piensas que es el deporte profesional. ¿Cuántos años llevas entrenando?

—Más de diez.

—Diez años entrenando a diario. Hasta ahora todo te ha ido bien, pero a partir de ahora te va a resultar muy difícil batir tus propios registros. Incluso igualar tu mejor marca es extremadamente complicado —le recordó Frank—. O te dopas o ya puedes ir pensando en qué vas a hacer para ganarte la vida.

—Ya, pero... —Janik se acordó de la conversación con Hendrik.

—Janik, eres como un niño. Has estado en una burbuja durante todos estos años. Ahora veremos si te conviertes en un hombre. Además, ¡qué narices!, no creas que eres el único de la lista. Te voy a dar el teléfono de un médico que no es Ferraris. Ya le he hablado de ti. Es el mejor, ha conseguido un equilibrio entre lo que tú llamas entrenamiento natural y el entrenamiento artificial de tal manera que se complementan. En eso se diferencia de Ferraris, que basa todo su sistema en sustancias sintéticas.

—Frank aproximó su cara a la de Janik—. Mi hombre lleva muchos años trabajando para que deportistas con grandes cualidades den lo mejor de sí mismos. Piénsalo. Además, no tendrás que desplazarte de la residencia para verlo. Tiene su consulta muy cerca.

—Son sustancias prohibidas, ¿no?

—Prohibidas para quién. Mira, te estoy haciendo un favor. Ya te he dicho que hay más atletas en la lista. Tú decides. Si quieres chocar una y otra vez contra el mismo muro, tú verás... Ya eres mayorcito para tomar una decisión.

El camarero interrumpió de nuevo la conversación y trajo los segundos. Janik no tenía apetito y comenzó a morderse compulsivamente las uñas.

De repente, Frank, Viktor, Ethan, estaban dentro de su cerebro, conectados a su vida como el gotero a un enfermo, agrietando una a una las losas que tanto tiempo habían tardado en solidificar.

—¿Y los efectos secundarios? —preguntó.

—Todas las hormonas están probadas, son productos de última generación. Mi hombre trabaja con los productos de Poche, lo mejor de lo mejor.

—Ya, pero ¿qué efectos tienen en el cuerpo?

—Sabe lo que hace —respondió Frank—. Esas sustancias se utilizan para niños con problemas de crecimiento o personas mayores que han perdido masa muscular. Todo depende de la dosis. No tienes de qué preocuparte. Son medicamentos legales, no vienen del mercado negro.

—Puedo continuar entrenando como hasta ahora un año más y ver qué pasa.

—No tienes tiempo. Este año son las Olimpiadas. Que se nos haya adelantado Viktor no es más que la señal para que no perdamos más tiempo.

—De todas maneras, tendré que pensar lo que me has dicho.
—Janik estaba tan perplejo que por un momento creyó que era parte de una broma pesada. Pero ese pensamiento desapareció

tan pronto como vino, y supo que Frank hablaba en serio. Estaba asustado.

—¡No pongas esa cara, que no es para tanto! —dijo Frank con una sonrisa—. Por cierto, antes de que se me olvide, en cuanto salgamos por la puerta yo he estado aquí para hablar de tus próximos compromisos, ¿está claro?

27

Se acercaba una tormenta. La intensidad de la luz se iba debilitando tan rápidamente como su aplomo. Pisó el acelerador. La lluvia comenzó a caer sobre la luna delantera del Volkswagen. Accionó el limpiaparabrisas. Los conductores disminuían la velocidad de los coches, conforme la tormenta avanzaba a su encuentro. Las ramas de los árboles se movían cada vez con más fuerza provocando en la atmósfera una sensación de inquietud.

Frank también había desencadenado en su vida una tormenta, cuyas consecuencias iban a cambiar su manera de ver las cosas. Le vinieron a la mente las noticias relacionadas con el *doping* que había escuchado en los medios de comunicación las últimas semanas, que si la Policía había desarticulado una red de venta de esteroides en los gimnasios, que si algún empleado de un hospital sustraía sustancias y las vendía por Internet, que si tal deportista había dado positivo. Había leído en *Medscape,* la tercera página más visitada por los médicos de todo el mundo, que el doctor Bob Goldman, fundador de la Academia Nacional de Medicina del Deporte de Estados Unidos, pidió a los atletas de élite en los años ochenta que contestaran a la pregunta de si dejarían que les administraran una sustancia que les garantizara una medalla de oro, pese a conocer que los iba a llevar a la muerte en cinco años. Más de la mitad dijo que sí. Repitió la encuesta cada dos años durante la década de los noventa y los resultados no variaron. Algunos de esos atletas solo tenían dieciséis años.

Los faros de los coches lo deslumbraban. Ráfagas de luz se acercaban y pasaban a su lado como fantasmas; aparecían y desaparecían a la misma velocidad que sus pensamientos. ¿Qué había hecho durante esas semanas? Huir de la residencia como las ratas del barco que se hunde. Había dejado tirado a su entrenador. Qué equivocado estaba. Su cuerpo se había acostumbrado a las sesiones matutinas, a los calentamientos suaves rodando a más de cuatro minutos el kilómetro. Sus músculos se quejaban cada mañana al despertarse. Los oía ladrar debajo de la piel. Además, no estaba pasando un buen momento. Su moral hacía aguas. Se sentía como si por un lado su cuerpo tirase de él hacia el movimiento y, por otro, la cabeza se rebelase contra toda acción que necesitara energía. Iba tan ensimismado en sus pensamientos que casi invade el carril contrario. Un coche con la baca llena de esquís se apartó invadiendo el arcén y le dio unos bocinazos.

Al llegar a casa bajó del coche y no se movió, esperó a recuperar la serenidad. Se dijo que la vida consistía en permanecer el mayor tiempo posible fiel a lo que te han enseñado; los buenos siempre triunfan y los malos acaban por pagar sus maldades, pensó. Después de unos minutos recuperó la calma y se dio cuenta de que era su vida lo que estaba en juego.

Cuando entró en casa, su madre dormía en el sillón. La habitación olía a vino. La tapó con una manta y abrió la ventana. Se sentó frente a ella y la miró. ¿En qué se había convertido? ¿Cómo podía ayudarla? Le embargó una gran tristeza, luego una rabia dirigida no hacia Frank, sino hacia sí mismo. Había sido un estúpido en engañarse todo el tiempo. La conversación que había tenido con Ethan se repetía una y otra vez como una estrofa pegadiza y difícil de parar. Esa canción había estado ahí todo el tiempo sonando con fuerza, solo que no quería escucharla.

Aquella noche no pudo dormir. Se vistió y bajó las escaleras sin hacer ruido para no despertar a su madre. Descolgó el abrigo del perchero de la entrada, sacó la linterna de uno de los cajones del recibidor y salió de casa. Un viento gélido le rozó el rostro. Anduvo por encima del enlosado del jardín hasta la puerta que daba al taller. Buscó la llave, estaba escondida en un agujero del muro de cimentación. Dentro, todo permanecía tal como lo había dejado su padre. El banco de trabajo en el centro lleno de virutas de madera; en uno de los laterales, la cinta métrica que utilizaba para medir y la escuadra. En una de las esquinas, sujeto por cuatro tornillos a la madera, el torno. En las paredes colgaban las herramientas: las sierras de marquetería, los martillos de carpintero y los mazos. En el otro lado, los destornilladores, las cajas con los clavos y los tornillos. Debajo estaban los instrumentos más pesados, como los cepillos y las lijadoras.

Se acercó al banco de trabajo y abrió uno de los cajones del que sacó un lapicero y un libro lleno de dibujos y números que correspondían a medidas métricas. Arrancó una hoja en blanco del final del libro. La dividió en estrechas franjas rectangulares, cortó los rectángulos y escribió en cada uno de ellos una frase: «Padre, te echo de menos todos los días». «Ethan, tenías razón.» «Irina, lo conseguiremos.» «Madre, perdóname.» «Diablo, ya lo has conseguido.»

Dobló los papeles hasta que formaron un cuadrado del tamaño de un envoltorio de un caramelo sugus. Con una lata vacía y una caja de cerillas que guardaba su madre para encender las velas cuando se iba la luz, salió al exterior. El viento, que no mucho antes azotaba las cumbres llenas de nieve, se dejó sentir de nuevo sobre su cara. Avanzó unos metros hasta la parte opuesta de la casa y dejó la lata en el suelo. Había luna llena y se podían distinguir los montículos de hierba que rodeaban la casa. Colocó un folio forrando el interior de la lata y echó los cinco trozos de papel en el interior. Encendió una cerilla y prendió uno de los bordes del folio. La llama se hizo más viva e iluminó los alrededores con tal intensidad que la luz de la luna desapareció por un momento. Estuvo observando el reflejo de la llama sobre las paredes plateadas de la lata, de la que salió una columna de humo, hasta que todo el papel se consumió y la llama se extinguió. La luz de la luna recuperó su protagonismo. De pronto, tuvo la certeza de que alguien más lo sabía. Se estremeció cuando notó que unos dedos astillados le acariciaban el pelo. Le pareció oír una risa cavernosa que, entre aplausos, celebraba su decisión.

28

Kilconnell lo sorprendió con un regalo excepcional: un día soleado. Thomas evitó pasar por la calle principal y se desvió con el coche de alquiler por un camino lateral. Enseguida, se vio rodeado por la inmensidad. Salió del coche y su mirada se perdió por el horizonte sin nada que la interrumpiera. Los prados se extendían como mares en calma, mecidos por la suave brisa del sur; de vez en cuando, soplaba una ráfaga más fuerte y se doblegaban ante el viento, sumisos. Parecían olas que lo saludaban y le decían entre susurros: «Bienvenido, Thomas, bienvenido». Se sentó en el suelo y cerró los ojos. Se dejó acariciar por las hierbas altas que rozaban su cara y sus brazos desnudos. Escuchó el silencio de la ciudad y el sonido de la naturaleza. Se tumbó sintiendo el calor del sol. Cerca, oyó el canto de un pájaro que en otro tiempo hubiera sabido identificar. Después de un rato, con desgana, caminó hacia el coche.

Se internó en una pequeña carretera asfaltada que, como muchas en Irlanda, era tan estrecha que parecía de una única dirección. A ambos lados crecían arbustos con flores de vivos colores. Acababan de podarlos y formaban paredes verticales más altas que su coche. Tomó el primer desvío a la derecha y continuó hasta que la carretera se bifurcaba en varios senderos de tierra que conducían a diferentes casas. Tuvo que dejar el coche e ir andando hasta la casa de Maire. Recordó las instrucciones y siguió el camino de la derecha hasta el final, donde, entre hayas y abedules, se encontraba la casa.

Le pareció bonita. Era como una casa de juguete, con el tejado de paja y las paredes encaladas. Los marcos de las ventanas estaban pintados de azul y a sus pies crecían alegrías blancas, rojas y fucsias. En el suelo, los pétalos caídos formaban un mosaico de colores. Instintivamente, metió la mano en la tierra de las macetas. Necesitaban un poco de agua. Una campana colgada encima de la puerta hacía las veces de timbre. La tocó. Le sorprendió la fuerza del sonido. No abrió nadie. Miró a su alrededor, no se oían ruidos. Gritó el nombre de Maire, pero no obtuvo respuesta. Mientras esperaba, decidió seguir un sendero hecho de pisadas. Se internó entre los árboles. Un sinfín de sonidos revoloteó en sus oídos: el crujido de ramas, el canto de los pájaros y de los grillos, el zumbido de una abeja, el discurrir del agua. Se encaminó hacia ese último. Antes de llegar, supo que era una ramificación del lago Acalla. Se extendía ante su vista, majestuoso, moteado por pequeñas islitas de color verde y extraños meandros, de un color parecido al de los luminosos cielos de Van Gogh. Vio a Maire caminar hacia él. El sol había iniciado su descenso y recortaba con tonos dorados su silueta. La saludó con la mano, ella le devolvió el saludo. Llevaba una caña al hombro y unos peces en la mano del otro brazo, ensartados en un alambre. Como en los viejos tiempos. Por un instante, Thomas retrocedió veinticinco años.

—¡Creí que llegabas más tarde, a las ocho! —gritó Maire, acercándose.

—¡Te dije a las dieciocho horas! —gritó también Thomas.

Maire tiró la caña con los peces al suelo y se tapó la boca riéndose ante su error. Mientras caminaba hacia él, Thomas vio que estaba preciosa. Desde el entierro de Úna había engordado y tenía un bonito color de piel. Cientos de pecas, que se extendían por los brazos y el escote, surcaban sus mejillas. Llevaba el pelo recogido en dos trenzas, aunque sus rizos salvajes luchaban por abandonar la rigidez del peinado. Thomas imaginó que corría los últimos metros hacia él y de un salto lo abrazaba y le rodeaba la cintura con sus piernas. La escena era tan vívida, se había repetido tantas veces en el pasado que, por un instante, retrocedió a su juventud. Desencantado, comprobó cómo los dos se encontraron en mitad del camino y se dieron un cariñoso y breve abrazo.

—Estás estupenda —dijo Thomas.

—Me encuentro mejor. Espera que recoja la pesca y nos vamos.

La casa no tenía vestíbulo. Se entraba directamente a una estancia diáfana que cumplía la función de cocina, salón y lugar de trabajo. Era una sala amplia, agradable, bien iluminada, con hermosos ventanales divididos en pequeñas cuadrículas, desde los que se veían los colores de las alegrías y el fondo borroso del bosque. Maire dejó el pescado en el fregadero de la cocina.

—Los voy a limpiar porque quiero dejarlos marinados con eneldo para cenar.

Thomas la dejó hacer mientras observaba su alrededor. Vio una cocina con fogones de gas y, en la repisa de la ventana, varias macetas con flores aromáticas. En un pequeño estante, unos botecitos de colores completaban una extensa colección de especias. A la derecha de los fuegos, una enorme encimera de madera y varios cuchillos con los filos pegados a una barra de metal conformaban la zona de trabajo. En el centro de la habitación, había una mesa de madera blanca con un ramo de flores silvestres y cuatro sillas de enea. Al otro lado, junto a la pared bajo la ventana, había un cómodo sofá estampado en beis; sobre él, un manta y dos cojines de *patchwork,* y enfrente, una chimenea ribeteada en piedra roja donde yacían apilados pequeños troncos. No sabía si era el suave tictac del reloj o el movimiento de las ramas de los árboles, que, de repente, sombreaban la habitación y, en el siguiente vaivén, la volvían a iluminar, pero se sintió tranquilo y en paz. Abrió la puerta de la calle y cortó un ramillete de eneldo. Se sentó en un banco de madera, al lado de unos rosales. Apoyó la espalda en la pared y olió el aire. ¿Cómo hubiera sido su vida si no se hubiera marchado? ¿Quizá así?, pensó.

Había luchado de manera brutal por olvidar los años tan felices transcurridos en Kilconnell; es más, se había esforzado por detestar todo lo que le recordara su infancia. Lo sorprendió la facilidad con que se había desprendido de los recuerdos. Los restos que conservaba de aquella vida aparecían ante él borrosos; eran tan escasos que se asemejaban al tráiler de una película. Levantó la mirada hacia el cielo y disfrutó del placer que le provocaba el calor tibio del sol, el aroma de la naturaleza, la humedad que amenazaba tras la sombra de los árboles... En ese momento, sus miedos le parecieron ridículos; perder su independencia, renunciar a la intimidad, enamorarse...

—Ese eneldo ¿es para mí? —preguntó Maire, apareciendo por la puerta.

Thomas asintió y se lo dio sin levantarse.

—Perdona, pero estoy en un estado total de relajación cercano a la parálisis.

—Vale, pues sigue así. Me voy a duchar.

Al poco rato volvió a aparecer con una bolsa blanca.

—Se me olvidaba. Aquí está lo que has venido a buscar. No quiero ver nada —explicó Maire, molesta—. Prefiero que lo mires cuanto antes y luego te lo lleves todo. Su presencia me pesa. Es difícil de sobrellevar. Tampoco me apetece saber por qué quieres rebuscar entre sus cosas. ¿De acuerdo?

Aquel tono gélido y cortante incomodó a Thomas. No lograba adivinar las razones por las que Maire se comportaba de ese modo tan extraño. Su frialdad quedaba patente no solo en sus actos, también en su manera de hablar. Parecía ajena al dolor y a la emoción. Su rigidez era una pose ensayada, y la falta de sentimientos ante la muerte de su hija, una actuación demasiada extraña como para que resultara normal. Supuso que Maire utilizaba todo cuanto estaba en su mano para que ese estado de indiferencia ante el dolor perdurase. Su incapacidad de sentir era su manera de protegerse. Cualquier cosa que la apartase de ello, como ver los objetos de Úna, lo rechazaba. Estaba convencido de que necesitaba ayuda.

Thomas asintió y alcanzó la bolsa. Era ligera, parecía vacía.

—Me iré al lago a abrirla. Cuando termine la dejaré en el coche.

—Gracias, Thomas —dijo ella, tocándole el hombro.

Thomas se dirigió a un pequeño embarcadero donde se encontraban amarradas varias barquitas de vivos colores; llegó hasta el final y se sentó en un banco de madera. Abrió la bolsa y sacó un camisón de algodón con diminutas hojas verdes, una diadema hecha con goma negra, unas sencillas bragas de algodón y el poema. Alguien se había preocupado de estirar el papel y guardarlo en un sobre. Lo abrió y lo leyó:

Quiero llevarte pegada a mis piernas desnudas y correr,
para que sientas la fuerza de mis venas.
Anhelo llevarte pegada a mis manos y amar,
para que te estremezcas con mis caricias.
Ansío llevarte pegada a mi boca y susurrarte,
para que, tranquila, te quedes dormida.
Yo seré tus piernas, tus manos, tu boca.
Tú serás mi fuerza, mi amor, mi lecho.

Sin firma. La misma letra, la misma persona. Sacó el móvil y llamó a Laura.

—Buenas tardes, doctora.

—Buena tardes, señor Connors. Dígame qué ha averiguado —dijo ella, siguiendo la broma.

—El poema a simple vista es del mismo autor.

Thomas se lo leyó. Durante unos segundos, se produjo un silencio al otro lado de la línea.

—¿Qué piensas? —le preguntó él.

—Desde luego, este es más dulce y romántico. El otro está cargado de culpa y el final es tenebroso. No cabe duda de que Úna recibió este poema cuando estaba viva y de que lo leyó. Con Irina hay más dudas. O bien el autor la encontró muerta y lo escribió como despedida y alguien lo encontró y lo escondió, o se lo dieron en vida y después de leerlo, ella misma lo guardó en el interior del cuaderno.

—Te olvidas de algo —interrumpió Thomas.

—¿De qué?

—Que el autor del poema no sea la persona que encontró el cadáver sino la que le causó la muerte.

Laura no contestó. No sabía qué decir.

—Tampoco sabemos si el autor le entregó a Úna el poema en persona o si se lo envió —añadió Thomas.

—¿Y luego la mató? —preguntó Laura—. No puede ser, en la autopsia no se encontró ningún signo de muerte antinatural. Y con la única causa que estamos trabajando, que es el dopaje por EPO, nadie puede adivinar cuándo va a fallecer una persona; es más, a la inmensa mayoría no le sucede nada. No se sostiene.

—De acuerdo, de todas formas entérate de dónde vivían Arisha Volkova y Yelena Ustinova e intenta averiguar algo sobre su entorno, quién las entrenaba, quién era su mánager y si por casualidad recibieron cartas de amor. De las otras dos ya me encargaré cuando vuelva. Tienes toda la información en un archivo de mi ordenador que se llama «Increíble Hulk».

El lago comenzó a cambiar de color y a adquirir tonos rosáceos. Unas grullas pasaron sobre él barriendo el agua.

—Qué gracioso. Pobre sargento...

—Por cierto, ¿qué tal tu primera mañana como mi ayudante?

—Pues, he tenido que ir al médico y... no me ha dado tiempo a mucho. Pero un par de horas en Internet hacen maravillas, cuando vuelvas te cuento lo que he averiguado.

—¿Estás enferma?

—Oh no, un problemilla de alergia.

—Vale, mañana nos vemos.

—Hasta mañana.

Thomas dejó la bolsa de plástico en el maletero y se sentó junto a Maire en el banco al lado de la puerta.

—Oye, Maire, ¿sabes si Úna salía con alguien?

—Que yo sepa no. Tenía muchos amigos, pero no hablaba de nadie en particular.

—¿Cuándo fue la última vez que hablaste con ella?

Maire se removió inquieta. Thomas sabía que aquellas preguntas no le agradaban en absoluto.

—Maire, tienes que esforzarte. Te prometo que después de esta conversación no volveremos a hablar de Úna.

—Hablé con ella cuando me rompí el brazo. Se lo conté, sin darle importancia.

—¿Cómo es que no vino a verte?

—No lo sé. También yo me pregunto lo mismo.

Maire cortó unas ramas de lavanda y las estrujó en las manos. Después las olió.

—Últimamente estaba distante. La notaba rara. Llevaba meses sin aparecer por casa y cuando le preguntaba cuándo iba a venir, siempre tenía una excusa para no hacerlo.

—¿Cuál crees que podía ser la razón?

—No lo sé. Creo que estaba preocupada por algo, pero... es difícil desde la distancia saber más.

—¿Sabes si tenía una amiga llamada Irina?

—¿Que vivía en Les Diablerets?

Thomas asintió.

—La última vez que estuvo en casa por Navidad la llamó por teléfono. Sí, eran amigas.

Thomas no quiso decirle que estaba muerta.

—¿De qué hablaron?

—Ni idea, hablaban en ruso.

—¿Te contó algo de ella?

—Me dijo que era muy buena corriendo y que tenía un estilo muy bonito. También sé que tiene un tío porque a Úna le encantaba el café que le preparaba. Le compró una cucharilla con Sant Patrick y el trébol. No sé nada más.

Thomas se puso tenso.

—Perdona, tengo que hacer una llamada urgente —dijo levantándose.

—¿Ya está? ¿Hemos acabado? —preguntó Maire.

—Un momento... —contestó Thomas, y se alejó mientras marcaba el número de la Policía de Monthey—. Buenas tardes, me llamo Thomas Connors y quisiera hablar con el sargento Fontaine.

Una voz de mujer le dijo que el sargento no se encontraba en las dependencias policiales, que estaba en una diligencia. Thomas preguntó si se trataba de un asunto grave a lo que ella contestó que no. Se había desplomado un muro y se estaba acordonando la zona. Thomas dijo que era de la Interpol, el sargento lo conocía, y que por favor le diera su número de móvil.

Apuntó los números con una rama en el suelo y le dio las gracias.

—*Allô?* —contestó una voz con interferencias.

—¿Sargento Fontaine?

—*Oui, c'est moi.*

—Soy Connors, de la Interpol, hablamos el otro día.

—Sí, lo recuerdo, dígame.

—Quisiera que me buscase toda la información posible sobre el tío de Irina Petrova. ¿Tiene dónde escribir?

—Sí, tengo.

—Se llama Oleg Petrov Vasiliev. Tiene una farmacia en Montreux.

—De acuerdo. Perdone, pero le oigo muy mal. Lo que encuentre se lo envío a su correo electrónico.

—Gracias, es urgente.

—Bufff... como todo en la vida —dijo Fontaine, y colgó.

Cuando terminó de hablar, Maire ya no estaba sentada en el banco. Entró en la casa. Tampoco se encontraba allí. Se fijó en la habitación que estaba al lado del baño. Tenía la puerta abierta. Vio los peluches de Úna puestos a modo de pirámide sobre la cama, apoyados en el cabecero para que no se cayeran. Miró por la ventana de su habitación. Quiso saber qué veía Úna al despertarse por las mañanas. Observó cómo Maire podaba unas plantas de tomates, y lo invadió un sentimiento de ternura y de tristeza ante la habitación de Úna. Le solía pasar al mirar las cosas personales de alguien fallecido. Sabía con certeza que su dueño no volvería a tocarlas. Todo quedaba en suspenso: la colonia, el cepillo del pelo, la ropa... Con Úna se hacía más evidente. Su juventud estaba presente en el dormitorio; cada foto, cada camiseta, cada objeto, llevaba prendido el sello inconfundible de la vida. La habitación le hablaba de Úna, de sus gustos. En las paredes quedaban rastros de una infancia despreocupada y feliz. Salió por la puerta acristalada del pasillo que daba al huerto.

—¿Cuándo te vas? —preguntó Maire.

—He reservado un vuelo para mañana.

Thomas le ayudó a podar la tomatera.

—¿Todavía te acuerdas de cómo se hace? —preguntó Maire con malicia.

—Sí, todavía me acuerdo.

—¿Te quedas a cenar?

—Contaba con ello. Aunque la comida del hotel es fabulosa. La última vez me hinché de patatas.

Como respuesta, Maire le sacó la lengua.

—Anda, arranca unos tomates y los asamos con las patatas de mi huerta. Te aseguro que no hay mejores tomates que estos.

Thomas sonrió y obedeció.

Thomas estaba silencioso. Miraba de reojo cómo Maire preparaba los tomates. Los cortó por la mitad y les echó albahaca fresca, sal y queso que ralló en el momento. Las patatas llevaban un rato en el horno y el olor del tomillo con el orégano impregnaba la sala. Se acercó lentamente a ella y, sin pensarlo, pasó sus brazos alrededor de su cintura. Sorprendida, Maire se dio la vuelta. Bajó la cabeza, tomó entre sus manos el asombrado rostro de ella y la besó con delicadeza. Después, abrió la boca con urgencia, introduciendo su lengua; ella respondió a su beso con avidez.

—Thomas, no soy la de antes —dijo, apartándolo con las manos en su pecho.

—Yo tampoco —susurró él—. Maire, no puedo parar y no quiero hacerlo.

—Pero... todo esto es falso, vamos a acostarnos con nuestros fantasmas.

La voz de Thomas se tornó ronca por el deseo.

—Soñemos. Cierra los ojos y siente.

Volvió a abrazarla y le besó el cuello.

—Pero tú te vas a marchar, este no... es tu hogar —dijo ella con el aliento cortado por los besos.

Thomas la tomó entre sus brazos y la llevó a la habitación. Ella se dejó, apoyando la cabeza entre su cuello. Thomas la tumbó en la cama.

—Mi hogar siempre estuvo entre tu piel —respondió él mientras la miraba a los ojos.

Unas lágrimas resbalaron por las mejillas de Maire hasta perderse en el pelo. Él recorrió con su boca la marca húmeda que dejaron en su rostro, y Thomas notó su sabor amargo. A continuación, desabrochó los botones de la parte delantera del vestido y se lo quitó por arriba. Maire levantó los brazos como una niña para que la desvistiera. No llevaba sujetador, lo que hizo sonreír a Thomas.

—Maire, sigues sin ponerte sujetador. Eres una cabezota, mira que tu madre te reñía a todas horas. Decía que no tenías vergüenza, que se te caerían hasta la cintura. Pero estaba equivocada —reconoció mientras los tocaba.

Admiró sus pechos. Eran pequeños, redondos y estaban cubiertos de pecas. Tenían la aureola rosácea, diminuta, casi sin pezón. Miró la hermosa cara de Maire y su cabello rizado extendido en la cama. Su pelo rojo... Lo acarició, enrolló uno de sus rizos entre los dedos. Se desnudó rápido, de pie, junto a la cama. Luego se acercó y le quitó las bragas. Pasó sus manos por su piel blanca. Empezó por el cuello y acabó en el pubis. Lo acarició pasando la mano por el pequeño monte pelirrojo. Admiró el rostro de deseo de Maire, esperándolo. Sondeó todos los rincones de su cuerpo, lamiéndolos, tocándolos. Al rato, notó que estaba preparada, cálida, mojada. Thomas se tumbó sobre ella y la penetró sin avisarla. Maire gimió sorprendida, acoplándose a sus movimientos. Cada caricia, cada beso, se transformaba en una sensación extraña, inmensa.

—No puedo parar de besarte —dijo Thomas moviéndose rítmicamente.

—Pues no lo hagas. Siempre me gustó cómo besabas.

—Tuve una estupenda maestra —le susurró al oído.

—Thomas... yo no voy... a poder aguantar mucho. Es que... hace un millón de años...

Thomas oyó el orgasmo y lo sintió en su interior. Al poco, él hizo lo mismo. Cuando acabó, le besó el cuello y los labios. Se retiró de ella y miró el techo sin pensar en nada. Después sintió frío, se volvió hacia ella y la abrazó por detrás.

—Abrígame el corazón, Maire, solo tú puedes hacerlo.

Maire se arrimó más a él, y Thomas hundió su barbilla en el hueco del cuello.

—Yo... nunca he dejado de quererte —dijo Thomas—. Esa es la realidad y lo demás son grandes mentiras. Debí volver a buscarte. No quiero volver a engañarme ni a perderte.

Maire estaba silenciosa. A Thomas le pareció que lloraba. Quiso que se diera la vuelta para abrazarla, pero ella lo rechazó, se levantó y entró en el baño. Thomas oyó el agua de la ducha. Estaba cansado de no afrontar su vida, de dejarla aparcada mientras la llenaba con historias intrascendentes.

—¿Estás bien? —le preguntó abriendo la puerta.

—Sí, ya salgo. Por favor, mira el horno, las patatas se van a quemar.

Thomas fue desnudo hasta la cocina. Olía de maravilla, a especias. Abrió la puerta del horno y vio que las patatas ya estaban doradas. Con la ayuda de un trapo de cocina las sacó, alcanzó la bandeja de los tomates de la encimera y la colocó en la parte alta del horno, luego pulsó el botón del grill. Mientras se gratinaban los tomates, empezó a abrir los cajones en un intento de poner la mesa. Estaba muerto de hambre. Maire apareció vestida con un sencillo pantalón corto y una camiseta.

—¿Qué haces?

—Intento poner la mesa.

—Anda, ya lo hago yo. —Le mostró dónde estaba el cajón con los cubiertos.

—Vale, ¿te importa si me ducho?

Maire negó con la cabeza.

En dos minutos, Thomas estaba duchado y vestido.

—Antes te has quedado callada. ¿Estás bien? Yo... no quiero hacerte daño.

—Yo tampoco a ti —dijo Maire.

222

—Tú nunca podrías hacerme daño.

—Prueba —contestó seria—. ¿Por qué no lo hiciste?

—¿Por qué no hice qué? —preguntó Thomas.

—Volver a buscarme.

—No sé. Era un crío, tenía diecinueve años. Estaba solo en Estados Unidos con una mierda de beca pasando penurias para salir adelante. Estudiaba de día y trabajaba de noche. No tenía mucho tiempo para pensar, y cuando lo hacía me volvía loco de pena. Me acordaba de ti y de Albert. No tienes ni idea de cómo lo pasé.

—¿Tienes idea de cómo estuve yo? —preguntó enfadada.

—Pero... si estabas en casa, en tu pueblo, con tu familia. Seguro que mejor que yo.

—Me quedé sin ti. Me dejaste sola.

—¿Que te dejé sola? —preguntó incrédulo—. Tú no sabes lo que era estar solo.

—No me llamaste ni una sola vez. Te echaba de menos —dijo ella con rencor.

—No se notó. Enseguida empezaste a salir con el ruso.

El rostro de Maire enrojeció de ira, tiró un plato al suelo y lo hizo añicos.

—¿Cómo te atreves a decirme eso?

—¿Por qué te enfadas tanto? Pero si es la verdad... —dijo Thomas confundido.

—¡Tú no tienes ni puñetera idea de la verdad! —gritó Maire.

—¿Ah no? ¿Te digo yo la verdad? La verdad es que una persona murió por mi culpa, alguien a quien quería, y lo único que te preocupa es que te quedaste sola. Por favor... —se lamentó Thomas mientras recogía los pedazos del suelo.

—¡Lo hice obligada! —gritó Maire, y se sentó en un rincón de la cocina—. Yo no pude elegir. Tú no sabes lo que es ser madre soltera en un pueblo católico de un país católico.

Algo más calmada, prosiguió:

—Tú, tan feliz con tu puñetera vida de portada de revista, comprándoles a tus padres una casa en España. El triunfador del pueblo —dijo con sorna.

—¿Pero qué te pasa? Todo, me oyes, todo, lo he ganado con mucho esfuerzo y sacrificio —se defendió Thomas—. Quizá, si en vez de casarte con el primero que pasó y tener una hija con él, te hubieras dedicado a estudiar, ahora no me guardarías tanto rencor. ¡Ah, y no me vendas eso de que te obligaron! ¡Qué ridiculez! ¡En la vida se puede elegir!

—¡Era tu hija! —Maire se tapó la cara con las manos y comenzó a llorar—. Era tu hija... Úna era tu hija...

—¿Qué estás diciendo?

Thomas se acercó a ella y se puso de rodillas en el suelo.

—¿De qué hablas? —repitió, agarrándola de los brazos.

—Descubrí que estaba embarazada una semana antes de que te marcharas —murmuró Maire sin levantar la mirada, con gran serenidad—. No pude decirte nada. A la larga, me hubieras odiado por tener que quedarte en el pueblo, pensarías que lo había hecho para retenerte a mi lado.

Thomas la soltó como si quemara. Se puso de pie y retrocedió unos pasos, sin dar crédito a lo que estaba oyendo.

—Mientes... mientes...

—Tenías la beca, querías marcharte. Empezaste a odiar a la gente, el pueblo. ¿Quién era yo para obligarte?

—Mientes...

En el fondo, Thomas sabía que era verdad. Puede que incluso lo intuyera desde que vio las fotos en la habitación de Úna, pero era un cobarde y había rechazado de inmediato la idea que había cruzado por su cabeza de manera fugaz, como una de las miles de cosas estúpidas que uno piensa a lo largo de la vida.

—No tenías derecho a decidir tú sola. No me diste opción a elegir —le recriminó—. Yo... te adoraba, Maire.

—Te hubieras quedado... Todos tus sueños por el suelo...

—¡Claro que me hubiera quedado! —gritó—. ¡Por Dios, Maire! ¡Mi hija!

Se apartó todo lo que pudo de ella hasta que su espalda chocó contra la pared. Cerró los puños con fuerza. En un momento de pura rabia, se llevó un puño a la boca y mordió los nudillos.

—¿Te das cuenta de que la única imagen que tengo de Úna es la de una chica muerta en el depósito de cadáveres? ¿Quieres que te cuente cómo era su rostro encima de esa camilla? ¿Quieres que te lo cuente? —repitió lleno de ira.

Maire permaneció en silencio, con la cabeza agachada y la cara tapada por su cabello rojo.

—Has tenido veinticinco años para contármelo y de repente me lo dices ahora, ¿por qué? No te das cuenta de lo que me has hecho, me has jodido la vida.

—Pues ya somos dos —dijo ella levantando la mirada—. Ya hay dos vidas destrozadas. ¿Qué te creías, que ibas a volver después de tantos años como si nada hubiera pasado? Me abandonaste. Ahora te toca pagar a ti.

—Nunca te lo perdonaré. Nunca.

Thomas recogió sus cosas y se marchó.

Condujo sabiendo adonde quería ir. Iba concentrado en la carretera dejando a un lado los pensamientos que martilleaban su cerebro.

Era ya de noche cuando paró en el borde de la playa. El mar rugía con fuerza y su poder le hizo sentirse pequeño. Salió del coche dejando los faros encendidos y se desnudó. El fuerte viento zarandeaba su cuerpo, con cada ráfaga se levantaban diminutos granos de arena que se le incrustaban en la piel. Sintió frío. Abrígame el corazón...

Caminó decidido hacia el agua. La única luz procedía de la luna menguante que, con su leve resplandor, iluminaba el camino. Sintió el primer golpe del agua helada en las piernas. No quiso detenerse. La espuma de la ola lo empujó para atrás. Tiritando, caminó hacia delante y se zambulló por completo metiendo la cabeza debajo de las olas. Miles de alfileres recorrieron su cuerpo congelando la sangre que circulaba por sus venas. Nadó hacia la oscuridad y no se detuvo hasta que el cansancio y el frío agarrotaron sus músculos. Se dejó mecer por el vaivén del mar. Estaba solo en medio de la negrura, con el mar como único testigo de su derrota. A lo lejos, Úna descansaba como él, fría, pálida. ¿Supo ella que era su padre? Recordó sus peluches agolpados en la cama esperando a alguien que nunca regresaría. Thomas había dejado de sentir frío, era el momento de volver. Introdujo furioso la cabeza en el agua y con rápidas brazadas regresó a la orilla.

29

Necesitaba alejarse de la residencia. El fantasma de Irina se le aparecía y se aferraba a su mente igual que una pesadilla. Fuera, la luna llena iluminaba las siluetas de las piedras y los árboles con una luz onírica. Vio que una sombra se movía en el bosque. Janik decidió seguirla, pero la figura desapareció entre la espesura como desaparece el aroma de las flores. Confundido, avanzó por los huecos que se abrían entre los árboles, persiguiendo un espectro que bien podía ser fruto de su imaginación a aquellas horas de la noche. No tardó en aparecer la abadía y la luz débil de la entrada reveló una parte de la sombra, era Blanc. Fue esa parte, la que permanecía oculta por la negrura, la última en adentrarse entre los muros.

El viento sacudía los esqueletos de las ramas con fuerza. Los ecos de las gamuzas y de los íbices retumbaban en las montañas. Janik tembló como un niño asustado. De repente, vio una luz, apenas un resplandor que no tardó en tomar forma, y Blanc apareció agarrando un macho cabrío con una de sus recias manos. Janik se agazapó detrás de unos matorrales. La claridad que escupía la puerta abierta iluminó una losa en el suelo con un pentagrama invertido. El ronquido del animal se apagó como una vela al viento cuando Blanc agarró un enorme cuchillo, le cortó el cuello y esparció la sangre por la losa. Después se arrodilló y comenzó a hablar en una lengua incomprensible. Parecía conversar con la penumbra. Una ráfaga de aire congeló la cara de Janik. El viejo, como si las sombras lo hubiesen avisado, giró bruscamente la cabeza y clavó sus ojos negros y huecos en los del atleta.

Un escalofrío recorrió el cuerpo de Janik, salió de su escondite y corrió tan rápido como le dejaba la oscuridad. Una risa no humana y brutal lo acompañó durante los primeros metros mientras aceleraba su carrera.

30

Laura abrió la puerta de la habitación del hotel con la tarjeta que le había dado Thomas y entró en la sala que precedía al dormitorio. Encendió el ordenador, tecleó la clave de acceso y buscó en los archivos de Thomas la dirección de Oleg, el tío de Irina. Una voz en el dormitorio la desconcentró. Extrañada, entró. Vio a Thomas en la cama removiéndose inquieto de un lado a otro. Lo llamó por su nombre sin obtener respuesta. Se acercó y vio que estaba dormido. Una sombra de barba le oscurecía el rostro, y tenía el pelo mojado a causa del sudor. Le puso la mano en la frente, estaba ardiendo. Salió de la habitación y fue hasta el coche en busca de su maletín. Le extrañó que hubiera vuelto tan pronto de su viaje. No lo esperaba hasta la noche, incluso pensó que volvería al día siguiente. Sabía que estaba con la madre de Úna Kovalenko y suponía que entre ellos había algo más que una amistad. Sin darse cuenta, torció el labio, contrariada, a la vez que sacaba el botiquín del maletero.

De vuelta en la habitación, le retiró el edredón de plumas con el que estaba tapado hasta el cuello. Se había acostado vestido. Llevaba un pantalón vaquero y una camisa blanca. Solo se había quitado los zapatos. Estaba acurrucado como un bebé, con las manos metidas debajo de la almohada. Vio en su muñeca la marca que le había dejado la correa de cuero negro del reloj. Se lo quitó y lo dejó sobre la mesita de noche. Se sentó en el borde de la cama y le desabrochó los botones de la camisa para auscultarle el pecho. Esa intimidad inesperada la tensó. No estaba preparada para estar tan cerca de un hombre. Notó su calor, su olor... Estas malditas hormonas que me inyecto, pensó. Hacía tanto tiempo que no recordaba aquella sensación de calor. Tuvo que apartarse un momento. Los muertos están tan fríos, se dijo a sí misma. Tomó aire y se centró en su papel de médico. Se recogió la espesa melena en una coleta y le puso el termómetro debajo de la axila. Después, se colocó en los oídos el fonendoscopio y oyó el sonido de su respiración. Era limpia, sin ruidos que impliquen una infección.

—Abrígame —susurró Thomas.

Laura dio un respingo. Había oído la voz ampliada a través del fonendo.

—Hola, Thomas, soy Laura. No te voy a tapar porque tienes... —se paró un momento para sacar el termómetro de debajo de su axila— ...tienes treinta y ocho y medio, así que tengo que destaparte para que baje la temperatura. Tienes que beber muchos líquidos para hidratarte, y te vas a tomar esto que hará que te sientas mejor y te baje la febrícula.

Thomas abrió los ojos extrañado. La luz de la terraza le hirió como pequeños cristales. Laura se levantó y cerró las cortinas.

—¿Mejor así?

—Mejor. Gracias. Por un momento no sabía dónde me encontraba.

—A veces pasa —contestó ella, a la vez que se acercaba.

Thomas se colocó boca arriba y se cubrió los ojos con un brazo. Laura contempló su pecho ancho y desnudo; incómoda, se alejó de la cama.

—Tienes un fuerte catarro que quizá derive en algo más serio. De momento permanece en cama y tómate esto.

Echó en un vaso de agua una pastilla efervescente de paracetamol y esperó a que se disolviera para dársela. Thomas bebió con avidez. Tenía sed. Laura llenó otro vaso con agua del grifo del baño y se lo dio. Thomas lo vació en un segundo. El simple esfuerzo de incorporarse lo dejó exhausto. Cayó sobre la almohada cansado.

—¿Qué te ha pasado? Te esperaba más tarde.

—No quiero hablar de ello. Si no te importa, necesito dormir. Anoche llegué de madrugada y estoy cansado.

—Claro, perdona —dijo Laura, molesta—. Además, no puedo perder más tiempo, tengo mucho que hacer. Me voy ahora para

Montreux. Voy a ver qué averiguo sobre el tío de Irina. Solo me había pasado para buscar la dirección. Aquí te dejo las pastillas. Tómalas cuando te apetezca.

Se dirigió a la otra habitación para anotar la dirección que necesitaba. Apagó el ordenador y salió de la suite.

Thomas oyó que se cerraba la puerta y se levantó. Al principio, las piernas no le respondieron. Notaba cada uno de los músculos de su cuerpo dolorido y pesado. Un martillo le golpeaba con saña las sienes. Se las masajeó con los dedos mientras entraba en el cuarto de baño. Se quitó la ropa y entró en la ducha. La sal había endurecido los pliegues de su piel. Solo quería que desaparecieran los recuerdos del día anterior. El agua caliente cayó con fuerza por su nuca, apoyó las manos en la pared y dejó que el agua resbalara por su cuerpo durante un rato. No pudo evitar pensar en Maire y en Úna; no podía creerlo, se resistía a que solo tres palabras dieran un vuelco a su vida. «Es tu hija...»

Salió de la ducha tirando los botes de jabón; atravesó la puerta justo en el momento en el que le asaltaban las náuseas. Arrodillado, vomitó lo poco que tenía en el estómago. Excepto el dolor, no le quedó nada dentro. Con las últimas fuerzas se secó con una toalla y, agotado por la fiebre, se metió desnudo en la cama. Pronto cayó en un sueño profundo lleno de oscuros presagios como las aguas del mar de Irlanda. Estaba nadando en ese mar hasta que una mano tiraba de él para llevarlo hasta el fondo; era Úna que, sonriente, le daba la bienvenida.

Laura llegó a Montreux temprano. Aparcó lejos del centro, justo en el comienzo del Quai des Fleurs. Miró el reloj, le quedaba una hora para su cita con el médico. Sin salir del coche, se preguntó qué debía hacer. Pensó que no tenía tiempo suficiente para ir a la farmacia del señor Petrov. Al final, decidió no tomar el transporte público e ir andando hasta la Place du Marché, donde se encontraba la consulta.

El cielo estaba despejado. Una suave brisa procedente del lago refrescaba el ambiente. Se quitó la chaqueta, la dobló y la introdujo en el bolso. Siempre le habían gustado los bolsos grandes en los que se podían meter todo tipo de cosas para cualquier contratiempo, desde una aspirina o un brillo de labios hasta un kit completo para la menstruación. Contempló el neceser, de un discreto color marrón, en el que guardaba una braguita, un paquete de toallitas húmedas, unos tampones y un par de pastillas de ibuprofeno. Suspiró; deseaba con todas sus fuerzas no tener que utilizarlo en los próximos nueve meses. Sabía las altas probabilidades de que el primer intento de inseminación fallara, pero intentó ser positiva. Había dejado su trabajo por una temporada, por lo menos hasta que acabara la investigación o Thomas la despidiera, y eso le daba tiempo, la liberaba del estrés del hospital. Cuando le sugirió a Thomas que podía ayudarlo en el caso, en un primer momento solo había pensado en ella y en su deseo de ser madre, ahora tenía otra razón para continuar en ese insólito trabajo: las ganas de averiguar la verdad sobre lo que les había ocurrido a esas chicas. Estaba convencida de que las muertes no eran casuales.

Le pareció increíble poder disfrutar de la mañana en Montreux sin prisas, lejos de las luces fluorescentes de la sala de autopsias. Por su clima suave, Montreux era conocida como la capital de la Riviera del Vaud. Su vegetación de pinos, cipreses y palmeras hacía viajar en un instante a cualquier ciudad del Mediterráneo. El paseo por la ribera del lago Lemán era uno de sus preferidos. Se extendía a lo largo de casi siete kilómetros entre flores exóticas y palmeras. A un lado, el azul del lago y las enormes montañas con el blanco perpetuo en sus cimas; al otro, la ciudad de Montreux rodeada de verdes colinas sembradas de viñedos. Los jardineros de la ciudad sacaban el máximo partido del microclima regional, y embellecían con colores y perfumes los paseos del lago. Sus esculturas vegetales, obras de arte efímeras, añadían un toque artístico y original al paisaje. Admiró los hoteles de la *belle époque,* como el Fairmont Le Montreux Palace, en la Grand Rue, y las casas a lo largo de la carretera ribereña, todas con sus toldos amarillos. En el paseo del lago, además, abundaban los restaurantes, los bares de piano y jazz, las discotecas y el casino más viejo de Suiza.

Caminaba a buen ritmo respirando el aire fresco que llegaba de las montañas. Había momentos en los que se sentía bien, segura; otros, tonta, infantil, con la lágrima fácil. Tenía el cuerpo revolucionado. Los cambios de humor se sucedían sin previo aviso. Estaba desconcertada. Había sacado del armario una ropa más ancha, ya que el tratamiento le había hinchado la tripa. Acostumbrada a su estómago liso, tomaba la transformación como un buen presagio. Son mis óvulos que crecen, pensó feliz.

Tras media hora de caminata, llegó a la famosa estatua de Freddie Mercury, erigida en su honor por la ciudad en la que vivió la parte final de su vida. Evitó sentarse en el banco situado junto a ella, por la zona revoloteaban multitud de turistas. Sin darse cuenta había llegado al final de su camino; de espaldas a la estatua se encontraba la plaza principal de Montreux. Miró la hora, todavía contaba con veinte minutos hasta su cita médica. Pensó entrar en el mercado cubierto y aprovechar para hacer alguna compra, pero luego quería ir a la farmacia del tío de Irina que se encontraba en la parte vieja, en la colina, y prefería no llevar peso. Continuó el paseo a orillas del lago hasta el Casino Barrière, donde se sentó en uno de los bancos. Había sido reconstruido tras un incendio y, sin quererlo, había entrado a formar parte de la leyenda del rock. Durante un concierto, se lanzó una bengala al techo y el edificio se vio envuelto en llamas. Aquellas nubes de humo que se elevaban sobre las aguas del lago inspiraron a Ian Gillan, del mítico grupo Deep Purple, que estaba asomado a una ventana del hotel, la canción *Smoke on the Water*. A Laura le chiflaba el grupo y, por supuesto, aquella canción.

Una multitud de patos se acercaron buscando comida. Laura los espantó con los pies. Cerró los ojos y dejó que el sol le calentara la cara. Apoyó la espalda en el banco y se relajó. Enseguida le llegó el perfume de las flores exóticas y el sonido de las hojas de las palmeras movidas por la brisa del lago. Temió que se le pasara la hora, puso la alarma en el móvil, lo guardó en el bolso y volvió a cerrar los ojos. Sin saber por qué, se acordó de Thomas. Su comportamiento arisco le había molestado.

—¿Por qué habrá vuelto tan pronto? —se preguntó en voz alta.

No había que ser muy lista para deducir que algo había ocurrido en su viaje a Irlanda. Lo que fuera le había hecho cambiar de planes. Le extrañó la sal que impregnaba su piel, ¿se había bañado en el mar? Thomas y sus misterios. Había algo en su forma de ser que, para ser sincera, le atraía. Lo veía seguro de sí mismo, resuelto en sus decisiones. Cuando compartió con él su temor ante las muertes de las deportistas, la escuchó con amabilidad, sin cuestionar sus argumentos. La verdad es que se sentía viva y llena de energía. Estaba convencida de que hacía lo correcto y a ese estado de lucidez se había unido la esperanza de ser madre. Su estómago se encogió ante aquel pensamiento. Tenía miedo de convertirse en un dato estadístico, una mujer más que no podía tener hijos. Se preguntó si Thomas tendría hijos.

Unos adolescentes ruidosos pasaron delante de ella; molesta, abrió los ojos. Cuando se alejaron volvió a cerrarlos. En su mente apareció el ancho pecho de Thomas. Se dijo que lo mejor era olvidarse de ello y pensar en otra cosa. Pero no lo hizo, al contrario, se recreó en la imagen de Thomas en la cama, en su actitud desvalida. Volvió a recordar su camisa abierta y el calor que desprendía su cuerpo. Imaginó cómo sería estar encima de él y acariciar su pecho... La alarma del móvil la asustó.

—Tonta, más que tonta, pareces una adolescente cachonda —se dijo en voz alta, enfadada.

Sacó la chaqueta del bolso, pues se había quedado fría, y se la puso; luego se dirigió a la Place du Marché. Una vez allí cruzó el puente del pequeño canal que la atravesaba, y que llevaba el agua helada procedente de los Alpes, y entró en un edificio cerca de la plaza. Al tocar el timbre, le tembló la mano. Sus peores temores la asaltaron de golpe. No podía imaginar una vida solitaria, sin hijos. ¿Y si al final el resultado era negativo?

Respiró hondo varias veces y llamó. Le abrió la misma persona que la otra vez. Sin hacerla esperar, la condujo hasta la consulta del médico donde le pidió, con tono maternal, que se desnudara de cintura para abajo y se pusiera una bata de papel verde y unas pantuflas del mismo color. Cuando estuvo lista, apareció una enfermera joven y muy guapa que le pidió que se tumbase en la camilla. Laura obedeció y la enfermera la tapó con una sábana de papel también verde. Pasados unos minutos, entró el doctor Moller.

—¿Qué tal está, doctora Terraux? —dijo a la vez que le daba la mano.

—Bien, gracias. Aunque tengo una leve molestia en el estómago y se me ha hinchado bastante la tripa.

—Bueno, primero veamos cómo va el tratamiento.

Se puso unos guantes de látex, alcanzó una especie de pene gigante al que le colocó un preservativo y pulsó unos botones en una pantalla similar a un ordenador que tenía a su lado.

—Le voy a hacer una ecografía vaginal para ver el número y el tamaño de los folículos.

Laura asintió.

El doctor untó con un líquido transparente y viscoso el preservativo y lo introdujo con cuidado en la vagina. Laura se sujetó con fuerza a los bordes de la camilla e intentó respirar lentamente, como le habían enseñado en un curso de relajación, para paliar la sensación desagradable.

—Bien, tenemos cuatro folículos en el ovario izquierdo y tres en el derecho. Ahora voy a medirlos porque me parece que hay uno que crece demasiado deprisa.

—¿Es un problema?

—Nos va a hacer trabajar un poco más. Al principio, todos son de tamaño microscópico y crecen hasta unos veintidós milímetros alimentándose de nutrientes para el ovocito. En ese momento se abre un orificio en su pared y sale el ovocito; esto es la ovulación. Cuando uno de ellos alcanza un tamaño un poco mayor, se produce una inhibición del crecimiento de los demás. Si no controlamos el crecimiento tendremos un solo óvulo, y nuestra intención es conseguir la mayor cantidad posible para obtener más probabilidades de embarazo.

El doctor midió los folículos mientras la enfermera anotaba los resultados en el historial.

—Como suponía, hay uno de mayor tamaño. Tiene que venir mañana, pero antes quiero que se haga un análisis de sangre para comprobar los niveles de estradiol en sangre.

—¿Es una hormona?

—Exacto. Una hormona producida por los folículos en crecimiento. También vamos a ajustar la dosis inyectable para ralentizar el crecimiento del folículo —explicó el médico mientras se quitaba los guantes y los tiraba a la papelera—. Puede vestirse.

El doctor Moller desapareció tras el biombo y Laura comenzó a vestirse. La enfermera le dio unos pañuelos de papel para que se limpiara el líquido de la ecografía.

Cuando terminó, se sentó en una silla enfrente del doctor.

—No se preocupe —dijo de repente—, todo va bien. Está muy tensa. Aquí tiene las nuevas dosis y la veo mañana a las cuatro de la tarde. Y no se preocupe por las molestias, son algo normal en el tratamiento. *D'accord?*

—*D'accord.*

Cuando Laura salió a la calle soltó un suspiro de alivio. Se dio cuenta de que su cuerpo se encogía cada vez que entraba en la consulta. Notaba cómo los músculos agarrotados no empezaban a soltarse hasta que todo acababa. El doctor tenía razón, los nervios la consumían. Tenía que intentar relajarse. Decidió olvidarse de su maldito folículo gigante e ir en busca de la farmacia del señor Petrov.

Encajada entre abruptos flancos, en la orilla del bosque, la parte vieja de Montreux parecía estar suspendida en las alturas. En tan solo diez minutos, Laura llegó desde la ribera del lago hasta la *vielle ville*. A la entrada del casco antiguo estaba la aldea tradicional de Sâles, donde se hallaba el museo de Montreux repartido entre varias casas de vendimiadores del siglo XVII. Lo dejó a un lado y se dirigió a la Rue Pont, después de atravesar la Rue du Temple y la Rue de la Corsaz. Desde cualquiera de sus callejuelas se podían contemplar las vistas maravillosas del lago, las montañas o los bosques. Subió entre las calles estrechas. En muchos lugares, había ascensores para salvar las empinadas escaleras, pero Laura quería hacer ejercicio. Después de preguntar varias veces, encontró la Rue des Anciens Moulins donde estaba la farmacia.

Cuando entró, sonó una campanilla que avisaba de su presencia. Detrás del mostrador se encontraba el tío de Irina.

—Buenos días, señora, ¿qué desea?

—Buenos días, señor Petrov.

Al oír su apellido el anciano se puso en guardia.

—Quisiera hablar de su sobrina.

—¿Es usted policía? —preguntó el hombre.

—No, investigo la muerte de la señorita Irina.

—¿Por qué? Hace poco vino un policía al que le volví a contar todo lo que sabía.

—Soy ayudante del agente de la Interpol, el señor Thomas Connors.

—Pero ¿qué tiene que ver la Interpol con la muerte de mi sobrina? —preguntó Petrov, asombrado.

—Tratamos de averiguar qué pasó...

—¡Tonterías! —la interrumpió.

—Como le decía, necesitamos solventar ciertas dudas y esperamos que usted nos ayude —insistió Laura, con un tono más seco.

—A los muertos hay que dejarlos en paz —dijo él, y apoyó las manos en el mostrador.

Laura le sostuvo su fría mirada y le respondió:

—Los muertos descansan cuando están en paz.

—¿Se refiere a mi sobrina? Es absurdo.

Se oyó la campanilla de la puerta. Una anciana con muletas entró y saludó de manera efusiva al señor Petrov. Laura se hizo a un lado para que le atendiera. Mientras esperaba, alcanzó de un estante un folleto publicitario y lo hojeó. Después de lo que le pareció una eternidad, la mujer se fue de la farmacia con el consiguiente repiqueteo de campanillas. Laura dejó el folleto que informaba sobre unas vitaminas que potenciaban la concentración mental y le dijo sin rodeos:

—Sé que mintió al señor Connors, mi jefe, y quisiera saber por qué.

Esta vez fue Laura la que invadió el espacio del farmacéutico y se asomó por el mostrador.

—No sé de qué me habla —dijo este, mientras colocaba unas recetas en un cajón.

—Dijo que no conocía a Úna Kovalenko, cuando sabemos que no es verdad. Es más, ella estuvo con su sobrina alguna vez aquí, en su casa.

Laura no dejó de mirarlo a los ojos, y pudo ver cómo su gesto se transformaba en una mueca de sorpresa.

—Si quiere, pase un momento a la rebotica. Voy a poner el cartel de cerrado —dijo, señalando el interior.

Laura lo esperó y entraron juntos.

—¿Quiere un café?

—No, gracias, pero si no le importa tomaré un vaso de agua, *merci*.

Tomó el agua y se sentó en una pequeña butaca. Se quitó la chaqueta y la dejó junto con el bolso en el suelo. El señor Petrov tomó asiento detrás de la mesa camilla en una silla de enea.

—Mire, yo no tengo hijos, pero creo que debe ser terrible perder a alguien tan joven como su sobrina —dijo Laura en tono conciliador.

—Siempre piensas que tú irás delante a la tumba. Es antinatural. Todavía no me lo creo.

—¿Por qué dijo que no conocía a Úna?

—Sabía que había muerto de repente, como Irina, y no quise problemas.

—¿Qué tipo de problemas?

—Estos —respondió a la vez que la señalaba.

A Laura le pareció absurda la respuesta.

—¿No cree que la muerte de ambas puede estar relacionada?

–No.

–¿Le dicen algo los nombres de Verusha Antonova, Nathasa Stepanova, Yelena Ustinova y Arisha Volkova? –le preguntó–. Lo digo porque todas ellas murieron igual que su sobrina, de muerte súbita.

El anciano se levantó de repente y se fue a la pequeña cocina detrás de las cortinas. Laura oyó sonido de cacharros. Esperó. Apareció con un vasito de café. Lo dejó en la mesa, abrió un aparador de cristal, sacó una botella de coñac y le echó un chorrito al café.

–Coñac, me gusta su sabor. –Dejó la botella en la mesa y se volvió a sentar–. De la lista que me ha dado, solo conocía a una de ellas. ¿Las otras eran también deportistas?

–Todas, deportistas profesionales y rusas. ¿No le parece demasiada casualidad?

–Puede que el sistema de dopaje al que estaban sometidas tuviera algo que ver.

–¿Qué sabe usted de eso? –le preguntó Laura, incorporándose en la silla.

–Mi sobrina tomaba sustancias y Úna también. Irina comenzó a consumirlas cuando vivía en Rusia. Se dopaba y los resultados eran buenos. Aprovechó que se celebraban las Olimpiadas en nuestro país y, como era el país anfitrión, no había controles para los deportistas rusos, y probó, digamos... tratamientos más audaces. Cuando murió su padre y vino a Suiza siguió con lo mismo. Se dio cuenta de que si dejaba de doparse no sería nadie, solo una más del montón.

–Y ¿Úna?

–Comenzó cuando vio que Irina lo hacía y le daba resultado.

–¿Qué sustancias tomaban?

–Lo desconozco. Imagino que las que les dieran.

–¿Quién?

–No lo sé.

–¿Y no le importa?

El señor Petrov no contestó.

–¿Trató usted de persuadirla? –insistió Laura.

—El precio de la fama, señorita —respondió con tristeza.

—¿Usted sabía que su sobrina se dopaba y no hizo nada?

—Mire —Petrov se terminó el café de un trago—, para mi sobrina no había nada más importante que el deporte. Hubiera hecho lo que fuera para ganar.

—Pero usted es químico, sabía los efectos secundarios que podían causarle —argumentó Laura, perpleja.

—En efecto, y esa es mi cruz. Nunca crees que pueda pasar algo así. Había pocas posibilidades.

—Alguien es el responsable de que se hayan producido tantas muertes; o el fabricante, o el distribuidor de alguna de las drogas adulterada, o el médico o el sanitario que prescribió las dosis equivocadas.

El señor Petrov se encogió de hombros.

—¿Sabía usted quién le administraba las drogas a su sobrina? —insistió Laura.

—No, era un tema que no tratábamos.

—No le creo. Es usted farmacéutico. A mi no me engaña.

—Piense lo que quiera. Tengo que abrir la tienda —dijo Petrov de manera repentina.

—Pero, señor Petrov... Hay muchas cosas que se tiene que preguntar. No sé, ¿por qué no estaba mejor controlada? Necesitaría hierro, vitamina B12, ácido fólico..., simples precauciones, como la aspirina, para evitar trombos. ¿Sabe si bebía muchos líquidos? Una deshidratación con el hematocrito alto podía resultar fatal...

El señor Petrov se levantó y, sin molestarse en mirarla, pasó por delante de ella para abrir la farmacia. Laura recogió sus cosas y lo siguió muy enfadada.

—No sé cómo puede vivir tan tranquilo después de la muerte de su sobrina —le recriminó—. Si le hubiera importado un poco, ya hubiera removido media Suiza buscando al culpable de su muerte; yo lo hubiera hecho.

—*Mademoiselle* —se despidió Petrov, abriendo la puerta—, encantado. Espero no volver a verla.

—Lo dudo. Creo que usted sabe más cosas de lo que cuenta. Me pregunto qué pensaría su familia de todo esto. ¿Qué pensaría la madre de Irina?

—No se atreverá...

—Por supuesto que sí —contestó Laura mientras salía a la calle—. Le he dejado en el mostrador mi número de teléfono y mi dirección en Monthey. Espero su llamada o su visita.

Nada más cerrar la puerta de la farmacia, Oleg Petrov llamó por teléfono.

—Hola, soy el químico —dijo en ruso—. Tenemos que hablar. Siguen investigando, una mujer acaba de estar en mi farmacia y me ha hecho unas cuantas preguntas. Por cierto, me habéis mentido; hay más chicas muertas. Dile a tu jefe que lo arregle para que pueda dejarlo cuanto antes.

Cuando colgó, tiró con rabia un estante repleto de medicinas.

Laura abandonó la *vielle ville* de Montreux con la sensación de que no había conseguido gran cosa del farmacéutico. Decidió que iría a ver al increíble Hulk, como lo llamaba Thomas con sorna. Sentía curiosidad por saber qué había averiguado acerca de Oleg Petrov.

La comisaría de Monthey era un edificio vulgar de planta rectangular construido en ladrillo rojo. En la fachada, debajo de las ventanas de la segunda planta, ondeaban las banderas de Monthey, del cantón y de Suiza. No pudo aparcar cerca de la entrada; en el suelo una gran «R» indicaba que era zona reservada, y además, por si fuera poco, había una señal de prohibido aparcar. Laura condujo calle abajo hasta el Café Berra, en la Place de l'École. Parece ser que mi subconsciente es más inteligente que yo y me lleva hasta donde realmente quiero ir, no me había dado cuenta de que me muero de hambre, pensó divertida.

El Berra era uno de los restaurantes más populares de Monthey. Su interior era sencillo y acogedor. Para el gusto de Laura, tenía unas mesas demasiado pequeñas, pero el menú del día era bueno y su carta, además de tener solo vinos suizos, incluía una gran variedad de postres caseros. Se sentó en una de las pequeñas mesas; aunque era para dos personas, parecía individual. Retiró el diminuto jarrón de cristal, en cuyo interior había una única flor, la olió, y con una mueca de contrariedad depositó el jarrón en la mesa contigua; era una flor de tela. Un amable señor de mediana edad, con cara de luna llena y barriga prominente, le dio las buenas tardes. A la vez que colocaba los cubiertos y la servilleta encima del mantel de cuadros Vichy, le recitaba los diferentes platos a elegir. Al llegar a las coles en besamel, Laura perdió el hilo y tuvo que esperar a que terminase la lista para pedirle que, por favor, volviese a empezar. Eligió sopa de la casa, de segundo, bacalao en salsa *meunière* y de postre, después de pensarlo un rato, se decidió por un pastel de queso. El señor anotó su pedido.

Estaba terminando el segundo plato cuando entró un hombretón vestido de policía. Llevaba el pelo rapado y tenía la piel muy morena, como si acabase de llegar de un destino playero. Todo en él era enorme. El tamaño de sus bíceps impedía que la parte inferior de los brazos se pegase a los costados, lo que daba a su manera de andar un gesto altanero. Laura se levantó y se dirigió a la mesa donde se acababa de sentar Hulk.

—Buenas tardes, siento molestarle. ¿Es usted el sargento Fontaine?

—Sí, soy yo, y usted es la doctora Terraux.

—Perdón, ¿nos conocemos? —preguntó Laura, mientras le daba la mano.

Sentado en aquella mesa tan pequeña, el sargento parecía Gulliver en Lilliput.

—Hemos coincidido en algunas situaciones por motivos de trabajo.

—Lo siento, no recuerdo haberlo visto antes, y creo que me acordaría de usted.

—Ya... mi aspecto.

—Perdón, no se moleste, es que su físico es bastante... espectacular.

Al instante se arrepintió del adjetivo que había utilizado.

—No se preocupe, estoy acostumbrado —la tranquilizó Fontaine, soltando una carcajada.

El sargento tenía una risa sonora, musical, como de cantante de ópera.

—Estoy en esa mesa de ahí y me preguntaba si no le importaría que lo acompañase un rato. Si no espera a otra persona, claro.

—Por supuesto que no me importa; es más, estaré encantado. La verdad es que detesto comer solo. Por favor —dijo, y señaló la silla enfrente de él—, siéntese.

Laura recogió su chaqueta y el bolso y se sentó. Cuando llegó el orondo camarero a tomarle nota al sargento, Laura le avisó para que sirviese su postre en esa mesa.

—Dígame, en qué puedo ayudarla.

—El señor Connors, de la Interpol, lo llamó hace unos días para que investigase a Oleg Petrov, el dueño de la farmacia Vasil en Montreux.

—Exacto, tío de la chica muerta en Les Diablerets.

—Quisiera saber qué ha averiguado. Estoy trabajando como ayudante del señor Connors en este caso y me interesaría saber si ha encontrado algo.

—¿Ya no trabaja de forense? —preguntó el sargento, sorprendido.

—Es algo provisional —respondió Laura—. Digamos que se trata de una colaboración.

—No puedo entenderlo. Usted mejor que nadie sabe que no hay caso. Según su examen —dijo Fontaine, levantando un poco la voz—, la causa de la muerte fue natural. Usted firmó el documento forense. La investigación policial se dio por finalizada cuando tuvimos en nuestras manos la conclusión del examen patológico. Por nuestra parte, no tenemos nada más que aportar y le aseguro que no se va a designar un fiscal para este caso ni para los demás.

243

La conversación fue interrumpida por la llegada del *risotto*, que el camarero colocó delante del sargento.

—Tengo otras cosas más importantes que hacer que investigar a un... —continuó Fontaine, mientras desenvolvía los cubiertos de la servilleta.

—Me equivoqué —lo interrumpió Laura—. Tengo seis chicas, entre ellas Irina Petrova, con las que mi diagnóstico ha sido erróneo.

El sargento Fontaine se atragantó con el arroz.

—¿Cómo dice? —preguntó cuando dejó de toser.

—Le digo la verdad, pero no tenemos ni una sola prueba, por ahora.

—Y ¿cómo puede estar tan segura de ello? ¿Usted sabe lo que dice? ¿Seis chicas? —preguntó el sargento, incrédulo.

—Lo estoy. Precisamente después de terminar de comer iba a ir a la comisaría para hablar con usted. Ha sido una agradable casualidad vernos aquí. —Laura se aproximó un poco a él—. Puede confiar en mí cuando le digo que estas muertes no han sido naturales.

El sargento terminó su plato de arroz y observó a Laura pensativo. Conocía la profesionalidad de la doctora, por lo que sus firmes palabras le hicieron dudar. Laura se retiró un mechón de cabello moreno de la cara antes de agarrar el tenedor. Es preciosa, pensó, y lo mejor de todo era que ella no parecía ser consciente de su atractivo. Le llamó la atención la primera vez que la vio en el depósito de cadáveres; desde luego, un lugar poco romántico para entablar una conversación. Tanteó con las yemas de sus dedos su frente, como si tocase un piano imaginario, y sin dejar de observarla le dijo:

—El señor Oleg Petrov llegó hace quince años a Suiza, en concreto a Basilea. Tiene doble nacionalidad. Durante doce años trabajó para la gigantesca multinacional farmacéutica Poche. Hace tres años se fue de la empresa por motu propio y compró la licencia de la farmacia al anterior propietario, sin pedir ni un solo franco al banco.

—¿Se sabe todo de memoria? —preguntó ella con una sonrisa.

—Espere y verá, no es nada complicado.

El sargento le dio las gracias al camarero cuando dejó sobre la mesa un filete de ternera con patatas fritas. Laura aprovechó para pedirle una infusión de té verde.

—Como le decía, abrió la farmacia y no hay nada más —continuó Fontaine, y se metió un trozo de carne en la boca.

—¿Qué quiere decir con nada más?

—No tiene coche, ni pertenece a ninguna asociación. No debe nada a Hacienda. Nunca se ha casado ni consta que haya tenido una pareja estable. Lleva una vida anodina en la cual solo el trabajo parece llenarlo. Hace un poco más de un año hizo las gestiones para obtener el visado de su sobrina Irina. He leído cada documento que aportó, desde su nómina, a mi modo de ver algo escasa, hasta los informes de la Subdelegación de Gobierno. Todo correcto. Solo se salta la rutina para viajar a Rusia, algo que hace con bastante asiduidad. Fin del informe.

Laura le daba vueltas al té con una cucharilla de manera repetitiva, casi hipnótica. Necesitaba pensar en lo que acaba de decir el sargento.

—¿Por qué se fue después de tantos años de Poche? —preguntó interesada.

—No lo sé. No hay constancia de que hubiera ningún problema, simplemente se marchó. —El sargento pareció dudar un instante mientras bebía un sorbo de agua. Después preguntó—: ¿Puedo saber la razón por la que cree que esas chicas no murieron de forma casual?

Laura terminó de beber la infusión. La alarma del móvil comenzó a sonar. Alcanzó el bolso y rebuscó en su interior hasta que lo encontró. Era la hora de inyectarse su dosis de hormonas.

—Todavía no puedo darle una explicación racional, digamos que es un presentimiento. Espero poder llamarlo en breve y ofrecerle algo concreto. Y ahora me tengo que ir, si me disculpa...

Laura se levantó y el sargento la imitó. Se dieron un apretón de manos.

—Si necesita algo, llámeme —le dijo Hulk.

—¿Aunque solo sea una intuición?

—Aunque solo sea una intuición.

Laura lo miró mientras el sargento ofrecía la mejor de sus sonrisas. De manera refleja, ella le sonrió.

—Gracias y *bon appétit*.

Pagó la cuenta en la barra. Diez minutos más tarde, llegó a casa a tiempo para ver su serie preferida y pincharse.

Thomas durmió hasta el mediodía. No podía recordar el día que era ni las veces que se había despertado para volver a quedarse dormido. Oyó a unas personas hablar cerca de su puerta, que se alejaban entre risas. Cambió de postura y de nuevo concilió el sueño. Lo despertó el motor de un coche. Miró el reloj, había dormido tres horas. Eran las cinco de la tarde. Se quedó tumbado escuchando los leves sonidos procedentes de la calle. La rabia había desaparecido, en su lugar se había instalado una sensación de impotencia por haber sido engañado. Una imagen le vino a la mente, una de las muchas que se agolpaban en su cabeza: Una de adolescente, sentada en su mesa con la cabeza un poco agachada, concentrada en una lectura, ajena al mundo que la rodeaba, incluso a la persona que le sacaba la foto. Pensó que él hubiera podido en algún momento de su vida ayudarla con los estudios o quizá con algún problema amoroso o... Cerró los ojos con fuerza en un intento de zafarse de esos pensamientos. Aquellos sentimientos lo precipitaban al abismo.

Se levantó de la cama. Buscó en el armario el pantalón del pijama y una camiseta blanca de manga corta y se vistió. Se dirigió al salón de la suite y se tumbó en el sofá. Intentó ver una película, pero era incapaz de concentrarse en la trama. Se tapó hasta la barbilla con una manta y cerró los ojos. Casi de inmediato, los abrió de nuevo; su cabeza repetía una y otra vez la escena en la cual Maire le decía que Úna era su hija. Sin darse cuenta, se quedó dormido. Cuando despertó sintió hambre. Notaba que la fiebre había desaparecido, pero no la debilidad en sus músculos, que estaban agarrotados. Llamó al servicio de habitaciones y pidió que le subieran un zumo de naranja natural, un puré y una tortilla. Mientras esperaba, marcó el número de Laura en el móvil. No obtuvo respuesta. En ese momento llamaron de recepción para avisarle de que la doctora Terraux subía a su habitación.

La recibió con alivio, necesitaba compañía.

—¿Hola, estás mejor? —preguntó Laura al entrar.

Thomas asintió pensativo. Mientras, un aluvión de preguntas acudía a la cabeza de Laura, pero se contuvo.

—Te voy a tomar la temperatura y a auscultarte —dijo.

Se quitó el abrigo, lo dejó en el perchero a su izquierda y se aproximó a Thomas, que estaba sentado en el sofá. Le dio el termómetro para que se lo pusiera y se sentó a su lado.

—No hace falta que te quites la camiseta. Quiero que respires hondo por la boca y sueltes el aire cuando yo te diga. ¿De acuerdo?

—De acuerdo, esto es un lujo, médico a domicilio. —Thomas sonrió.

Laura se colocó el fonendo y oyó los sonidos del interior intentando encontrar algo anómalo, pero no había nada. Tenía ganas de terminar enseguida. Se sentía nerviosa al lado de Thomas.

—No hay ruidos, y... —dijo a la vez que comprobaba la temperatura del termómetro— no tienes fiebre, así que la consulta médica ha terminado. Me voy.

Antes de que Laura se diera la vuelta hacia la puerta, Thomas le sujetó el brazo.

—No te vayas, quédate, por favor.

Se hizo un largo silencio. Laura se estremeció al sentir el contacto de la mano poderosa de Thomas en su piel. Se recreó en sus hermosas facciones, en aquel rostro duro que no delataba emoción alguna. Ambos dejaron que el silencio se alargara, esperando una reacción que no llegó por parte de ninguno de los dos. Laura percibió un leve cambio en la manera en que Thomas la observaba; su mirada se tornó febril y apareció un brillo peligroso en sus ojos que delataba sus intenciones. Sintió que quería utilizarla para escapar de algo que ella no lograba descifrar y no pudo disimular su malestar.

—¿Qué te ha pasado en Irlanda? —le preguntó. Thomas seguía agarrándola del brazo.

—No quiero hablar de ello.

—¿Tiene algo que ver que regresaras tan pronto?

Thomas la miró fijamente. Laura comprobó cómo sus ojos cambiaban y dejaban traslucir tristeza y dolor.

—Déjalo, no preguntes. Hoy necesito compañía.

—¿Qué clase de compañía? —dijo ella todavía a la defensiva, apartándose.

—La de una amiga.

—¿Nada más?

—Te aseguro que nada más.

Llamaron a la puerta. Laura abrió. Era el botones con la comida. Dejó la bandeja en la gran mesa donde se encontraba el portátil. Antes de irse, Laura le pidió que le subiera una ensalada y una botella de vino blanco. Se descalzó y se quitó la chaqueta. Llevaba un sencillo vestido de manga francesa de algodón azul.

Thomas la miraba. Sabía que la había desconcertado con su petición. Se había mostrado débil en su presencia, pero no le importaba lo más mínimo, cualquier cosa con tal de no quedarse solo; esa noche, no.

Laura deseaba quedarse y que Thomas confiara en ella. Percibía la lucha de emociones dentro de él. Algo había sucedido en Irlanda y ella esperaba que compartiese su preocupación. Comprobó dolorida que no tenía ninguna intención de hacerlo. Le contó por encima su entrevista con el increíble Hulk y lo que sabía el sargento. Dejó para el final su conversación con el tío de Irina.

—¿Admitió que Irina se dopaba, así, sin más? —Thomas no podía creerlo.

—Igual que si hubiera dicho que mañana va a llover.

—Asombroso.

—Por lo menos ya tenemos algo, un testigo que nos dice que Úna e Irina se dopaban.

Thomas asintió pensativo mientras se bebía otra copa de vino.

—Perdona, pero el vino era para mí —dijo Laura.

—Ahora pido otra botella. Está bueno y fresco. Me despeja, estoy un poco mareado y me cuesta pensar.

—Y ¿eso es bueno? —preguntó Laura con una sonrisa.

—Es genial.

—¿Qué vamos a hacer con la investigación?

—Creo que tenemos que ir a Poche, en Basilea, a ver qué averiguamos. Conseguir una cita con el mánager de Irina, un tal... mmm... ahora no me acuerdo. ¡Vaya con el vino! —Thomas se rio, se sentía mucho más animado—. También deberíamos contactar con alguien de la lucha antidopaje para ver qué nos cuenta. Y en este instante, voy a llamar a mi amigo de la DEA, el bueno de George. Pongo el manos libres y así escuchas la conversación.

—Mala idea.

—¿Por qué?

—Porque no hablo muy bien inglés.

—¿De verdad?

Laura asintió. Estaba sentada en la alfombra. Una mesa la separaba de Thomas, que la miraba incrédulo desde el sofá.

—Para tu información, hablo además de francés, alemán e italiano —explicó desafiante—. ¿Me puedes decir cuántos idiomas habla tu amigo americano?

—Uno y mal. De todas formas, pongo el altavoz.

Thomas marcó el número de George; al quinto tono respondió.

—¿Qué hay de nuevo, viejo? —preguntó George.

—Buenos días —dijo Thomas, y consultó su reloj —¿Qué tal, George? ¿Cómo va todo?

—Literalmente de culo, llevo tres días sin poder ir al baño y la semana pasada no paré de ir a todas horas. Esto es una mierda.

—Nunca mejor dicho.

—¡Te crees muy gracioso! Algún día ese cuerpo tuyo de gigoló que Dios te ha regalado empezará a colgar y a ensanchar a la vez. Y cuando ese día... ¿Me oyes? Y cuando ese día –repitió George– llegue, me hartaré de reír.

–De acuerdo, perdona. En serio, haces bien en cuidarte, los años no perdonan.

–Que te jodan, Thomas.

–Por cierto, ¿has averiguado algo acerca del *doping?* –preguntó Thomas, cambiando de tema.

–Bastantes cosas interesantes. He hablado con un tío de la FDA, la Agencia Estadounidense del Medicamento, y me ha asegurado que la venta *online* se ha multiplicado en los últimos años con la adulteración de fármacos –le informó George sin ocultar su satisfacción por los datos obtenidos–. Un delito que, para la OMS, ya representa una epidemia silenciosa y, para las mafias, un negocio al alza con unas ganancias anuales que, en 2010, rozaron... agárrate Thomas, los setenta mil millones de dólares.

Thomas silbó.

–¿Te suena la Operación Esculapio?

–No.

–Un ciudadano alemán se quedó en coma –continuó George–. La familia notificó a la Policía que había comprado medicamentos en mal estado por Internet provenientes de España. Los agentes alemanes contactaron, vía Interpol, con sus homólogos españoles y se detuvo a cuatro personas, dos alemanes y dos portugueses, por delitos contra la salud pública e intrusismo profesional.

–Y ¿qué tiene que ver eso con el *doping?*

–Ya llego, tranquilo –dijo George ante la impaciencia de Thomas–. El tráfico de armas o de drogas, la trata de blancas misma, están penalizados como tales; la falsificación de medicamentos, no. Ni en Estados Unidos ni en la Unión Europea. Lamentablemente, no existe aún una normativa continental que aborde directamente la falsificación de medicamentos. Esta situación ha hecho que, desde hace un tiempo, muchas mafias se hayan pasado al tráfico de medicinas; es más rentable y no van a la cárcel, solo les caen penas menores.

—Y ¿cuando los pillan de qué se les acusa? —preguntó Thomas, perplejo.

—De delito contra la salud pública, contra la propiedad industrial y por falsificación de marca. A un culpable le pueden caer algo más de cuatro años por la falsificación —continuó George—. Para el consumidor, no hay penas más allá de una infracción administrativa. Me he enterado de cuáles son los países que integran los *ranking* de incautación de medicamentos falsos, y de que hay cantidad de páginas de Internet dedicadas a su venta. ¿A qué no sabes cuál gana por goleada?

—Déjame adivinarlo... ¿Rusia? —contestó Thomas con voz vivaz.

—¡Biingoo!

Thomas miró a Laura; estaba concentrada leyendo algo en el ordenador.

—En muchas ocasiones —prosiguió George—, hay redes ilegales bien organizadas que trafican con sustancias dopantes. Obtienen los productos de modo ilegal en farmacias o en hospitales de otros países que tienen una legislación permisiva, también en laboratorios clandestinos. Se cree que en Estados Unidos un tercio de los esteroides anabolizantes del mercado negro provienen de fuera y se introducen clandestinamente en el país; otro tercio se produce en laboratorios farmacéuticos legales del propio país y llega al mercado negro a través de algunos productores, distribuidores, farmacéuticos, veterinarios o médicos y, el último tercio, se produce internamente en laboratorios clandestinos.

—¿Has dicho «veterinarios»?

—Exacto, algunos deportistas utilizan esteroides anabolizantes de uso veterinario.

—Increíble —dijo Thomas.

—En los últimos años, el mercado negro de distribución y venta de productos prohibidos está aumentando considerablemente y, cada vez, se concentra más en manos de potentes mafias. Ya te lo he dicho, se gana más dinero vendiendo productos dopantes, cien dólares por cada dólar invertido, que traficando con heroína y cocaína. Además, el tráfico está muy ligado a las apuestas clandestinas, sobornos y corrupción.

—Así que, detrás están las mafias... —murmuró Thomas hablando casi para sí mismo.

—Sin duda —contestó George—. Es como todo, cada época tiene un producto de moda. Por ejemplo, el estanozolol, que entra desde México bajo las marcas Ttokkyo, Ilium y Jurox, es el más popular en el mercado negro de Estados Unidos y la droga más consumida por atletas, la que más aparece en los registros de control antidopaje.

—Y ¿qué efectos produce?

—Es un esteroide anabolizante que se utiliza para el crecimiento muscular. He oído que acorta el tamaño del pene —añadió George bajando la voz.

—¿Tú tomas de eso? —preguntó Thomas sonriendo.

—Si vieras mi aparato, te darías cuenta de que en este cuerpo no ha entrado nada químico. Ahora mismo lo estoy mirando y puedo decirte que es... soberbio.

Thomas soltó una sonora carcajada que sacó a Laura de su ensimismamiento.

—Pero ¿no estás en el trabajo? —le preguntó Thomas, extrañado por los sonidos de agua que escuchaba a través del teléfono.

—Hace un instante me encontraba en una reunión con el ministro de Exteriores.

—Ya, ¿y ese ruido? —inquirió Thomas.

—La cadena del váter. Y, querido amigo, te tengo que dejar. Aunque he de decirte que me ha sentado bien hablar contigo. Gracias a ti he acabado con mi estreñimiento.

—La próxima vez ya lo sabes, aquí me tienes.

—Ok, te llamaré. Tranquilo, husmearé un poco a ver qué averiguo sobre las mafias rusas en Europa. *Bye*.

—*Bye*, campeón.

Thomas apagó el móvil y apuró su copa. Se sentía bien, en paz. El vino le había hecho efecto. Una nube rondaba su cabeza y lo elevaba unos centímetros del suelo.

—¿Todo bien? —preguntó Laura.

Thomas le resumió lo que le había contado su amigo y le preguntó:

—¿Qué has estado leyendo con tanto interés?

—Es un informe de tu jefe. Le he echado un vistazo.

—Uff... Si lo resumes y no lo tengo que leer, te estaré muy agradecido porque es un hombre, digamos..., denso, tanto en persona como por escrito.

—Habla de la lucha contra el tráfico de productos dopantes y de las muchas dificultades que presenta; la legislación sobre las sustancias es muy diferente de un país a otro. Por ejemplo, la distribución de esteroides anabolizantes es ilegal en muchos países y en otros, no. Para intentar unificar las acciones contra el tráfico de sustancias prohibidas, la AMA está realizando distintas acciones con la Interpol. —Hizo una pausa para beber de su copa—. También cree que la ratificación de la UNESCO contra el dopaje en el deporte es un buen camino para unificar y endurecer poco a poco la legislación a nivel mundial de la distribución de sustancias prohibidas.

Laura se incorporó, alcanzó un cojín de una silla para sentarse en el suelo.

—Fíjate, qué curioso —continuó—. En Estados Unidos, tras los escándalos de dopaje que han aparecido en los últimos años, se ha endurecido la legislación relacionada con el tráfico de dopantes hasta tal punto de que si los responsables de uno de los grandes escándalos de dopaje, como el caso de los laboratorios Balco, fuesen juzgados ahora, les caería una condena de diez años de cárcel en vez de los tres meses a los que fueron condenados.

—¿Qué caso es ese? —preguntó Thomas con interés.

—En el año 2003, la Policía estadounidense descubrió que el laboratorio Balco y su presidente, Viktor Conte, suministraban sustancias dopantes a deportistas olímpicos de su país.

—Me escandaliza que todos estos actos hayan quedado impunes —comentó indignado.

—Si no te importa, me llevo el informe para leerlo con detenimiento —dijo Laura, y se levantó. Se sentía cansada.

−¿Te vas ya? −preguntó Thomas sorprendido.

−Sí, es tarde y mañana tenemos mucho que hacer. He conseguido una cita con un miembro de la lucha antidopaje, veremos qué dice.

Se le abrió la boca sin querer y el efecto llegó a Thomas, que también bostezó. Mientras Laura se ponía el abrigo, Thomas quiso decirle que se quedara, que pasaran la noche juntos, pero se contuvo, sabía que era una mala idea. En cuanto Laura se marchó, marcó el número de recepción.

−Hola, buenas noches. Llamo desde la habitación 203 y quisiera saber si es posible que me envíen una señorita de compañía.

−Por supuesto, señor −respondió el interlocutor sin variar su tono de voz−. ¿Alguna preferencia?

−Que no trabaje en la calle.

−Por supuesto, señor, nuestro hotel trata con una agencia muy seria −dijo el recepcionista, ofendido.

−En lo que respecta a su aspecto, no la quiero pelirroja −añadió Thomas antes de colgar.

31

Aquella mañana la niebla se adentró en los jardines de las casas y se instaló en las copas de los árboles. ¿Era real lo que había presenciado en la abadía?, se preguntó Janik. A la luz del día la escena le parecía sacada de una película de terror, demasiado lúgubre para ser cierta. Se convenció de que había sido un sueño.

La casa de Nicola aparecía cubierta por la neblina. Cuando Janik entró, le vinieron a la mente muchos recuerdos de su adolescencia. Nicola y él subieron las escaleras y pasaron a la habitación. Una fina alfombra de pelo largo cubría parte del suelo de madera. Las paredes se enmarcaban con estantes de diferentes tamaños abarrotados de libros sobre estrellas, física cuántica, cálculo diferencial, álgebra. También había cajas de plástico repletas de CD y fotos. Al fondo, debajo de una amplía ventana, estaba la mesa de trabajo de Nicola con un ordenador portátil, clasificadores y una guitarra que estaba apoyada contra la pared.

Se sentaron en el borde de la cama.

—¿Por qué no tocas algo de Maxim Nucci? —le pidió Janik.

—Prefiero tocarte a ti —dijo Nicola, arrimándose a él.

—No, en serio. Toca esa canción que sale en la película *Les petits mouchoirs*. ¿La conoces?

—Pues claro, es una de mis preferidas.

En cuanto oyó la primera nota, una emoción profunda se extendió por el cuerpo de Janik. Nicola comenzó a cantar en voz muy baja casi entre susurros. Janik tembló, y antes de que le cayera una lágrima, se interesó por un libro de matemáticas que estaba abierto encima de la cama.

Cuando Nicola terminó la canción, un cómodo silencio se instaló entre ellos.

Nicola lo miró con deseo y Janik apartó la mirada. Estaba tan cerca que podía escuchar su aliento. Lo besó.

—¿Y tus padres?

—No vienen hasta la hora de comer.

Se fueron quitando poco a poco la ropa sin dejar de besarse. La mano de Nicola se posó con determinación en su calzoncillo. Janik suspiró.

—¿Y tus padres? —repitió.

—No te preocupes, tenemos mucho tiempo; no vienen hasta mediodía.

La primera vez lo hicieron apresurados, como si el deseo estuviese al borde de un precipicio dispuesto a saltar en cualquier momento. Esta segunda vez el tiempo se paró. Sus manos recorrieron con las yemas de los dedos cada centímetro del cuerpo del otro. Deteniéndose si encontraban una pequeña cicatriz, una peca, una zona de piel más suave que provocaba un suspiro o un pequeño movimiento de placer, entre complicidad, risas, preguntas y confesiones. Avanzaron poco a poco, deteniendo la prisa por llegar al clímax. Con cada beso, el deseo era mayor, con cada caricia aumentaba la sensación de que no había nadie más, hasta que Nicola se dejó llevar y contagió a Janik, que se fue con ella a otro mundo. Permanecieron unos minutos quietos, conscientes de que se había creado un vínculo irrompible.

Desde aquel día, y a medida que pasaban más tiempo el uno al lado del otro, el ánimo de Janik empezó a mejorar. La complicidad que da el sexo, junto con su alegría, eran una buena medicina contra su dramática decisión.

Nicola había conseguido una plaza en la Universidad Libre de Berlín, una de las más prestigiosas de Alemania. Los dos primeros años se dedicó casi por completo a los libros, pero cuando iba a comenzar el tercer curso, su compañera de piso se mudó. Nicola tuvo que buscar una nueva inquilina y apareció Dana, una chica cuya delgadez rozaba los límites de la anorexia. Tenía el pelo corto como un chico y teñido de rubio platino, varios *piercing* en la cara y un tatuaje que le cubría el brazo izquierdo. Por como hablaba de ella, Janik sospechó que había existido algo más que amistad entre ellas, pero no se atrevió a preguntar.

—Yo también tenía una amiga muy especial —dijo Janik con semblante serio.

—¿La chica que murió? —preguntó Nicola.

—Sí, se llamaba Irina.

Al pronunciar su nombre, Janik sintió una punzada en el corazón, seguida de un movimiento de hombros, como si quisiese reprimir un escalofrío.

—Tuvo que ser muy duro —dijo Nicola mientras se reclinaba sobre su pecho.

—Sí, aún pienso que va a aparecer como un fantasma por los pasillos de la residencia.

Nicola no dijo nada, se limitó a acariciarle el pecho como si sus caricias pudiesen acelerar el duelo.

—No es justo que una chica muera tan joven, no tiene sentido —dijo.

—Te mentí sobre la muerte de Irina, no murió de un accidente de coche; la encontré una mañana muerta en su cama.

Nicola lo miró con cara de desconcierto.

—No sé porque te mentí, no fue algo premeditado.

—¿Fue hace mucho tiempo?

—El año pasado, justo antes del verano.

—No tienes que hablar de ello si no quieres. Entiendo cómo te debes sentir.

Su estancia en Maur transcurrió entre las conversaciones en casa de Nicola, los desencuentros con su madre y las pesadillas durante la noche. El gusano que tenía en el estómago había abandonado su guarida y correteaba por su cerebro. Cuando dormía, aprovechaba para hacer su trabajo.

En sueños, Janik veía la imagen de su padre sentado en una mesa de piedra en una pequeña finca rodeada de cerezos. Otras veces soñaba que estaba en las pistas de atletismo acompañado de Viktor. Cuando giraba la cabeza, Viktor tenía en su cara la sonrisa de Blanc.

32

Thomas observaba con detenimiento la habitación de Arisha Volkova. La casera, muy amable, lo había dejado pasar sin que enseñara su credencial. Le aseguró que no encontraría nada que le sirviese de ayuda, hacía cuatro meses que allí vivía otra chica.

—Perdone, pero ¿guarda algo de Arisha? ¿Quizá en algún trastero? —preguntó Thomas esperanzado.

La casera respondió con un frío no.

—¿De qué país es su nueva inquilina? —preguntó de nuevo mientras la mujer abría la puerta.

La chica nueva era rusa y también deportista. El acento de la casera delataba su procedencia, algún país del Este. En cuanto Thomas entró, la mujer se marchó escaleras abajo gritando algo de una comida al fuego. Thomas se quedó a solas. La habitación era todo lo deprimente que uno podía imaginar. Parecía un cuartucho de la KGB. Lanzó un suspiro y, con desgana, comenzó el registro de los objetos personales de la chica. Abrió los cajones de la mesilla; bastante vieja como todo lo de la habitación a juzgar por la multitud de rayas, golpes y desconchones. Seguramente serían muebles de segunda mano. Le vino a la mente una película que había visto años atrás en un pequeño cine, *La soledad del corredor de fondo*.

El protagonista era un chico de un entorno marginal que se dedicaba a robar. Fue a parar a un reformatorio y allí vio con asombro que, gracias a sus aptitudes físicas, se ganaba enseguida la admiración del alcaide. Unos de los privilegios que tenía era poder correr fuera del recinto alambrado. Para Thomas, aquellas escenas eran las más bonitas de la película: el chico, más que correr, galopaba entre los esqueletos de los árboles, libre, con el vaho saliendo de su boca, pisando las hojas heladas del suelo, vestido con unos míseros pantalones cortos, una camiseta fina y unas mugrientas zapatillas. El blanco y negro reforzaba la sensación de frío que padecía, pero conforme corría se iba liberando del pasado. Quizá la joven que ocupaba esa habitación tenía una historia parecida; el deporte le daba una oportunidad para salir de su país y vislumbrar un futuro diferente. ¿Dónde se hallaban el lujo y la magia del deporte que vendían en la televisión? Desde luego, allí no.

Se encaminó a la ventana, y con gesto cansado apoyó su frente en ella. Sintió el frío del cristal en su piel y sin saber por qué aquello lo reconfortó. Los coches de los vecinos estaban aparcados en el borde de la acera, donde los niños montaban en bici. Detrás, las casas estrechas de dos plantas se arracimaban, como intentando escapar del frío de la mañana. En los jardines, crecían magnolias blancas, alegrías, geranios, hortensias y enormes parras de vid que se asían a aquellas fachadas humildes. Es fácil huir de la realidad si miras la vida desde la ventana; contemplas un escenario en el que las personas cambian constantemente y tú eres el único espectador de la obra, pensó Thomas.

Algo le estaba pasando y no sabía cómo descifrarlo. Desde el encuentro con Maire se sentía diferente. Nada parecía interesarlo, la desgana se había adueñado de él; eso, y el temor a la noche, plagada de pesadillas, era lo único que dejaba poso día tras día. Se obligó a continuar con su trabajo. Siempre queda algo, siempre, pensó. No es posible borrar de golpe las huellas de una vida, por muy corta que haya sido.

En el primer cajón de la cómoda había un bolígrafo, pilas usadas, un paquete de chicles, un par de pendientes baratos, una revista escrita en algún idioma eslavo y unos caramelos de regaliz. Encima del mueble vio una caja de cartón con un bonito cierre en forma de corazón. Miró dentro; había una docena de fotos en color. Personas con bebés en brazos, un grupo de escaladores sonrientes, una casa de madera verde con un precioso almendro en flor, más grupos de gente. Nada interesante. Una de ellas le llamó la atención: una joven con tres medallas colgadas al cuello rodeada de gente. Era Arisha. Acercó la foto para verla mejor, siempre le asombraba la diferencia tan brutal que existía entre la muerte y la vida. Recordó las fotos del depósito. La guardó en una bolsa plastificada. Buscó en el armario, pero no vio nada que le llamase la atención. Miró en la cocina, en los estantes, en el frigorífico; se sorprendió al verlo tan lleno, no sabía por qué siempre había creído que las deportistas comían poco. No faltaba nada. Los yogures desnatados ocupaban la parrilla de arriba, junto con unas pechugas de pollo; abajo del todo, un cajón repleto de fruta y verduras. En el lateral, zumos variados, leche, huevos, más de dos docenas, y unas cuantas tabletas de chocolate negro.

Colgado en la puerta de entrada estaba el abrigo de la nueva inquilina. Era un plumífero rojo de buena calidad con la capucha ribeteada en piel. Buscó en los bolsillos, de los que sacó unas cuantas monedas, una tarjeta de transporte y un paquete de pañuelos de papel. Vio que había un bolsillo interior en la parte izquierda. Metió la mano, enfundada en los guantes de plástico, a través de la pequeña abertura, pero no pudo llegar hasta el fondo porque era demasiado estrecho. Lo intentó con dos dedos, notó el tacto de un papel. Con cuidado lo sacó y lo abrió. Excitado, vio que era la misma hoja cuadriculada, con la misma letra que los de Úna e Irina.

¿Dónde habitan tus ilusiones?
Revolotean en el aire
en busca de alguien que no llega.
Las contemplo envueltas en suspiros
llenos de amor y esperanza.
Yo las conozco, no temas,
tus ruegos huérfanos serán recompensados.

—¡Hola! Perdone, señora, ¿está usted ahí?

Thomas se hallaba en el interior de la portería. A través de una puerta desconchada que dejaba entrever una pintura color crema, asomó la cabeza y llamó a la portera.

—¡Disculpe!

La mujer apareció tras otra puerta situada en el pasillo, seguida de un olor a coles cocidas.

—¿Qué desea? —preguntó—. ¿Ya ha terminado?

—Perdone que la moleste, pero me gustaría saber dónde puedo encontrar a su inquilina y si me diría su nombre.

—¿Puedo saber por qué? —preguntó desconfiada mientras se secaba las manos.

—Tengo una duda y espero que ella me la resuelva. Soy agente de la Interpol y, por supuesto, no quiero causarle a usted ninguna molestia, como interrogarla por si tiene el permiso para alquilar habitaciones.

La mujer dudó un instante antes de responder.

—Se llama Tania Popova y en estos momentos está entrenando en Les Diablerets.

Un escalofrío recorrió la espalda de Thomas. Todo parecía acabar en ese lugar.

Laura acabó la consulta con el doctor Moller antes de lo previsto. Todo marchaba bien. La distensión y el dolor abdominal habían mejorado. Sin embargo, el médico le había recomendado descanso, beber líquidos con alto contenido en sales, evitar el alcohol y la cafeína y tomar algún analgésico suave para el dolor. Dentro de dos días sería el momento óptimo de maduración de los óvulos para proceder a la fecundación.

Cuando terminaron la consulta, le dijo que pasara a una sala cercana para tener una entrevista con una psicóloga clínica. La doctora era una mujer de mediana edad con el pelo liso, totalmente blanco, recogido en un moño con la raya a un lado. Aquel peinado le daba un aspecto sobrio y contenido. Sin embargo, sus ojos y su boca eran alegres y sonreían al unísono.

—Buenos días, doctora Terraux, soy Irene. Espero que pueda dedicarme un poco de su tiempo.

—Sí, por supuesto —dijo Laura algo confusa.

—Supongo que se preguntará qué hace aquí. Para su tranquilidad, le diré que es algo normal dentro del tratamiento.

Siéntese, por favor, no la voy a entretener mucho. ¿Cómo se encuentra?

—Bien, bien.

—Me ha comentado el doctor Moller que en la consulta suele estar bastante tensa.

—Bueno... sí, es que es una situación tan ajena a mi vida diaria que cuesta acostumbrarse. De repente, tienes que pincharte, hacerte ecografías, hablar de plazos, óvulos, demasiada información... —Laura agarraba con fuerza el bolso que tenía encima de las piernas, un hecho que no pasó inadvertido a la psicóloga.

—Entre el veinticinco y el sesenta por ciento de las personas que inician un tratamiento de fertilidad pueden desarrollar un síntoma psicopatológico. La ansiedad, la presión social, el miedo ante las pruebas o los tiempos de espera pueden provocar un impacto emocional ante el cual es necesario estar preparado. —La psicóloga hizo una pausa para comprobar la reacción de Laura, que permanecía atenta y tranquila—. Los días de espera desde el inicio del tratamiento hasta el momento de conocer el resultado son los más duros. Si llega la menstruación, lo que significa que el método ha fallado, genera síntomas depresivos también.

—Creo que estoy preparada —dijo Laura en voz baja.

—Con esto solo quiero decirle que es normal tener dudas y que, a veces, las cosas no salen como una quiere. Incluso cuando se consigue el embarazo, el principal trastorno para la salud tras un tratamiento de fertilidad es el peligro de embarazo múltiple. La tasa de embarazo múltiple aumenta el quince por ciento tras los tratamientos.

—Lo sé, he leído bastante acerca del tema.

Lo cierto era que Laura había comprado en una librería de Ginebra toda la bibliografía que le recomendaron.

—Sé que es forense. Por tanto, está usted familiarizada con los términos médicos, pero eso no la exime de sentir.

Laura asintió.

—¿Con quién habla de la decisión que ha tomado? —continuó la psicóloga.

—Con nadie.

—¿Puedo saber el motivo?

—Creo que es algo que me incumbe solo a mí y que la mayoría de la gente no entendería —dijo Laura, resuelta.

—¿No tiene usted familia? —preguntó con interés la psicóloga.

—Tengo a mi padre y a mi hermana, pero si le soy sincera, no me apetece compartir este momento con ellos —explicó cada vez más incómoda.

La doctora notó en esa última frase un tono más agudo y crispado, una actitud menos amable hacia ella. Veía crecer su hostilidad y le pareció interesante continuar por ese camino.

—¿No le parece necesario compartir su posible maternidad con su familia? Un bebé requiere cuidados y puede que necesite su ayuda en algún momento.

El rostro de Laura se endureció y, sin darse cuenta, apretó la boca hasta que sus labios no fueron más que una línea descolorida.

—Llevo unos dos años sin ver a mi familia —dijo, alzando la voz levemente —. Solemos hablar por teléfono y nos ponemos al día de las pequeñas cosas que nos ocurren, pero las grandes, las importantes, nos las guardamos, porque… así lo hemos hecho siempre. Cuando murió mi madre a mi padre lo mejor que se le ocurrió fue esconder sus fotos y recuerdos y seguir viviendo como si nunca hubiera existido. Ese era y es su modo de actuar.

—Y ¿a usted le pareció bien?

—Era pequeña y lo asumí de una manera natural —respondió, encogiéndose de hombros— ¿Quién era yo para contradecirlos?

—Habla en plural, ¿esto también incluye a su hermana? —preguntó la psicóloga.

Laura respondió de manera afirmativa con un movimiento de cabeza, como si volviera a ser una niña.

—No me malinterprete, los quiero, pero entre nosotros existe una relación cordial, más bien fría, y la frialdad ha aumentado con los años. Mi padre vive en Italia con mi hermana y su familia. Yo soy la hija, la hermana, la tía ausente, lo cual creo que está bien que siga así. Me siento feliz. —Tomó la chaqueta entre las manos anunciando el final de la conversación—. Es una decisión muy meditada que estoy disfrutando a solas. No deseo invitados.

—De acuerdo, pero es importante que sepa que la mayor parte de las mujeres experimentan de tres a seis ciclos de inseminación artificial antes de conseguir un embarazo o de intentar otro tratamiento y, que si no funciona, a veces es bueno hablar de ello.

—Lo pensaré, gracias.

—Acabo de leer en su historial que sus folículos casi han alcanzado un tamaño de veinte milímetros de diámetro y que los niveles de estradiol son los adecuados, así que se le indica la inyección de HCG para... —Miró la pantalla—. Hoy mismo. Como le ha explicado el doctor Moller, esta hormona induce los últimos cambios madurativos y la ovulación.

La doctora René acabó de ojear el historial en el ordenador y antes de cerrarlo añadió:

—Bien, doctora Terraux, nos vemos pasado mañana para su inseminación.

Laura puso la alarma para las dos de la tarde, hora de la inyección y, pletórica, llamó a Thomas.

Thomas conducía en dirección a Les Diablerets, cuando recibió la llamada de Laura. Estaba libre y quería saber si la acompañaría a la entrevista con un responsable suizo de la lucha antidopaje. Thomas activó el manos libres y puso a Laura al corriente de lo que había encontrado. Quedaron en que ella fuera a Lausana mientras él visitaba a Tania Popova.

Laura llegó a Lausana justo a tiempo para comer antes de entrevistarse con el señor Flaubert. Eligió un restaurante de comida rápida. La hamburguesa de pollo con extra de queso y beicon era su preferida. El rebozado de hierbas y especias le encantaba. Para acompañar, pidió una ensalada César en vez de patatas fritas y, para beber, un botellín de agua. A esas horas, el local estaba muy animado y en la planta baja no había mesas libres. Se dirigió con la bandeja al piso de arriba y ocupó la mesa que dejaban libre un par de estudiantes. Cerró los ojos para saborear el primer mordisco, crujiente... delicioso. Unos cuantos trocitos de lechuga cayeron encima de la bandeja. Miró el reloj; le quedaban quince minutos para la cita y tres horas para la inyección.

El señor Flaubert la esperaba en el *hall* del hotel donde se alojaba. Aunque tenía que tomar un avión con rumbo a Canadá dos horas después, había aceptado de manera muy gentil la entrevista. Vestía un traje oscuro de corte impecable, acompañado de camisa blanca y corbata azul. Era un hombre de unos cincuenta años con grandes entradas en las sienes y el pelo castaño. Sorprendía su altura y su delgadez tanto que, como más tarde le comentaría a Laura, de pequeño lo llamaban «junco». Se saludaron con un fuerte apretón de manos breve, y se dirigieron a un discreto rincón de la cafetería del hotel. Laura pidió un zumo de naranja natural y el señor Flaubert declinó tomar algo.

—Me gustaría comentarle que desconozco el mundo del deporte; es más, ni lo practico ni lo sigo en televisión.

—Pues no me equivoco si le digo que es usted un bicho raro. Dígame, ¿qué desea?

—Soy doctora forense y en los últimos meses he practicado varias autopsias con un mismo patrón: chicas jóvenes, deportistas, que han fallecido de muerte súbita.

—¿De cuántas hablamos? —preguntó preocupado.

—De seis deportistas en un año.

—Y, como me comentó por teléfono, piensa que es el *doping* la causa de sus muertes.

—Exacto.

—Desde que se creó en Lausana el AMA, el deporte ha cambiado mucho y, con ello, la lucha contra el dopaje en todo el mundo y en todas sus formas. El AMA o WADA, World Antidoping Agency, lucha por una práctica del deporte más sana.

—¿Cómo combaten el *doping?* —Laura se removió insatisfecha en su silla. No quería un discurso, el maldito Flaubert hablaba como un político—. ¿Me podría dar ejemplos concretos de cómo combaten la producción, el uso, el tráfico y la distribución de productos dopantes?

–¡Vaya, vaya! De acuerdo, quiere que vaya al grano. En el Tour de Francia de 1988, agentes de aduanas, junto con la Policía francesa, hicieron una redada en la que se encontraron productos prohibidos en el autobús del equipo ciclista Festina. Esa actuación, y la repercusión que tuvo en el mundo, dio origen a la creación del AMA. –Flaubert hizo una pausa y prosiguió–: Años después, la Policía italiana descubrió una trama de dopaje en la cual algunos médicos y empleados de la Federación Italiana de Ciclismo vendían EPO y sustancias dopantes que obtenían en hospitales. A su vez, la autoridad estadounidense antidroga denunció a varias compañías farmacéuticas mexicanas que producían y suministraban esteroides anabolizantes a deportistas.

–Pero... usted habla de una trama a nivel mundial en la que la Policía funciona como hormiguitas, logrando éxitos muy poco a poco. Y, cuando los consiguen, tiran de los hilos sin saber bien qué se van a encontrar...

–Tiene toda la razón. Así es. Ya ve, como consecuencia de esta investigación, la Policía estadounidense identificó a más de treinta compañías chinas que suministraban algunas de las sustancias activas de las sustancias dopantes, y laboratorios clandestinos que operaban en Estados Unidos y en otros países. La investigación concluyó con el cierre de alrededor de cincuenta laboratorios clandestinos en Estados Unidos, más de cien personas arrestadas y cerca de siete millones de dólares confiscados. ¿Quiere que continúe o me estoy extendiendo demasiado?

–Sí, por favor... continúe –respondió Laura–. Me parece ciencia ficción. Nunca hubiera imaginado que el deporte generara delincuencia.

–Desgraciadamente, así es. Donde hay dinero hay corrupción. En el año 2006, la Policía española desarticuló una trama de tráfico de productos prohibidos y de métodos de autotransfusión de sangre organizada por dos médicos, uno de ellos es un tal Eufemiano Fuentes, que suministraban estos productos a ciclistas españoles, alemanes e italianos y, posiblemente, también a algunos tenistas, atletas y futbolistas. Fue un caso muy sonado, se conoció como «Operación Puerto». En otro caso, agentes de aduanas de Finlandia confiscaron cerca de doce millones de pastillas de esteroides anabolizantes que, procedentes de China, se transportaban con destino a Rusia.

Laura lo escuchaba con los cinco sentidos puestos en sus palabras.

—Mire, en estos y otros casos —prosiguió Flaubert— la intervención de la Policía ha tenido como consecuencia la sanción por dopaje de muchos deportistas que nunca hubieran sido sancionados de no ser por estas redadas e investigaciones.

—Pero he leído sobre ustedes y, si me permite decirlo, parece que tienen un presupuesto enorme para la lucha contra el dopaje. Si no recuerdo mal, el año pasado alcanzaron los veintiséis millones y medio de dólares. Creo que tienen medios materiales suficientes para atajar esta lacra —argumentó Laura con sequedad.

—No es tan sencillo. Hablemos tan solo de un medicamento dopante, por ejemplo, la EPO. En los años ochenta, se sintetizó de forma artificial para tratar a enfermos del riñón, pero se desvió fundamentalmente a deportes de resistencia donde el rendimiento dependía, entre otros factores, de la cantidad de oxígeno que llegaba al músculo. —Hizo una breve pausa—. Sin embargo, cuando se administraba EPO aumentaba el número de glóbulos rojos y, por tanto, la viscosidad de la sangre, lo que dificultaba la circulación sanguínea. De hecho, no sé si recuerda una serie de muertes de ciclistas a mediados de los ochenta...

—Por supuesto. De hecho, ha sido el punto de partida de nuestra investigación.

—Poca gente conoce la historia. Fue un caso que se olvidó rápidamente. Como esa primera EPO no se podía detectar en análisis de orina, se la llamó el «asesino invisible».

—Es lo que creo que les pasó a estas chicas. Los casos son similares, muertes súbitas y ninguna prueba que indique causa no natural en las autopsias. —Laura sintió que su corazón se aceleraba; por primera vez había alguien que corroboraba sus hipótesis.

Flaubert asintió.

—A raíz de estas muertes, las autoridades antidopaje utilizaron una medida indirecta para prevenir estos riesgos: la tasa de hematocrito. Se estableció que un valor superior al cincuenta por ciento suponía un riesgo para la persona que practicaba deporte. La EPO de segunda generación, la Aranesp, tenía una vida media de veintiséis horas en el organismo frente a las seis de su predecesora. Pero, cuando estábamos intentando detectar esta nueva sustancia, se comercializó otro tipo de EPO, la Cera, una molécula que tarda más en metabolizarse y dura más en el organismo. —El señor Flaubert se detuvo un instante para comprobar un mensaje que le había entrado en el móvil y prosiguió—. Un enfermo renal que tenía que administrarse EPO de primera generación unas ciento cincuenta veces al año, con la Cera lo hacía doce veces al año. Esto también se aplicó al deporte y se sospecha que comenzó a usarse desde que estaba en fase experimental, en 2004.

—Quiere decir que los deportistas ya se la administraban años antes de que saliera al mercado...

—Exacto, además se pinchaba solo una vez al mes y se excretaba en un porcentaje menor en orina; es decir, no la detectábamos, ni sabíamos qué buscar —explicó con un tono de desencanto—. Hasta que los laboratorios antidopaje de Lausana y París encontraron EPO en la sangre congelada de los ciclistas más sospechosos del último Tour, gracias a un laboratorio de Barcelona que ideó una manera para encontrar la EPO en sangre.

—¿Y qué ocurrió? —preguntó Laura. Intentaba poner orden en su cabeza a toda aquella información tan compleja.

—El Juzgado de Madrid que instruía el sumario de la Operación Puerto envió bolsas congeladas de glóbulos rojos y plasma para que se analizaran. Nunca se había buscado EPO recombinante en sangre, hasta ese momento el único método válido era en orina. La encontraron en ocho bolsas.

—¿Habría alguna forma de saber si las muertes de estas chicas fueron por EPO?

—Me temo que no. Además de que su rastro desaparece, nos encontramos ahora con EPO piratas que nos complican la vida.

Para que dé positivo, en la fotografía del análisis tienen que salir unas rayas en la posición básica, pero ya nos encontramos con perfiles raros, con las bandas en posiciones diferentes. En la detección del dopaje siempre vamos por detrás —se lamentó Flaubert.

—A ver si lo entiendo. Cuando hacen los controles antidopaje saben que si aparece, digamos, un círculo, es EPO. Pero ahora, como no conocen la forma que adopta la nueva EPO, ven en los laboratorios triángulos o cuadrados, en lugar de círculos, y no se puede asegurar que sea una forma de EPO.

—Es una manera poco ortodoxa de explicarlo —Flaubert rio—, pero así es más o menos. Para saber si hay EPO, primero tenemos que conseguir una muestra. Una vez en el laboratorio, imagínese que vemos que son... triángulos, por utilizar sus palabras, entonces ya tenemos la manera de averiguar lo que ha tomado el deportista. Si hacemos análisis de sangre y aparecen triángulos, tendremos la certeza de que ha consumido una sustancia prohibida.

—Y todo lo que me ha contado se refiere a un único dopante.

—Exacto, ahora piense en todos los productos prohibidos que hay y que están en continuo cambio.

Laura asintió pensativa, lo que le había parecido una lucha fácil un momento antes ahora le parecía tarea imposible.

—Y respecto a las deportistas de las que le he hablado...

—¿De qué nacionalidad eran? —quiso saber Flaubert.

—Rusas.

—Pues lo siento muchísimo, pero no va a poder probar nada. En el año 2010 caducó la patente por EPO; es decir, que nos vamos a encontrar EPO genérica, creada en laboratorios clandestinos de Rusia, China o algún país africano sin control, e indetectable.

Laura sintió un inmenso deseo de llorar. Le parecía injusto que todo acabara así. Sabía que eran sus hormonas las que agravaban aquella presión en su pecho, pero no podía olvidar que seis chicas habían muerto por culpa de alguien sin escrúpulos, y que en ese momento más deportistas estarían dopándose.

—Quiere usted decir que ganan los malos, que me retire y me olvide.

—Me consta que la Interpol, con la que usted colabora, lucha de manera muy eficiente contra esta lacra social.

—Pero...

—Pero, en esta situación concreta, desde luego desde AMA no vamos a hacer nada. Le ruego que me disculpe, tengo que irme al aeropuerto.

—Desde luego, ha sido muy amable.

Se levantaron. Laura no había tocado el zumo. Dejó tres francos en el platito donde estaba el ticket de la cuenta. Cuando ya alcanzaba la salida, se lo pensó mejor, volvió sobre sus pasos y se bebió el zumo de naranja de un trago. El señor Flaubert, de manera muy cortés, se quedó esperándola a pocos pasos de la recepción del hotel.

—Siento no poder ayudarla —dijo al despedirse—. Creo que es loable su empeño, pero tenga cuidado. Cuando hablamos de dopaje, la mayor parte de las veces hablamos también de mafias, y son peligrosas.

—Lo tendré, gracias.

Laura tenía claro que no quería abandonar la investigación y confiaba que Thomas fuese de la misma opinión. Deseaba llegar cuanto antes a su casa, pincharse y ver la tele mientras se tomaba unas galletas con chocolate. Animada ante esa idea, se dirigió al coche. A la media hora tuvo que dejar la autopista E62 y parar porque sonó la alarma de su móvil. Buscó un lugar discreto para aparcar. Encontró un área de descanso, en cuya parte delantera había unos árboles frondosos. Sin salir del coche, se subió la camiseta dejando al descubierto parte del estómago. Tomó la jeringa con la monodosis y una pequeña toallita ya preparada mojada en alcohol. Limpió la parte en la que se iba a pinchar y con la mano izquierda agarró un pequeño pliegue de piel en el que se inyectó el líquido. No se dio cuenta de lo nerviosa que estaba hasta que terminó y se abrazó a sí misma con fuerza. Comenzaba la cuenta atrás.

33

Se levantó una hora antes que de costumbre. Tenía la primera reunión con el Mago, como llamaban al médico que le habían recomendado, y estaba nervioso. Bajó a desayunar cuando los nadadores regresaban de la primera sesión de entrenamiento. Después subió a la habitación y esperó a Blanc tumbado en la cama. Cada minuto que pasaba se aceleraba un poco más su corazón. Sentía el pulso golpeando con fuerza las venas de las muñecas. Cuando llamaron a la puerta, se levantó impulsado como un cohete.

—¡Está abierta! —gritó.

—Hola, Janik —lo saludó Blanc—. ¿Has dormido bien esta noche?

—¿Por qué iba a dormir mal?

—Nunca se sabe —respondió el viejo con sonrisa enigmática.

—¿Estás preparado?

—Sí —contestó Janik nervioso.

No podía quitarse de encima la risa brutal que lo había acompañado aquella noche.

Blanc lo condujo por las escaleras hasta la planta baja. Atravesaron el pasillo y salieron por la puerta este de la residencia. La cuerda de esparto que sujetaba el pantalón negro de Blanc estaba deshilachada, al igual que el gorro de lana que le cubría la cabeza. Avanzaron por el camino estrecho y empinado que subía la montaña hasta que apareció la abadía. Durante el recorrido, Blanc tarareaba una siniestra melodía. De pronto, dejó de tararear.

—Ya hemos llegado —anunció—. El diablo está satisfecho, vais a ser grandes amigos.

Angustiado, Janik no dijo nada. Solo quería empezar cuanto antes.

—¡Ah! Recuerdos de tu padre. Pronto lo verás.

Janik lo agarró con rabia, lo zarandeó y lo empujó contra el muro. El viejo no hizo nada para defenderse. Janik se preparó para lanzarle un puñetazo, pero Blanc clavó en él sus ojos huecos y, como si le hubiese hipnotizado, Janik se calmó. Sin dejar de sonreír, Blanc canturreó de nuevo la canción mientras Janik, turbado, abría la puerta. El Mago se giró al sentir su presencia.

—Por fin nos conocemos. Como has podido ver, vamos a ser vecinos —le dijo a Janik en un inglés con acento del Este.

Las palabras del Mago rebotaban en los muros y se ampliaban como en un teatro. Janik se quedó inmóvil, había algo extraño en la atmósfera que lo inquietaba.

—Te gusta, ¿eh? —preguntó Blanc con un tono oscuro, y desapareció por una pequeña puerta.

—¿Qué tal el entrenamiento en la piscina? —quiso saber el Mago.

—Me aburro. No es lo mío. No sé cómo los nadadores pueden entrenar seis horas al día.

—Bueno, la semana que viene empiezas a correr, ¿no?

—Sí, ya me queda poco.

—No es conveniente que pases mucho tiempo debajo del agua. Además, no es bueno para tu tono muscular, te pueden salir escamas.

—Lo que necesito no son escamas, sino alas.

—Has venido al lugar apropiado. —El Mago sonrió—. Te convertiremos en el ángel más rápido del mundo.

—Un ángel o un demonio —murmuró Janik—. Frank me ha hablado de tu método.

—Tenemos que andar con cuidado. Si esa información cae en manos de la Policía, pasarás de héroe a villano de un día para otro. —Se acercó a Janik y le tocó el hombro—. Y yo seré el responsable.

El hombre retiró la mano y dio unos pasos.

—Acompáñame.

Pasaron por una pequeña puerta que parecía ser la cocina y entraron en una estancia llena de arcos. Blanc estaba sentado en uno de los bancos de piedra. Janik no lo miró, pero estaba seguro de que sonreía.

Una gota de sudor le cayó de la frente. Los rayos del sol iluminaban las vidrieras de las ventanas y un intenso olor a azufre llenaba la habitación.

—Vamos, Janik, aún no hemos llegado.

Salieron al exterior y anduvieron por un camino de losas de piedra que los llevó hasta un edificio alargado de una planta. Se pararon frente al muro, el Mago sacó un mando a distancia, apretó un botón y la losa que tenían delante se levantó y dejó al descubierto unas escaleras iluminadas por unas potentes lámparas.

—Aquí dormían las monjas, arriba —explicó el Mago—. Abajo hemos instalado el laboratorio.

Bajaron las escaleras. En la estancia había varias camillas, arcones frigoríficos, también unos armarios con tapas de cristal llenos de cajas, que parecían ser de medicamentos, y tubos de ensayo vacíos. Sobre una mesa que recorría la habitación de un lado a otro había toda clase de pequeñas máquinas. Janik reconoció algunas, las había visto en el laboratorio de la residencia; eran analizadores de sangre.

—Te puedes sentar en esa silla, junto a la mesa —le indicó el Mago—. Te voy a explicar de qué va esto. No es tan complicado de entender. Ya lo verás.

El Mago tomó un archivador del que sacó unos papeles.

—Espera un momento, Janik, ahora vuelvo. Olvidé algo.

Salió de la habitación. Una estufa eléctrica que estaba colocada debajo de la mesa, expulsaba aire caliente sobre los tobillos de Janik. Le temblaban las manos. La cosa iba en serio. Durante unos segundos pensó si estaba haciendo lo correcto, pero ¿qué otra cosa podía hacer para ganarse la vida? No tenía estudios, ni habilidades manuales; sin embargo, poseía un don extraordinario: había nacido con un ochenta y dos por ciento de consumo máximo de oxígeno. Como le había comentado Frank, si abandonaba, otro ocuparía su lugar.

El Mago apareció de nuevo y le dio unos papeles.

—¿Todo bien, Janik?

—¿Qué pasa si me pillan? —preguntó sin rodeos.

—No te van a pillar, pero si lo hacen tenemos recursos para que no salga a la luz.

Su firmeza lo tranquilizó.

—Bueno, ¿cuándo empezamos? —preguntó.

—Esa actitud me gusta. Llevamos unos meses de retraso, pero aún estamos a tiempo. Aquí está tu calendario. —El Mago le tendió un papel.

Janik lo leyó. Estaban apuntados los meses, las semanas y los días del año. Había días marcados solo con puntos, otros con puntos y círculos, con rayas y, en algunos, aparecían las letras E, R, IG.

—Y mi entrenador, ¿está de acuerdo?

—No eres el primer atleta de Yuri que pasa por mis manos. Yuri nos manda tu entrenamiento y avisa cuando llega el momento en el que darte un empujón extra. Como ves en el cuadro —señaló en la hoja—, la E significa que te extraemos sangre y la R, cuando te la reinfundimos. Además, los días marcados con un punto indican cuando te pinchas EPO, y los de IG, cuando te pinchas hormona de crecimiento.

—¿Y las flechas? —quiso saber Janik.

—Son las competiciones —respondió el Mago—. El número de flechas indica la importancia de la competición, por eso los Juegos Olímpicos están señalados con cuatro rayas. El próximo jueves empiezas. Tenemos que aprovechar que estás descansado y que tienes los valores de hematocrito, glóbulos rojos y hemoglobina altos.

—Y ¿qué se consigue con la extracción?

—Nuestro objetivo principal es que llegue más oxígeno a los tejidos. Eso se consigue de tres maneras diferentes. La primera, por medio de la altitud y las cámaras hipobáricas; la segunda, a través de las transfusiones que se realizan en las épocas previas a las competiciones...

—¿Qué efecto producen las transfusiones? —lo interrumpió Janik.

—Depende del sujeto. Con tus valores de consumo máximo de oxígeno... —Alcanzó una calculadora y empezó a marcar números—. Tu hipotética marca... pasaría a ser... de tres minutos con treinta y dos segundos.

—¡Es alucinante! —exclamó Janik.

—Solo utilizando uno de los tres métodos. Ya ves lo que te estabas perdiendo.

Janik se quedó sin palabras. Con esa marca podía ganar el campeonato de Europa. No podía ser tan fácil, pensó.

—En mi vida imaginé que podía siquiera acercarme a esos registros —dijo con sinceridad.

—Por hoy es suficiente. Tenemos que vernos pronto para extraerte sangre, entonces te explicaré qué otras vías vamos a utilizar.

Janik se levantó de la silla como si le hubiese explotado un petardo. Estaba impaciente por empezar.

—Por cierto, sé que estarás pensando en compartir tu alegría con alguien, pero ya sabes el pacto que tenemos.

—No te preocupes, puedes confiar en mi palabra. Aunque me llevasen delante de un potro dc tortura, no saldría de mi boca ni una sola palabra... Además, yo no he estado hoy aquí.

—¡Estupendo! —El Mago soltó una carcajada.

—Solo quiero que las cosas vuelvan a ser como antes —dijo Janik esperanzado.

—Las cosas nunca volverán a ser como antes.

34

Thomas estaba en el salón comentando los progresos realizados, mientras Laura lo escuchaba desde la cocina. Preparaba un par de bocadillos vegetales con atún, huevo duro, lechuga, queso y tomate cortado en finas rodajas. Cuando terminó de colocarlo todo en el pan, vio que la cebolla de la sartén ya estaba frita y la añadió al bocadillo.

—La tal Tania Popova desconocía totalmente que el abrigo tuviera esa poesía. Al morir Arisha, vio la oportunidad de quedarse con su plumífero. Tenías que haber visto la cara que puso cuando le pregunté por él, se puso roja. Parecía que iba a explotar, como cuando en los dibujos animados alguien come picante y empieza a salirle humo por la cabeza.

Laura rio. Colocó la *baguette* crujiente encima de una gran bandeja de bambú. Añadió una botella de Chardonnay blanco y un par de copas. Sacó del horno unos *croissants* rellenos de chocolate y los puso en la bandeja.

—¿Estás segura de que no quieres que te ayude? —se ofreció Thomas entrando en la cocina.

—Te llama el olor del chocolate, ¿no? —preguntó Laura riendo.

—*Touché*.

Laura abrió con el hombro la puerta batiente que separaba la cocina del salón y Thomas la siguió.

—Bien, tenemos a las mafias que se dedican a fabricar medicamentos —expuso Thomas mientras abría la botella de vino—, entre las que destacan por goleada las rusas.

Laura apoyó la bandeja en la mesita situada entre los dos sofás.

—También está el tío de Irina, que nos oculta algo —añadió, a la vez que le daba un buen mordisco al bocadillo.

—Hemos encontrado poemas escritos a tres de las chicas muertas. —Thomas llenó las copas de vino—. Dos de ellas se alojaban en Les Diablerets y la otra entrenaba allí. No puede ser casualidad. Doy por hecho que el autor o trabaja o vive allí.

—Pero no sabemos si es el asesino —añadió Laura—. Tampoco tenemos constancia de que no haya más chicas en Les Diablerets que hayan recibido poemas.

—Por lo que he podido averiguar, nadie tiene ni idea de la existencia de estos poemas. Después de hablar con Tania Popova, sondeé a varias chicas y todas mostraron la misma extrañeza.

—Te recuerdo que son jóvenes y, por tanto, reservadas —dijo Laura—. Creo que sería mejor si voy yo a Les Diablerets. Quizá les resulte más fácil hablar con una mujer.

—Puede que sí, desde luego merece la pena intentarlo. Me preocupa lo que te comentó el de la lucha contra el dopaje.

—El señor Flaubert, el de AMA —confirmó Laura.

Thomas asintió. Estaba a punto de terminarse el bocadillo.

—¿Quieres otro? —preguntó Laura sonriendo.

Thomas negó con la cabeza.

—He acabado tan pronto para atacar el postre. No puedo resistirme al chocolate —dijo después de dar el último bocado—. Como te decía, el del AMA nos ha cerrado el camino para encontrar una prueba de EPO en las chicas muertas. Desde el punto de vista policial, no tenemos nada. Tiene razón Hulk... —continuó Thomas.

—No lo llames así, es muy agradable —le recordó Laura.

—El sargento Fontaine tiene razón —rectificó Thomas, y Laura bajó la cabeza en señal de aprobación— cuando alega que no tenemos nada. No hay caso. Son muertes naturales.

—Pero tenemos la declaración del tío de Irina, que admite sin ningún pudor que Úna y su sobrina se dopaban. Es farmacéutico, tiene que saber quién les administraba las sustancias. Además, está lo de Poche, la manera tan repentina en que se fue.

—Tienes razón. —Thomas se recostó en el sofá con la copa de vino en la mano—. Si no queremos dar el caso por cerrado, tenemos que apretar las tuercas a Petrov.

—También hay que hablar con el mánager.

—Lo tengo en mi lista. Lo llamé hace dos días y me dijo que se encontraba fuera del país —dijo Laura—. Es un tipo escurridizo y con mucha labia. He investigado sobre él, está limpio. Siempre tiene una excusa para no vernos y no lo puedo obligar. No sé, insistiré... Aunque he averiguado algo que te va a encantar, su mejor amigo se llama Hugo Keller.

—Pues ese nombre no me suena de nada.

—Ya. Si te digo que es hijo del presidente de la multinacional farmacéutica Poche, seguro que la cosa cambia.

—¡Vaya! ¡Qué casualidad!

En otra habitación sonó el móvil de Laura.

—Perdona, voy a ver quién es.

—Tranquila, mientras tanto ataco el *croissant*.

Thomas le dio un mordisco al bollo, y pequeñas escamas de hojaldre cayeron en la bandeja. Después se recostó en el sofá y cerró los ojos. Los pensamientos de los últimos días se agolparon en su mente como inmensos nubarrones que llegaban para ensombrecer su vida. Sabía que estaba aletargado a la espera de que las cosas se fueran diluyendo por sí solas, hasta que dejaran de tener importancia. Sabía que se engañaba a sí mismo, pero hasta ahora le había funcionado. El trabajo tapaba unos sentimientos que, cuando afloraban, golpeaban sin piedad. Le sorprendía el dolor. No sabía cómo actuar ante él. En el pasado había optado por huir, ahora esa opción se le antojaba imposible. La traición de Maire, la muerte de Úna... Descubrir, cuando ya no tenía remedio, que era padre, lo superaba. Por segunda vez en su vida, un suceso amenazaba la armadura con la que se había protegido todos esos años. El momento que más temía era la noche, cuando se hallaba a solas; no encontraba ningún rincón donde esconderse. Pensaba que nada más llegar a Estados Unidos tenía que haber llamado a Maire, pero era demasiado joven y cobarde. Quizá si lo hubiera hecho, las cosas serían diferentes y Úna no estaría muerta. Le comían los remordimientos.

—Ya estoy de vuelta —dijo Laura—. Era mi compañero Julien, el técnico del hospital. Han llegado los informes toxicológicos

278

de Irina y no ha encontrado nada. Ya lo imaginaba... Pero tenía que intentarlo.

Se dejó caer en el sofá y soltó un bufido.

—A veces ciertas sustancias pueden ocultarse en los picos y valles de los gráficos de lectura, sobre todo si la concentración es muy baja. Se podrían investigar esas puntas del gráfico si supiéramos qué buscamos.

Laura vio que Thomas tenía la mirada perdida, la traspasaba. Instintivamente volvió la cabeza para buscar el punto de su interés; el cristal de la ventana le devolvió su imagen.

—Thomas, ¿estás bien?

—Sí, sí, perdona... Estaba en otra cosa, pero te he escuchado. —Thomas se incorporó y se sentó en borde del sofá—. Creo que debemos dar una vuelta a esto. Si no, vamos a tener que dejarlo.

—¿Lo dices en serio? —preguntó Laura, incrédula.

—Totalmente.

—¿Has recibido alguna presión de tu jefe?

—En absoluto. Es más, esta mañana le he puesto al día con lo que tenemos y se ha mostrado muy interesado.

—¿Entonces...?

—Es una cuestión de sentido común. Yo soy el que se ha embarcado en este asunto. He pedido a mi jefe que me dé permiso para venir aquí, y él ha puesto los medios necesarios. Incluso te he contratado como ayudante. Tú has tenido que abandonar tu puesto de trabajo, con el perjuicio que conlleva para el hospital...

—¿Adónde quieres llegar? —le cortó Laura.

—Quiero decir que tengo una responsabilidad, y como tal, debo distanciarme un poco de todo este asunto y ver la realidad.

Laura frunció el ceño visiblemente molesta.

—Y la realidad es que no hay nada —continuó Thomas—. Me gustaría decir lo contrario, pero mentiría. Tenemos seis chicas muertas con un patrón común. Aunque la causa de la muerte sea el dopaje, ya viste lo que me dijo mi amigo George, eso no es delito. Es como si alguien se muere por sobredosis, no se hace nada. Incluso si averiguamos quiénes les pasaron la EPO, el castigo que recibiría sería mínimo, puesto que es un medicamento, no una droga.

—Entonces, ¿por qué aceptaste investigar? ¿Acaso no tenías otra cosa que hacer? ¿O es que te aburrías?

—No te enfades, Laura, en el fondo sabes que estoy en lo cierto.

Ella negó con la cabeza en señal de respuesta. Se levantó y se dispuso a recoger los restos de la cena, visiblemente enfadada. A toda prisa, puso las servilletas, las copas, la botella de vino y los trozos de pan en la bandeja y abrió de un puntapié la puerta de la cocina. Después, se oyó un ruido fuerte y volvió a aparecer en el salón con un trapo de cocina. Intentaba disimular su malestar, pero era una batalla perdida: sus ojos lanzaban destellos de ira. Estaba hermosa.

—Laura, Laura..., deja eso y siéntate un momento. Por favor.

Mientras se dirigía al sofá sintió que la invadía una mezcla de sentimientos. Estaba satisfecha de no haber montado una escena, pero irritada consigo misma por mostrar de una manera tan clara sus emociones. Resultaba ridículo que tuviera que luchar para contener las lágrimas. Esa nueva faceta suya le desagradaba. Recuperó la calma y se sentó frente a Thomas.

—Soy toda oídos —dijo con tono resignado, con la mirada fija en el suelo y los codos apoyados en las rodillas.

—Laura, intento poner un poco de cordura en todo esto. Sé que los casos están relacionados y que algo sucio los une, pero no podemos descartar el hecho de que por ahora no tenemos ninguna prueba —se explicó Thomas—. Si te parece bien, podemos darnos un plazo razonable y con los resultados decidir si seguimos adelante. Para mí también resulta frustrante, pero a veces la realidad se impone. Yo no puedo estar eternamente alojado en un hotel, ni tú puedes dejar tu trabajo durante tanto tiempo.

Laura alzó la mirada. Thomas intentó leer en sus ojos verdes lo que pensaba, pero no supo averiguar por qué se comportaba de esa manera tan visceral.

—Tienes razón, estoy de acuerdo contigo, lo que pasa es que soy muy cabezota y me resisto a abandonar algo que barre todos mis principios.

—Y son...

—Que el que la hace la paga, y más si lo hace delante de mis narices.

—De acuerdo, me uno a ellos —aceptó Thomas—. Nos vamos a dar dos semanas. Si en ese tiempo no conseguimos una prueba real, nos comemos nuestros principios.

Laura asintió como una niña que acaba de recibir una reprimenda.

—Mañana llevaré los poemas para que les hagan un análisis grafológico y sondearé los informes de la Interpol para ver qué se puede averiguar sobre las mafias rusas.

—De acuerdo. Yo iré a Montreux y haré otra visita al farmacéutico. Sospecho que todavía tiene mucho que contar.

Y dicho esto, dieron por terminada la reunión. Laura lo acompañó hasta la puerta. Al abrirla, los sacudió un viento helador.

—Es lo que tiene vivir entre montañas, el aire siempre huele a nieve —dijo ella.

—Me gusta tu pueblo.

—Ciudad, es una ciudad...

Thomas se subió la cremallera de la cazadora de cuero marrón y salió a la noche.

—Gracias por la cena, en este pueblo sabéis como cuidaros —se despidió antes de darle la espalda.

Laura sonrió mientras observaba a la alta figura perdiéndose en la oscuridad.

Estaba tumbada en la camilla. Se había desnudado de cintura para abajo y su trasero sobresalía un poco del borde. Tenía las piernas separadas y apoyadas en una especie de estribo metálico. La enfermera colocó un paño de papel de lado a lado a la altura de la cintura que tapó su visión. Respiraba con dificultad y tenía frío. Se agarró ambas manos con fuerza, las uñas se habían puesto de color morado claro.

El doctor Moller, tan atractivo y agradable como siempre, entró con su aire de suficiencia.

—Buenos días, doctora Terraux, ya veo que está preparada. ¿Qué tal se encuentra?

—Buenos días. Lo siento, pero estoy al borde de un ataque de nervios. Además, no consigo entrar en calor, estoy helada.

—No se preocupe, es normal, los nervios a veces nos juegan malas pasadas. El relajante muscular que le ha dado la enfermera tiene que hacer efecto de un momento a otro. Por favor, Sara —dijo, dirigiéndose a la enfermera— traiga la manta eléctrica. Ya verá como en unos minutos se encuentra mejor.

—Gracias, doctor.

—Mientras, le voy a explicar lo que hemos hecho con el semen del donante. Hemos separado del plasma seminal a los espermatozoides que tenían buena movilidad y así ha comenzado el proceso de capacitación espermática. Estos espermatozoides son los que poseen las condiciones óptimas para poder fertilizar el óvulo.

La enfermera le puso la manta eléctrica. Estaba caliente. Laura notó su efecto al momento, y comprobó cómo su cuerpo se relajaba.

—¿Mejor?

—Sí, gracias.

—Entonces, vamos a empezar con el proceso de inseminación artificial.

El doctor Moller le introdujo un espéculo en la vagina. Laura notó su frialdad dentro de ella.

—Ahora me dispongo a transferir los espermatozoides —explicó Moller—. Quiero que tome aire con el estómago todo lo despacio que pueda y lo expulse por la boca.

Laura solo podía ver el cabello negro del doctor, la cortina de papel tapaba el resto.

—De acuerdo, estoy preparada.

El médico introdujo una cánula de plástico muy fina con un catéter hasta un sitio cercano a las trompas de Falopio. Una vez colocada, transfirió el semen del donante dentro del útero.

–Bueno, ya hemos acabado –anunció mientras retiraba la cánula y el espéculo–. Ahora debe reposar durante unos minutos en esta posición con las piernas en alto y luego podrá irse a casa.

–Creía que era más complicado.

–En absoluto, esta es una técnica fácil e indolora. Y ahora descanse tranquila.

La dejaron a solas en la habitación. Las fotos de los niños de las paredes la miraban de manera amistosa. Les dio la espalda, no quería hacerse demasiadas ilusiones. Desde que tenía memoria deseaba ser madre, pero se sentía confusa. Todo le parecía tan increíble que no se imaginaba con un bebé, o dos, en los brazos. Las posibilidades de embarazo múltiple eran muchas y, aunque se lo habían recalcado, ya le costaba hacerse a la idea de quedarse embarazada como para verse con dos bebés. Durante el último año se había acentuado en ella la necesidad de ser madre y aunque había intentado librarse de esa obsesión, no lo había conseguido. A veces intentaba disuadirse pensando en la atención constante que requería un hijo: las noches sin dormir, los pañales, los purés, los efectos que ello podía tener en su trabajo. Pero todo quedaba anulado frente a la maravilla que significaba traer una vida al mundo. Ni el amor de un hombre podía superar ese sentimiento.

Tras diez minutos de espera el doctor volvió a la sala.

–Ya puede vestirse, doctora Terraux. No ha habido ningún tipo de problema. Durante los próximos quince días, tiene que introducirse en la vagina dos pastillas de progesterona que ayudarán a que el óvulo o los óvulos fecundados se implanten en el útero. Si después de ese tiempo no le ha venido el período, tendrá que hacerse un test de embarazo. En el caso de que el resultado dé positivo, tendrá que llamarnos y le haremos una ecografía para saber cuántos óvulos se han implantado.

Cuando Laura salió de la consulta, el día radiante había dado paso a una noche prematura. Pensó que podría llegar a la farmacia

Vasil antes de que empezara a llover. El aire olía a humedad y el ambiente estaba cargado, a punto de estallar en una tormenta. A lo lejos, distinguió un resplandor e instantes después oyó el sonido del trueno. Maldita sea, pensó, no me va a dar tiempo.

Laura frunció el ceño y continuó su camino con decisión. Un fuerte viento se levantó y la obligó a desviarse un poco hacia la izquierda. De repente, el aire paró y todo pareció quedar en suspenso, como si la ciudad entera estuviese conteniendo el aliento. Laura aprovechó ese momento de calma incierta para correr colina arriba hasta la parte vieja. Esta vez, sí que utilizó los ascensores que salvaban los extensos tramos de escaleras. Enormes gotas comenzaron a tatuar el suelo de la calle. Como muestra de lo que se avecinaba, un enorme relámpago rasgó el cielo. A su alrededor aparecieron siluetas amenazadoras. Las sombras de los árboles, las farolas y las barandillas se tiñeron de un blanco fantasmal. El trueno que siguió al relámpago retumbó en sus oídos. La lluvia ya caía con fuerza y, aunque intentaba ir por debajo de los balcones y los aleros de los tejados, lo cierto es que no le guarecían demasiado. Cuando llegó a la farmacia no había ni un centímetro de su ropa que no estuviera empapado.

El sonido de la campanilla anunció su visita. Pequeñas gotas corrían desde su pelo, pasaban por su cara y desaparecían en el hueco del escote. El señor Petrov estaba a su derecha, pegado al escaparate. Al principio no la reconoció y la miró con incredulidad, pensando quién sería esa joven osada que se había atrevido a salir con ese tiempo. Aquella lluvia no podía pillar desprevenido a nadie, el cielo llevaba horas anunciándola.

—Lo siento —se disculpó Laura—, estoy mojando el suelo.

En ese momento, Petrov supo quién era: la entrometida.

—No se preocupe, le traigo una toalla.

—Gracias, es usted muy amable.

Enseguida volvió con una toalla de un blanco impoluto. Laura se quitó la chaqueta mojada y la apoyó en el paragüero. A continuación, intentó secarse el pelo. Tenía el vestido pegado al cuerpo y se pasó la toalla por encima en un intento inútil de secarse. Se sentía incómoda y comenzaba a tener frío.

—¿Qué quería? —preguntó Petrov con un tono de voz cortante.

—Quería este medicamento. —Laura le mostró la receta de progesterona.

El tío de Irina la leyó y se dirigió detrás del mostrador. Abrió un cajón largo y estrecho del que sacó una caja naranja y blanca.

—¿Está usted embarazada?

—No lo sé... eso espero.

Y sin saber la razón, Laura comenzó a sollozar. Al principio de manera suave y contenida, después a borbotones. Se tapó la cara por pudor, queriendo esconder la vergüenza que le producía llorar delante de un desconocido.

—Perdóneme, no sé qué me pasa.

El señor Petrov susurró unas palabras en ruso que Laura no entendió, pero que le parecieron amables.

—Entre dentro y quítese esa ropa mojada, que va a coger un resfriado.

Laura obedeció agradecida. Con la toalla intentaba limpiarse los restos del arrebato lacrimógeno.

—Mire, en el lado derecho de la cocina está... quiero decir, estaba la habitación de mi sobrina. Creo que queda algo que pueda ponerse.

—Gracias, muchas gracias.

Petrov bajó la cabeza en señal de reconocimiento.

La habitación de Irina era espartana. Estaba débilmente iluminada por el pequeño ventanuco de la pared. La tormenta no ayudaba a reducir la sensación de claustrofobia. Encendió una lamparita, que daba una luz deprimente. Contempló las paredes limpias de todo adorno, aunque quedaban pequeñas marcas diseminadas y alguna chincheta, testigo de tiempos más felices. Un armario y una pequeña cama cubierta por una colcha de ganchillo de otra época completaban el mobiliario. Lo abrió y sacó lo primero que encontró: un pantalón de chándal y una camiseta. Con alivio, se desnudó, se secó con la toalla y se vistió con la ropa de Irina. Cuando apareció en la salita, el señor Petrov ya había preparado café. Olía de maravilla.

—Perdone, ¿podría darme una bolsa para guardar esta ropa mojada?

—Voy a hacer algo mejor, la vamos a dejar cerca de la estufa. Ya verá, en un momento estará seca.

Laura asintió aliviada, porque la ropa le quedaba pequeña y le apretaba por todos lados. Colocó una silla delante de la estufa de cerámica donde colgó su ropa; en un lugar discreto dejó la ropa interior.

—¿Quiere el café con un chorrito de coñac?

Laura dudó un momento. El médico le había aconsejado no tomar alcohol, pero la idea de una taza de café caliente con un poco de coñac se le antojó imposible de rechazar.

—Sí, por favor, me encantaría.

Sirvió lo mismo para los dos.

—Dígame la verdad, ¿por qué ha venido? —le preguntó Petrov.

—Porque la muerte de su sobrina va a quedar impune.

—Veo que sigue con la misma cantinela —dijo resignado.

—Creo que usted me oculta algo y no alcanzo a comprender por qué.

—Tómese el café que se le va a enfriar —le sugirió él en tono paternalista.

Laura le hizo caso. El café estaba muy fuerte y caliente. Notaba cómo el calor se introducía en su cuerpo. Al igual que el semen ha entrado en mí, pensó mientras sentía mariposas en el estómago. Quizá, en ese momento en su interior se estaba produciendo el milagro de la vida. Y ¿qué hacía ella en vez de estar en su casa tomando un buen baño de agua caliente? Beber café con coñac desoyendo los consejos del médico. De repente, se sintió una irresponsable. Tenía que haberse marchado directamente de la consulta a casa, pero ya que estaba allí era mejor no perder el tiempo.

—Creo que su sobrina tomaba EPO en grandes dosis —dijo, retomando la conversación. Su sangre se volvió tan espesa que se convirtió en barro. La pobre no tuvo ninguna oportunidad de salvarse. Los desalmados que le administraban las dosis no tenían escrúpulos para tratar a su sobrina como un animal. Tenía toda la vida por delante y usted la abandonó. La dejó a merced de los mafiosos. Tan solo un análisis de sangre hubiera bastado para comprobar su hematocrito. Eso la hubiera salvado.

Laura permaneció en silencio, esperando que el farmacéutico dijera algo. Él parecía concentrado en su taza de café. Al ver que no se inmutaba, continuó:

—Usted lo sabía y prefirió mirar hacia otro lado, o peor, seguramente era el que suministraba las sustancias dopantes a esos... asesinos. Porque eso es lo que son, unos asesinos, y usted formaba parte de ello, ¿verdad?

—No.

—Yo abrí el cuerpo de su sobrina en la sala de autopsias. No se imagina lo que sentí al verla tan joven y frágil, una lástima. Era tan guapa...

—Váyase.

—¿Duerme usted por las noches? Porque ella todavía no descansa, pide justicia.

—Déjeme...

—¿Distribuía usted la EPO?

—¡Le repito que no! —gritó Petrov dando un golpe en la mesa.

La respuesta fue tan tajante que sonó falsa incluso a los oídos de él. Era la reacción de una persona culpable. Su cara empalideció. Miró a Laura a los ojos y en ellos solo vio incredulidad. Ambos sabían que había mentido. Se levantó avergonzado, no podía sostener su mirada.

—Mire, soy un hombre viejo al que ya no le queda gran cosa por lo que luchar.

—Pues luche por la memoria de su sobrina. Haga lo que sea necesario para atraparlos.

—Usted me confunde, déjeme, por favor, quiero descansar.

—Es una suerte que pueda elegir, porque Irina Petrova Kuznetsova, nacida el 28 de febrero de 1986, no puede descansar en paz.

—Es suficiente...

Laura veía que la coraza del señor Petrov se iba resquebrajando, era su oportunidad de rematarlo y hundirlo. Se levantó y se acercó a él.

—Una aspirina, pudieron haberle dado una aspirina todas las noches y se hubiera salvado —insistió Laura—. Esos malnacidos no tienen derecho a que usted los proteja. Les confió a su sobrina y se la devolvieron muerta.

—Yo les daba los medicamentos —declaró Petrov, abatido.

—¿Perdón?

—Yo era el distribuidor.

El cuerpo de Laura se tensó. Un sinfín de preguntas se arremolinaban en su cerebro.

—¿Quién se las administraba a usted? —preguntó—. ¿En qué laboratorio se fabricaban? ¿Dónde?

—No puedo responder ahora —susurró el farmacéutico—. Este sitio no es seguro.

—Entonces, ¿cuándo?

—Tengo que recoger pruebas, sin ellas no hacer nada... Si sospechan algo destruirán... —El miedo hacía que hablase con un acento ruso más marcado, Laura casi no lo entendía—. Yo llamo. Confíe en mí. Se lo juro por la tumba de mi sobrina. Ahora, por favor, vístase y márchese.

Laura se vistió con la mayor celeridad posible. El tío de Irina le prestó un paraguas negro con pequeñas hojas pintadas en blanco. Seguía lloviendo cuando salió a la calle y caminó hacia su coche. El cielo auguraba malos presagios. Se abrió una puerta, Laura se sobresaltó y se apartó asustada. Aceleró el paso. De repente, sintió que había alguien a su espalda. Se dio la vuelta dispuesta a hacerle frente, pero se encontró a una viejecita que se protegía de la lluvia con una bolsa de supermercado en la cabeza. La mujer la adelantó con una agilidad pasmosa e introdujo una llave en un portal.

Una vez en casa, Laura se sintió ridícula, además de mareada. Todo le parecía irreal. Su estómago protestó de una manera escandalosa. Recordó que no había probado bocado desde el desayuno, solo había bebido el café con coñac en la farmacia. Por un momento, intentó no pensar. Se preparó una tostada con queso de untar, y mientras la tomaba llenó la bañera de agua caliente y espuma. Cuando se sumergió en ella, emitió un sonido gutural lleno de satisfacción.

Después del baño, decidió encender el ordenador y continuar con la lectura del informe que Alain Neuilly le había enviado a Thomas. Intentó ponerse en contacto con él, pero su teléfono estaba fuera de cobertura. ¿Dónde se habría metido?, pensó, impaciente por contarle las novedades. Con un gesto de contrariedad, volvió al informe. Pasadas unas páginas, leyó algo interesante:

En enero de 2009, se cumplieron veinte años de la salida al mercado de la primera EPO, por lo que la patente queda libre. Podrán comenzar a fabricarse EPO genéricas, lo que preocupa a los laboratorios antidopaje. Como todos los genéricos, se elaborarán en países del Tercer Mundo, con escasos controles de calidad y con el derecho a un error del veinte por ciento en la dosis del principio activo. Su detección es el nuevo desafío.

Los fármacos de prescripción médica que circulan en la web tienen una nocividad de diferentes grados. En el mejor de los casos, contienen el principio activo indicado, pero en dosis insignificantes, o bien son llanamente inocuos: puro excipiente. También pueden contener harina, sal o sustancias caducadas.

–Qué barbaridad –dijo Laura en voz alta. Le parecía una locura que la gente comprara este tipo de fármacos por Internet. Continuó con la lectura.

Sandro Donati, experto italiano en la lucha contra el tráfico de sustancias dopantes, nos recuerda que las grandes multinacionales farmacéuticas producen, de algunas sustancias, más unidades de las que el mercado legal puede absorber. Así ocurrió con la EPO o con la hormona del crecimiento, que sigue siendo indetectable. Para su fabricante, todos los positivos en el Tour y todo lo que se habla de la Cera supone una gran publicidad ante un sector social con gran capacidad adquisitiva y gusto por el consumo: los millones de deportistas populares, *runners* o cicloturistas, que no dudan en recurrir a cualquier método para mejorar su rendimiento. Ellos no saben si el Aranesp, o la Cera, son mejores para tratar la anemia, pero sí que han visto que Riccardo Riccò y Leo Piepoli subieron como un cohete en Hautacam.

De pronto, se sintió cansada. Vio la hora y comprobó que ya era la una y media y estaba a punto de empezar *Anatomía de Grey*. Solo quería tumbarse en el sofá, cubrirse con la manta y holgazanear todo lo que quedaba de tarde. Descorrió la cortina para comprobar si había cesado la tormenta. Comprobó que el cielo seguía oscuro y no parecía que fuera a aclararse. De repente, una sombra pasó por delante de la ventana. Laura dio un respingo y de forma instintiva se echó hacia atrás. El miedo la invadió de manera irracional. Se quedó en silencio y agudizó sus sentidos. Oyó un ruido en la cocina. ¿Habría entrado alguien? Lentamente se acercó a la puerta principal. Caminaba sin dar la espalda a la cocina en ningún momento. Despacio, dio la vuelta a la llave y empujó la manilla hacia abajo. Abrió la puerta y salió. No paró hasta que perdió de vista la casa.

35

Laura no podía dejar de temblar. Mientras el sargento Fontaine inspeccionaba las habitaciones, ella intentaba calmarse, con poco éxito. Oyó ruidos en el baño y aunque una parte de ella sabía que era fruto de su imaginación, la otra estaba segura de que alguien se escondía en algún lugar a la espera de su oportunidad.

—Todo está bien —aseguró el sargento cuando bajó del piso superior—. No hay signos de que hayan forzado ninguna ventana.

El sargento Fontaine advirtió el temblor del cuerpo de Laura. Estaba empapada. Había salido en medio de la tormenta en busca de ayuda y no había parado hasta llegar al edificio de la Policía. Sus piernas parecían de gelatina. La vio apoyarse en el brazo del sofá para no caerse. Sintió lástima por ella.

—Doctora Terraux, me voy a quedar en el salón hasta que usted se seque y se vista. No tiene de qué preocuparse. No hay peligro, ¿de acuerdo?

Laura asintió y lo miró agradecida.

—Sé que mi actitud es ridícula y que no existe una razón lógica para mi comportamiento, pero he percibido una sensación real de peligro. Yo... no sé cómo explicarlo mejor.

—Bueno, lo que fuera ya pasó. Ahora estoy aquí y no me iré hasta que usted se encuentre mejor.

—Gracias.

Cuando subía las escaleras hacia su habitación, se volvió y le preguntó:

—¿Cómo se llama?

—Me llamo Patrick.

—Patrick, bonito nombre.

A los diez minutos bajaba vestida con un sencillo pantalón y una camiseta de algodón de manga larga.

—Tengo que pedirle disculpas por mi comportamiento, sargento.

—Por favor, llámeme Patrick.

—Patrick, me he comportado como una niña pequeña y le he importunado en su trabajo sin motivo alguno, no tengo perdón.

—Doctora Terraux...

—Laura.

—De acuerdo, Laura. Nuestro trabajo consiste en cosas de lo más variopintas y le aseguro que lo suyo tiene más sentido que otras situaciones a las que nos enfrentamos diariamente.

—Por ejemplo...

—Por ejemplo, una persona que ha sacado la bolsa de basura antes de la hora permitida y nos llama la vecina para que acudamos a comprobarlo.

Los dos sonrieron.

—Y ahora quisiera hacerle unas preguntas. ¿Qué aspecto tenía la persona que vio?

Laura frunció el ceño e intentó recordar todos los detalles.

—Lo vi solo un momento, pero lo intentaré. Era un hombre blanco, de mediana edad, rondaría los cuarenta, pelo castaño, estatura...

Laura dudó y se dirigió a la ventana desde donde lo vio.

—Pasó por aquí delante, de modo que tenía que venir del porche... Supongo que mediría más o menos... un metro setenta y algo. Recuerdo que tenía marcas en las mejillas de esas que deja un fuerte acné juvenil.

—¡Caramba! Usted sería una buena policía. ¿Algo más que pueda añadir? No sé... algún tatuaje, un pendiente, un *piercing*.

Laura negó con la cabeza.

—¿Recuerda cómo iba vestido?

—Lo siento, fue un instante, solo me fijé en su cara.

—Si lo vuelve a ver, ¿lo reconocería?

—Sí —contestó sin dudar.

El sargento terminó de escribir en su iPhone y mandó los datos a Jefatura.

—¿Cuándo termina su turno? —preguntó Laura de improviso.

—A las tres de la tarde, esta semana tengo turno de mañana.

—¿Ha comido?

—Pues, todavía no. Con esto de la tormenta, hemos tenido bastantes avisos de bajos y garajes inundados, además de un par de accidentes de tráfico. La verdad es que ha sido una mañana muy movida.

—Entonces lo espero y comemos juntos, ¿le parece bien?

—Más que bien, me encantaría —respondió el sargento, contento de su suerte.

—Hasta dentro de... —Laura miró su reloj—. Un cuarto de hora.

—Hasta ahora —se despidió él mientras salía por la puerta.

Laura se quedó a solas en la casa. Durante un instante sintió temor, pero enseguida se recompuso. Entró en la cocina y llenó una olla de agua. Cuando comenzó a hervir, le añadió sal y aceite y vertió unos espaguetis. Les dio unas vueltas y esperó a que se cocieran. En una sartén, echó abundante aceite de oliva, troceó unos ajos y los frió a temperatura suave. Empezaron a tomar color y sacó del congelador unas almejas, que añadió al sofrito. Probó una, estaba muy rica; solo faltaba añadir perejil fresco picado muy fino. La pasta a la marinera estaba lista.

—¡Qué buenos! —exclamó con satisfacción Patrick.

Laura estaba pensativa, mantenía los espaguetis enrrollados en el tenedor sin llevárselos a la boca.

—¿Sigue preocupada por lo de antes? —le preguntó el sargento.

—No, no, ya ha pasado. —Laura soltó el tenedor y dijo—: Hoy he estado en la farmacia del tío de Irina. Ha reconocido que era el responsable de distribuir las sustancias dopantes. Me ha dicho, de una manera muy misteriosa, que la farmacia no era un lugar seguro y que no podíamos hablar de ello allí. Afirmó que recabaría las pruebas necesarias para incriminar a los culpables y que después contactaría conmigo.

—Pero eso que acaba de decir es de suma gravedad y, desde luego, punible.

Ella asintió pensativa, bebió agua y dijo:

—Es una vergüenza que consiguiera los medicamentos para que, entre otras personas, se dopase su propia sobrina. Por más que lo pienso, no alcanzo a comprender sus motivos.

—Quizá ya se dedicara a ello con anterioridad, puede que Irina se aprovechara de una situación ya existente.

—Tal vez formara parte de ese entramado desde que dejó de manera repentina su trabajo en Poche.

—Creo que no va desencaminada. De todas maneras, en estos casos los mensajeros no suelen ser los importantes sino quienes montan toda la infraestructura para fabricar las sustancias.

—Me imagino que en esta historia tiene que haber un lugar donde se produzcan, alguien que los lleve hasta la farmacia y médicos que las administren. Puede que el país donde se fabrican los medicamentos esté a miles de kilómetros de aquí —añadió Laura.

—Tienes razón, dudo mucho que se hagan en Suiza. Aquí existe una legislación estricta. Esto tiene pinta de fabricarse en lugares, digamos, más flexibles legalmente. Aun así, mañana contactaré con los jefes de departamento de los diferentes cantones y les pondré al tanto de lo que ha averiguado.

El sargento aprovechó la explicación para observarla como quien contempla una obra de arte, con deleite y admiración. Se sentía nervioso en su presencia y, para disimularlo, sujetaba con fuerza la copa de vino. Durante un instante dejó de mirarla y se fijó en sus nudillos cada vez más blancos; le pareció una prueba evidente de su ansiedad y pensó, de una manera infantil, que ella se daría cuenta de sus sentimientos, así que continuó hablando para desviar la atención.

—Se pueden registrar naves que parezcan abandonadas, fábricas, no sé... Todo lugar que levante sospechas de albergar un laboratorio clandestino. También llamaré a los compañeros de

Montreux para que den prioridad al registro de la farmacia y sus alrededores.

Laura lo escuchaba atentamente. Tenía los codos encima de la mesa y la cabeza apoyada sobre las palmas de las manos. Patrick pensó que podría pasarse todo el día mirándola sin cansarse. Haciendo un esfuerzo, desvió sus ojos al plato de pasta.

Thomas acababa de llegar a Leukerbad, que se encontraba a solo una hora en coche de Monthey. Nada más entrar en el pueblo, se vio arropado por las altas montañas que lo rodeaban por los tres costados, Gemmi y Torrent. Esas imponentes masas rocosas, con su forma de herradura, cobijaban un paraíso poco masificado para los amantes del relax y del deporte. Las aglomeraciones no tenían cabida en ese lugar tranquilo. Era fácil encontrarse en medio de la nada escuchando el silencio o el sonido de la naturaleza: el agua de los riachuelos, el murmullo de los pájaros y del viento. Lo que hacía de ese sitio un lugar irremplazable eran los cuatro millones de litros de aguas termales que emanaban de la montaña de Leukerbad, cuyas temperaturas podían alcanzar los setenta grados.

Thomas tenía una cita con Frank Stone a las tres de la tarde. Había recibido una llamada suya; de improviso se mostraba dispuesto a tener una cita. Lo único que debía hacer era acercarse a esa población, donde el mánager se iba a alojar unos días.

Dejó su coche en el hotel Lindner Leukerbad, situado a una altura de mil cuatrocientos metros. Formaba parte de un complejo de tres hoteles, unidos y enlazados subterráneamente, en los que se podía disfrutar de doce mil quinientos metros cuadrados de baños termales; el mayor balneario de Europa.

Tenía una habitación reservada. Después de dejar el equipaje, bajó al bar del restaurante Sacré Bon. En una gran chimenea crepitaban unos enormes troncos; el sonido de fondo de un piano en directo creaba una atmósfera relajada. Buscó entre la gente a un hombre con un polo amarillo chillón; lo encontró frente a la terraza acristalada.

—Hola, buenas tardes. ¿Es usted Frank Stone?

—Sí, soy yo. Y usted debe de ser el señor Thomas Connors.

Se dieron la mano y Thomas se sentó.

Tras un movimiento de brazo de Frank Stone, el camarero se encaminó, solícito, hacia ellos.

—Un café *noissette,* por favor —pidió Thomas. Stone estaba tomando un zumo de tomate.

Se había imaginado al mánager de otra manera, más en la línea de tipo gordo con un puro en la boca. Sin embargo, tenía buen aspecto, estaba bronceado por el sol y físicamente en forma.

—Las vistas desde aquí son espectaculares. Los Alpes ante nuestros ojos —comentó Thomas.

—Pues le aseguro que no hay nada mejor que relajarse en los baños de vapor mientras se contempla la imponente cadena rocosa del Gemmi que rodea Leukerbad. Siempre que mi trabajo me lo permite me escapo a este lugar. La espalda y esta rodilla me lo agradecen.

—¿Qué le sucede?

—Tuve un accidente de moto, ya sabe, la inconsciencia de la juventud.

El camarero apareció con el café y unas pastas en una bandeja.

—He venido aquí en relación a la muerte de Irina Petrova. Creo que usted era su mánager.

—Exacto; una gran pérdida.

—Tenemos razones fundadas para pensar que murió a causa de las sustancias que tomaba para mejorar su rendimiento deportivo.

—No sé nada acerca de ese tema. Yo solo le buscaba patrocinadores, contrataba carreras, ese tipo de cosas.

—Entonces, ¿desconoce el mundo del dopaje?

—¿Qué es dopaje para usted? Porque existen muchos tipos de dopaje de los que nadie habla, por ejemplo, el tecnológico.

—Sinceramente, lo desconozco.

—Muchos atribuyen la avalancha de marcas mundiales en las anteriores Olimpiadas de Pekín al bañador LZR Racer, desarrollado por la firma Speedo con la colaboración de la NASA y probado por el multicampeón Michael Phelps —explicó Stone—. Se invirtieron tres años y millones de dólares en investigación y desarrollo en el traje de baño que utilizaron los campeones y recordistas de los Juegos Olímpicos. Cuesta entre quinientos y setecientos dólares.

—¿De verdad se gastaron ese dinero en un bañador? —preguntó Thomas, incrédulo—. Francamente, resulta difícil de creer.

Stone asintió de manera rotunda.

—Le podría dar otro ejemplo, el de la firma norteamericana Nike. Creó un sistema de vestimenta que incluían calcetines, guantes y cubre brazos elaborados con telas con hoyuelos similares a los de una pelota de golf. En comparación con la piel desnuda, los guantes y cubre brazos disminuían la resistencia del viento un diecinueve por ciento y los calcetines, un doce. En Pekín, los usaron varios atletas norteamericanos y también la rusa Tatiana Lebedyeva.

—Es cierto, recuerdo esos trajes —admitió Thomas.

Frank bebió un sorbo de su zumo y continuó:

—En el baloncesto, Nike vistió a sus estrellas de la NBA con equipaciones un treinta y un por ciento más ligeras que las anteriores, elaboradas con una tela que permitía enfriar el cuerpo más fácilmente. A Kobe Bryant lo calzaron con las zapatillas USA Nike, que son bastante más livianas que las que existen en el mercado. —Frank acompañaba sus palabras con aparatosos movimientos de las manos.

»Dígame, ¿al alcance de quién está todo esto? ¿Cuántos de los récords responden a estos adelantos tecnológicos? —prosiguió—. Eche una ojeada al medallero de Pekín, los diez primeros países son los más poderosos del mundo: China, Estados Unidos, Rusia, Gran Bretaña, Alemania, Australia, Corea del Sur, Japón, Italia y Francia. Una bicicleta de pista o ruta, un arma de esgrima, los aparatos de gimnasia artística, que cada vez son más sofisticados y caros, están solo al alcance de los deportistas del primer mundo, o de excepcionales atletas del Tercer Mundo que reciben el patrocinio de poderosas empresas como reclamo publicitario.

—Me describe un mundo muy alejado de la imagen que se tiene del deporte.

—Uf, si usted supiera...

—Quiero entender qué es lo que pasa y qué empuja a deportistas sanos con toda la vida por delante a meterse en el cuerpo algo que incluso puede matarlos.

—El dinero y la fama. Los atletas son mercancías. Bajo las siglas TOP, The Olympic Partner, se reunió un selecto grupo de padrinos del Movimiento Olímpico, entre ellos Coca-Cola, Visa, Panasonic, Kodak, McDonald's y Samsung. Todos pagaron un alto precio por poder utilizar durante cuatro años los cinco aros olímpicos junto a su logo. —Stone hablaba de un modo apasionado, cambiando de postura continuamente, como si estuviese incómodo—. La factura global por patrocinio para el ciclo olímpico ascendió a ochocientos sesenta y seis millones de dólares. Para el próximo, los Juegos de Invierno se harán en Vancouver, y en Londres, los de verano, el director de marketing del COI ganará por la venta de derechos de televisión tres mil ochocientos millones de dólares.

—¡Eso es una barbaridad! —exclamó Thomas asombrado.

—No, es un negocio. Cuando Michael Phelps ganó su octava medalla de oro, Pizza Hut le ofreció pizza y pasta gratis durante un año. Los productores de la nueva bebida PureSport lanzaron su primera campaña publicitaria basada en las hazañas del «Tiburón de Baltimore», y la firma Kellogg's sacó a la venta sus cereales con el rostro del héroe de Pekín. De la noche a la mañana, el nadador se encontró con propuestas de películas, promoción de comida para perros, ropa y muñecos. Ya tiene contratos publicitarios con Speedo, Omega, Hilton y ATT. Speedo le pagó un millón de dólares por romper el récord de siete medallas de oro de Mark Spitz en los Juegos de Múnich.

—Son casos excepcionales —afirmó Thomas.

—Ya, pero el deportista cree que una parte de gloria está reservada para él. ¿De verdad sigue creyendo que no merece la pena correr el riesgo?

A Thomas le pareció una forma de justificarse muy burda.

—Creo que no —le respondió de manera brusca.

Las nubes cubrieron las cimas de los picos, que en un instante desaparecieron de su vista.

—El agente de Michael Phelps, Peter Carlisle, declaró a *The Wall Street Journal* que el valor del triunfo en Pekín se traduciría en una fortuna de unos cien millones de dólares. Especialistas de marketing hablan de ganancias de hasta treinta millones anuales. —Frank acabó su zumo y pidió una botella de agua.

Thomas pensaba en la manera en que se mercadeaba con los deportistas. Le parecía que mucha gente se dedicaba a exprimirlos para luego desecharlos sin el menor remordimiento. Muchos de ellos no conocían otra cosa que el deporte; no tenían estudios, ni otro medio con el que ganarse la vida. ¿Qué podían hacer? Con pena pensó que no tenían mucho dónde elegir. Eso sí, vio con claridad que el deportista era el único que sufría las consecuencias de doparse.

—Mire, no pretendo darle una charla. Yo soy un mánager. Me llevo un tanto por ciento de lo que ganan mis deportistas. No me considero un santo, pero cuido a mis chicos. Trabajo por dinero como casi todo el mundo y, si uno de mis atletas decide doparse, yo no se lo impido.

—¿Así de fácil? Sin remordimientos.

—No se equivoque, ellos toman la decisión, yo no me meto. No sé cómo lo hacen ni dónde. La mayoría sueña con ser un Usain Bolt. Los agentes de Bolt están negociando contratos por unos diez millones de dólares. En la reciente reunión atlética de Zúrich, se agotaron las entradas una semana antes de que Bolt se calzara los tacos para correr en el estadio Letzigrund. El principal organizador de la prueba aseguró que jamás un atleta había cobrado tanto por competir, ni siquiera Carl Lewis, cuya tarifa ascendía a cien mil dólares en sus buenos tiempos. Y mientras, a mis chicos les pagan una miseria...

Frank se quedó pensativo, en silencio. Al igual que Thomas, que reflexionaba mientras veía el paisaje a través de la cristalera. Sin poder evitarlo, respiró profundamente como queriendo atrapar, durante un instante, el aire puro del exterior.

—¿Qué le parece si damos un paseo? —propuso Frank Stone—. Conozco un camino que le va a gustar. Además, me haría un favor. Detesto caminar solo. Ya sé que a mi edad suena raro, pero...

—A mí también me gusta andar —aceptó Thomas—, y desde que he llegado me está tentando el exterior.

Frank apuntó a su cuenta las bebidas y se marcharon.

—A menos de un kilómetro de la plaza del pueblo, hay un camino colgante de seiscientos metros. Es un bonito paseo.

Llegaron a la pasarela, suspendida a menos de cuatro metros por encima del lecho del río. Parecía que podían tocar con sus pies la fuerza del agua. En las paredes, unas estrías marrones de herrumbre mostraban el contenido férrico del agua termal, que salía entre las grietas de las rocas de la quebrada Dalaschlucht.

—¡Aquí comienzan los estratos de roca que conducen las aguas termales hasta Leukerbad! —gritó Frank para hacerse oír.

A lo largo de las paredes cubiertas de musgo brotaban pequeñas fuentes termales. Al final, llegaron a un puente colgante que conducía hasta una catarata. De allí salía un pequeño camino que bordeaba la montaña. Al otro lado, el espectáculo era asombroso.

—Este es el lago Daubensee, una belleza virgen y única —explicó Frank.

La caldera era extensa y abierta, dominada por inmensos peñones que la rodeaban. Más abajo, en Spitelmatte, se extendía un auténtico mar de flores.

—¡Qué maravilla! —exclamó Thomas.

Se sentaron a descansar en un montículo.

—Esta es la mejor época del año para acudir a este lugar. En invierno la nieve impide ver este espectáculo de la naturaleza.

Como si lo hubieran pactado, hubo un momento de silencio. Thomas lo agradeció. Sus sentidos estaban colmados por la fuerza de la naturaleza. Al poco, Frank Stone reinició la conversación. Thomas se obligó a escucharlo con desgana.

—Sé que usted y la mayoría del público tiene una imagen idílica del deporte, y a ciertas edades es realmente así. Cuando se es aficionado, por ejemplo; pero donde hay dinero no puede haber limpieza. Se lo puedo asegurar.

—Estoy decepcionado.

—Nike y Adidas compitieron tan duro como los atletas durante los dieciséis días de los Juegos por mostrar su valía y conquistar el multimillonario mercado chino. Kobe Bryant, Liu Xiang y Ronaldinho fueron las bazas de la firma norteamericana. La recordista Yelena Isinbáyeva, el astro del fútbol Leo Messi y la campeona de natación Britta Steffen fueron algunas de las figuras a las que vistió la compañía alemana. Adidas invirtió ciento noventa millones de dólares en los Juegos; Nike, ciento cincuenta.

—Ya veo que una medalla en las Olimpiadas da mucho dinero.

—Es un gran escaparate. Por eso los países ricos compran deportistas. Estados Unidos acudió a la capital china con treinta y tres deportistas nacionalizados. Georgia alquiló voleibolistas brasileños para las competiciones de playa. No sé si se dio cuenta, pero numerosos rostros delataban nacionalizaciones y compra de deportistas en las delegaciones de Gran Bretaña, Francia, Holanda, Portugal, Alemania, Bahrein, Qatar y otros. La sangría de talentos deportivos de los países pobres es imparable.

—¿Qué hacen el COI y las federaciones internacionales?

—No mucho. Los países ricos obtienen algunas de sus medallas sin mucho esfuerzo robando talentos a golpe de talonario.

—Y ¿qué pasa con la mayoría de deportistas que no llegan a la categoría de estrellas? —quiso saber Thomas.

—Nada, subsisten. Leí en el periódico la historia de Massoud Azizi, un joven que regresó a Afganistán después de las Olimpiadas. Pasó como uno más entre los once mil deportistas que llegaron a Pekín. Ahora intenta que lo ayuden en su tierra y reza para que ninguna bomba destroce la vieja pista de hormigón en la que entrena cuando puede.

—Qué enternecedor... —dijo Thomas escéptico—. Lo cierto es que justifica hechos horribles. Yo creo que se aprovechan de los deportistas y los utilizan; los exprimen y los obligan a doparse. —Thomas se levantó—. Sé que es usted amigo de Hugo Keller, hijo del magnate farmacéutico y descubridor de algunos de los productos más usados en *doping*. Demasiadas casualidades.

—Me ofende —dijo Frank Stone, y arrojó una piedra al agua, visiblemente molesto.

—Mis disculpas —se excusó Thomas—. El Rolex que lleva en la muñeca derecha y el solitario de su dedo índice pagarían con creces la carrera de ese chico afgano.

—No tiene ni idea de lo que habla. La muerte de Petrova fue para mí un mazazo...

—En su cuenta corriente —lo interrumpió Thomas—. Porque tengo entendido que esa chica prometía.

—Cierto, era magnífica.

—¿Conocía a Úna Kovalenko?

—De vista, yo no la representaba. Leí acerca de su muerte en los periódicos. Me afectó más la desaparición de Arisha Volkova. Yo le pagué el billete e hice el papeleo para traerla a Suiza.

—¡Vaya! ¿Así que fue usted quien la metió en ese cuartucho?

Frank se paró y lo miró ofendido.

—Usted no se imagina a lo que llama un cuartucho. Comparada con el sitio en el que vivía, aquella habitación era el Ritz. No tiene derecho a hablar de esa manera. Esto es una competición y hay que jugar según las reglas que nos han impuesto. En Pekín se erigieron nuevos dioses del Olimpo. El mundo se maravilló con sus hazañas, los envidiaron y se olvidaron las guerras, el hambre y la desesperanza. Pero lo que no sabían ni les importaba... —Hizo una pausa al ver que Thomas parecía no escucharlo—. ¿Me escucha, señor Connors?

—Sí, lo estoy escuchando.

—El mercado se ha tragado el deporte, y vemos cada vez menos talento y menos esfuerzo. Esta es la era de la tecnología y el espectáculo. –A continuación exclamó de manera teatral–: ¡Adiós, ética! Los mercenarios tienen copado el Olimpo desde donde nos miran mientras el público aplaude.

La ira inundó a Thomas. Tuvo que respirar varias veces para serenarse antes de hablar.

–Lo único que sé es que Irina y Arisha están muertas, y le puedo asegurar que la historia no va acabar aquí. Alguien va a pagar por ello –le advirtió Thomas con voz ronca.

Frank le dio la espalda y continuó su camino.

–Primero tendrá que probar que no fueron muertes naturales, algo que intuyo sumamente improbable ya que los certificados de las autopsias lo confirman.

Thomas llamó a Laura desde la habitación del hotel. Una voz de alivio le contestó al otro lado de la línea.

–Thomas, ¡por fin! ¿Dónde te has metido?

–Perdona, es que me llamó el mánager de Irina que se iba a alojar unos días en Leukerbad, así que no lo pensé dos veces, me monté en el coche y aquí estoy.

–¿Has hablado ya con él?

–Sí, pero no he sacado nada en claro. Poco más de lo que ya sabíamos. Se ha descrito casi como un ángel guardián para sus deportistas. Si te soy sincero, no me gusta y creo que está metido en el ajo. Si sus atletas ganan, él gana. Una fórmula muy fácil.

–Veo que no estás satisfecho.

–Totalmente, a este Frank no hay por dónde agarrarlo. ¡Maldita sea! –dijo con rabia–. Necesitamos pruebas y veo muy difícil conseguirlas por esta vía. Menos mal que el sitio es espectacular –admitió, más calmado, contemplando el paisaje desde la terraza–. Pienso aprovecharlo al máximo; me quedaré un par de días, hasta el domingo. Tú también tómate el fin de semana libre.

–Gracias, jefe, porque me lo he ganado. He vuelto a hablar con el tío de Irina. Tras una acalorada discusión, ha reconocido que él distribuía los medicamentos.

—Es una estupenda noticia, Laura. Ya tenemos por dónde tirar del hilo. ¿Y quién se los suministra?

—No me lo ha contado. Me ha dicho que esperara a que tuviera pruebas.

—¿Estaba nervioso?

—Sí, bastante, casi no se entendía lo que decía.

Thomas permaneció callado, aquello no le gustaba. Por su parte, Laura prefirió no comentarle el suceso de la tarde con el hombre de la ventana, y también guardó silencio, lo que dio por concluida la conversación.

Como cada noche desde su conversación con Maire, a Thomas le costaba dormir. Miró el reloj; marcaba las dos de la madrugada. Intentó vaciar su cabeza de pensamientos sobre cosas que ya no tenían remedio. Se resistía a dejarse llevar por el drama. Quería volver a ser el de antes. Durante el día casi lo había logrado, pero por la noche... Por la noche los fantasmas rondaban su almohada, se metían en la cama y bailaban hasta el amanecer. Lo peor era haber comprobado lo poco que significaba la vida que él tenía por perfecta. Todavía perduraba la sensación del momento en el que, sentado en el banco de la casa de Maire, se había planteado que podía ser feliz en su compañía. Se había visto a sí mismo otra vez en Irlanda, cultivando su propio huerto y viviendo una vida rural que se había empeñado —ahora lo comprendía— en rechazar. Ese instante al sol, con los pétalos de las alegrías por el suelo y el aroma del eneldo entre sus manos, lo guardaba como un tesoro. Pensó en su apartamento de Nueva York tan ordenado y vacío. Nunca lo había considerado su hogar, al igual que el de Lyon; no le hubiera costado dejar todo atrás por ella. Mi casa era su piel, pensó con rabia. Frustrado, se levantó. Se vistió con el albornoz y las zapatillas del hotel y salió de la habitación.

La noche lo envolvió con su silencio. Todo estaba en calma. Contempló abrumado los picos de las montañas que se alzaban ante sus ojos. La luna proyectaba su luz sobre las nieves perpetuas y le daba a la escena un aire irreal, onírico, como si fuera un espejismo. Por un instante, contuvo la respiración ante esa visión sobrenatural. Se quitó el albornoz y se sumergió desnudo en una de las piscinas naturales. El vapor del agua ascendía como el humo de una enorme chimenea para fundirse con la oscuridad. A su espalda, unos pocos faroles iluminaban el edificio. Miró el cielo profundo e inmenso, lleno de estrellas. Se sintió pequeño y conmovido.

36

A escasos cien kilómetros de donde se alojaba Thomas, Janik observaba el bosque desde la ventana. El día había amanecido sin nubes, como esos días frescos del verano. Las copas de los árboles se mecían al compás del latido del viento y silbaban como si quisieran avisar de algún peligro inminente. Entre un claro del bosque se divisaba la abadía. Blanc le helaba la sangre. La sangre que pronto iba a abandonar su cuerpo. El trayecto a la abadía le pareció más largo que la primera vez. Un quebrantahuesos volaba entre los picos. Un proyecto europeo había decidido repoblar los Alpes con especies desaparecidas. A principios del siglo XIX, los cazadores mataron a los animales de las montañas porque creían que por las noches se transformaban en demonios. Acabaron casi por completo con las cabras montesas, los quebrantahuesos, las águilas reales, los linces, los lobos y los osos. Pero el programa de repoblación de los últimos años había sido un éxito. Las cuevas, las madrigueras y los riscos recuperaban a sus antiguos moradores.

La brisa movía ahora las ramas bajas de los árboles acompañando a Janik durante el recorrido. Tenía que estar alegre, se decía, como se está los días en los que el sol calienta el ánimo, pero no podía borrar de su mente la aguja con la que perforarían su piel. Llegó a la entrada de la abadía. Un hombre ataviado con una bata le abrió la puerta.

—Acompáñame, por favor. Desde hoy tienes que tomar este camino. Tendrás que venir con frecuencia para que te midamos el hematocrito.

Esta vez no entraron en la casa de Blanc, lo que tranquilizó a Janik. Todavía recordaba el olor a huevos podridos que flotaba en el ambiente. Rodearon la abadía arrimados a los muros.

Atravesaron la puerta y, entre trozos de losetas en los que crecía la hiedra, llegaron al camino que conducía a la trampilla.

El Mago estaba sentado en la mesa. Parecía tranquilo.

—Hola, Janik. Vamos a empezar. Él es mi colaborador —dijo, refiriéndose al hombre que le había abierto la puerta—. Va a encargarse de tus tratamientos. Como pronto comprobarás, no habla mucho, pero es el mejor en su profesión. Te dejo en buenas manos.

El hombre no perdió el tiempo en saludos. Se puso unos guantes de vinilo y reunió lo necesario para la transfusión.

—Desnúdate de cintura para arriba y siéntate en la camilla.

—¿Qué me vas a hacer? —preguntó Janik, nervioso.

—Te voy a tomar la tensión.

—Ya, pero vas a sacar sangre, ¿no? —Janik comenzó a morderse las uñas.

—Te vamos a sacar novecientos mililitros de sangre y la congelaremos a menos ochenta grados centígrados.

—¡Joder!

—Túmbate y cierra la mano con fuerza.

—Me dan un poco de grima las agujas.

—Pronto te acostumbrarás.

La aguja entró en la vena. Janik cerró los ojos, la visión de la sangre le revolvía el estómago.

—Aprieta con fuerza la gasa.

—¿Ya hemos acabado? —preguntó Janik, impaciente por terminar. Se sentía extraño. Miró alrededor en busca de algo que le resultase familiar, cercano, pero aquellos objetos que lo rodeaban no tenían ni una pizca de alma.

—Por hoy, sí. Puedes vestirte.

El hombre abrió la tapa de un cilindro metálico del que salió un vapor helado. Apuntó algo en una de las hojas y miró el reloj.

—Acompáñame, por favor.

Salieron del laboratorio y entraron en una pequeña estancia, en la que había una mesa con varias pilas de papeles y un ordenador moderno; detrás de la pantalla estaba el Mago. A su espalda, varios muebles de oficina contenían carpetas con nombres. Janik los leyó: «Urko», «Nibelungo», «Kirby», «Cromañón». ¡Vaya nombres más extraños!, se dijo. El Mago movió la silla con ruedas y su sonrisa apareció de detrás de la pantalla.

—Ya tenemos tu sangre llena de glóbulos rojos descansando.

—Y ahora, ¿qué?

—Ahora a esperar. Dejaremos que tu cuerpo reponga de manera natural los valores. El proceso dura entre cinco y siete semanas.

—Y ¿después?

—Cuando comprobemos que has recuperado tus valores de hemoglobina, hierro y glóbulos rojos, te haremos la transfusión.

—¿Me vais a meter toda la sangre de golpe? —preguntó Janik; quería conocer todos los detalles.

—No, eso supondría un riesgo. Si te metemos todo ese volumen de sangre, la tensión aumentaría rápidamente y se podría formar un trombo. Lo que hacemos es quitar el plasma y quedarnos con los glóbulos rojos.

—¿Cuánto es más o menos?

—Unos trescientos mililitros.

—¿Qué efectos tienen?

—Hacen que tengas parámetros como la hemoglobina, o los glóbulos rojos, al máximo nivel permitido durante más de tres meses.

—¿Es peligroso?

—En absoluto. Te daremos unas sencillas indicaciones el día que vengas a hacer la transfusión. Lo único que tienes que hacer es seguirlas al pie de la letra. Por cierto, ¿cómo van los entrenamientos?

—Ya he empezado a rodar media hora y no tengo ninguna molestia.

—Te dejaremos entrenar unas semanas y empezaremos con los tratamientos de hormona de crecimiento y con la EPO, pero antes tenemos que controlar muy bien los niveles de hematocrito hasta que veamos cómo reacciona tu organismo.

—¿Tendré que pincharme?

—Ahora que lo comentas, tienes que agenciarte una pequeña nevera —le recordó el Mago antes de responder a su pregunta.

Como la nevera que llevaba Viktor cuando llegó a la residencia, pensó Janik; seguro que, además de sus bebidas isotónicas y sus batidos, servía para enfriar otra clase de líquidos.

—Sí, tendrás que pincharte. Pero todo a su tiempo.

—No sé si podré. Tengo pánico a las agujas.

Janik bajó la cabeza, avergonzado por confesar su secreto.

—Lo superarás. Te lo aseguro —le dijo el Mago para tranquilizarlo.

Un pensamiento lo atormentaba desde que se encontró con el Mago. ¿Y si Irina, como insinuó el poli de la Interpol, se había dopado? ¿Y si había ido al laboratorio y le habían inyectado un medicamento que la mató?

37

Laura bajó la cabeza y se contempló el vientre. Imaginó que, en ese momento, allí dentro podía estar desarrollándose una vida. Aunque desde hacía tiempo no podía dejar de pensar en ello, le parecía más irreal que nunca. Le resultaba tan ajeno que desafiaba su capacidad para asimilarlo. Se acarició con ternura la tripa. Después de un día tan largo, se creía en la obligación de mimarse un poco. Antes de quedarse dormida, deseó con todas sus fuerzas estar embarazada.

Era noche cerrada cuando el señor Oleg Petrov recogía las muestras de la última EPO en su pequeña cocina, donde estaba envolviendo una probeta en un plástico lleno de pequeñas burbujas de aire. Sacó del congelador una cajita de corcho blanco en cuyo interior se hallaba la sangre helada de su sobrina. Tenía que darse prisa, si no, la sangre no serviría para nada. Introdujo en una bolsa de plástico abundantes cubitos de hielo y metió las muestras en su interior, le hizo un nudo y buscó las llaves del coche. Se encontraba a unos pasos de la puerta cuando oyó un ruido.

Se detuvo. Como por acto reflejo, contuvo la respiración. Nada. Solo oía el tictac del reloj del salón. Siguió quieto. Despacio, sin saber qué se iba a encontrar, avanzó con cautela. Primero un paso, luego otro. Tanteó la pared en busca del interruptor. Se paró de golpe. De repente, no estaba tan seguro de encender la luz. Decidió no hacerlo. El problema era que no podía salir por la puerta delantera, frente a la que tenía aparcado el coche, pues las campanillas sonarían al abrirla y delatarían su presencia. Retrocedió. Entonces notó un movimiento tras él y se volvió. Una sombra salió de detrás del sofá y de un salto se plantó en medio de la sala. No podía verlo bien, pero se trataba de un hombre joven, fuerte y muy musculoso. El hombre se paró frente a él y le dedicó una extraña sonrisa.

—Viejo, dame la bolsa.

Tenía una voz ronca, algo gutural, que le provocó un estremecimiento.

—No.

—Ignoras que te puedo matar y luego quitártela. Tienes que ser un poco inteligente, viejo.

—No tengo miedo a morir.

El hombre avanzó unos pasos sin dejar de sonreír, era un depredador acorralando a su presa. Petrov comprendió lo que iba a suceder, la muerte de su sobrina quedaría impune y todo acabaría allí donde había comenzado, en la farmacia Vasil. Retrocedió.

El hombre avanzó, despacio, con sigilo. Parecía disfrutar del momento.

—Venga, sé bueno y dame lo que tienes en las manos.

El viejo caminó hacia atrás hasta llegar a la inmensa sala de la farmacia. Sin dejar de mirar al hombre, sorteó el mostrador y continuó arrastrando sus pies de manera sigilosa hacia la puerta.

—Vaya, vaya, el viejo quiere vivir... Me has mentido, pillín.

En dos grandes zancadas el hombre se situó frente a él. El señor Petrov observó asustado cómo se ajustaba los guantes de piel, primero el izquierdo, luego el derecho. De repente, una luz iluminó el escaparate y deslumbró al asaltante, que en un gesto reflejo se protegió los ojos con las manos. El señor Petrov aprovechó para abrir la puerta. El sonido de las campanas rasgó la tensión del momento. Se dio cuenta de que era un coche de policía. Corrió tras él, pero no pudo alcanzarlo; ciertamente, era demasiado viejo. Se escondió en un pequeño jardín, entre unos arbustos. Tenían unas enormes espinas que se le clavaban en el cuerpo como agujas. Le traspasaron la tela de la ropa y se adentraron en la piel. Nada de eso le importaba mientras tuviera aferrada la bolsa de plástico blanca con rayas rojas.

No sabía cuánto llevaba allí, había perdido la noción del tiempo. Intentó levantarse, pero sus huesos fríos no le respondieron. Cada uno de sus movimientos era una tortura, las espinas se hundían más en la carne. Trató de combatir la rigidez de sus piernas con pequeños golpes. Cuando creyó que estaba preparado, contó hasta tres, se puso de rodillas y, agarrándose a una rama, se levantó. Apretó con fuerza la bolsa y sin pensarlo corrió en busca de un taxi que lo llevara a casa de la doctora Terraux.

38

La primavera en Les Diablerets solía verse interrumpida por ásperas corrientes de viento que bajaban de las montañas. Causaban el mismo efecto que un soplo de aire entrando por la ventana abierta de un cuarto caldeado. A veces llegaban acompañadas de electricidad, cargando el cielo de energía y precipitándose a la tierra en forma de truenos y relámpagos.

Una de esas tardes ventosas del mes de abril, en las que parecía que había vuelto el invierno, Janik salió de la residencia hacia el laboratorio. A mitad de camino comenzó a temblar. La brisa sacudía las ramas de los árboles y se colaba en su cuerpo por la nuca. Estaba claro que su grasa corporal era insuficiente para amortiguar aquellas ráfagas heladoras. Por encima del bosque, al otro lado de la pared de la montaña, se oían los truenos. La tormenta no tardaría en atravesar el muro rocoso y entrar en el valle. Tenía que darse prisa si no quería exponerse a la furia de la naturaleza y ser blanco fácil de los rayos. Aceleró el paso hasta llegar a la entrada. Las nubes chocaban contra las agujas de la Quilla del Diablo y oscurecían el valle. Se acordó de Blanc. De pronto lo invadió el mismo miedo que infunden las historias y las películas de terror. La soledad había sido su compañera durante muchos años, pero el miedo era otra cosa. Lo sentía antes de una carrera, y tenía que ver con la idea de fracaso. Blanc le daba miedo, el estado de su madre le daba miedo y la idea de que Irina hubiera muerto por doparse le daba pavor.

El hombre silencioso accionó el interruptor del mando a distancia. El laboratorio estaba casi a oscuras. Lo llevó hasta la camilla.

—Vamos a empezar con la hormona de crecimiento —dijo con determinación—. Es la más difícil de inyectar.

De uno de los cajones sacó un pequeño neceser.

—Este va a ser tu kit. Como ves, está dividido en dos compartimentos. En la parte izquierda tienes los algodones, el alcohol y el jabón. En la derecha, las jeringuillas, las agujas y el recipiente para desecharlas.

—Por lo que veo, lo tenéis todo previsto.

Janik observaba la jeringuilla y las agujas cuando recordó la imagen de Ethan en la cama del hospital avisándole de que ese momento iba a llegar; esta vez, no se sintió culpable. Había tomado una decisión y nada ni nadie lo haría cambiar de opinión.

—Las zonas en las que te pinches dependen de factores como la experiencia o la cantidad de mililitros que te vas a poner. Para empezar, te aconsejo que lo hagas en el glúteo o en las piernas.

—¿Cómo?

—Sí, por comodidad. En el brazo es más difícil.

Se levantó y desapareció en la oscuridad. Se oyó el sonido de una puerta. Regresó con una ampolla en la mano.

—¿Qué es eso?

—No es más que suero. Primero preparas el alcohol, el algodón, la ampolla y dos jeringuillas. Hazlo tú mismo.

Janik abrió el neceser.

—Una vez que tengas todo listo, agita la ampolla varias veces para mezclar bien el contenido; luego, ponla en agua caliente bajo el grifo, eso facilita la inyección y evita el dolor.

Janik obedeció.

—A continuación, rompe la cabeza y quita el protector. Mete la aguja en la ampolla y tira del émbolo hasta aspirar todo el líquido.

—Queda algo de aire dentro de la jeringuilla —advirtió Janik.

—Es normal —le aseguró el hombre—. Apunta con la aguja al techo dando unos golpecitos hasta que el aire de la aguja suba. A continuación, lo expulsas apretando el émbolo.

—Ha salido un poco de líquido —dijo Janik, completamente concentrado en asimilar la información. Su recién estrenada psique estaba haciendo bien su trabajo—. No importa. En el caso de que aun así tengamos burbujas de aire, deja la jeringuilla en vertical con la aguja hacia arriba durante un minuto o algo más, para que suba todo el aire, y repite la operación.

—Y ahora, ¿qué hago? —preguntó Janik, pasado el minuto.

—Pon la tapa a la aguja, selecciona la zona donde te vas a pinchar. Por ejemplo, aquí. —El hombre señaló la zona alta de su muslo derecho—. Es importante que relajes la pierna.

—Es un poco difícil ¿no?

Esta vez la mente sí que le jugó una mala pasada. Le temblaba la mano. Se dio cuenta de que cumplir su objetivo le iba a costar más esfuerzo de lo que en un principio pensaba.

—Ahora limpia la zona con alcohol. —El ayudante parecía ignorarlo—. Es vital que te pinches enseguida. La zona permanece estéril muy poco tiempo.

Janik dudó un momento, pero se acordó de Irina, de su padre, de su madre y, sobre todo, de los años que no había hecho otra cosa que correr; ese esfuerzo iba a quedar huérfano si se echaba atrás.

—Haz como yo, con un golpe seco. —El ayudante agarró una jeringuilla e hizo como si se pinchase encima de su pantalón.

Janik lo imitó, pero la aguja no entró.

—No se me dan bien estas cosas —se disculpó.

Tenía que superar el terror a las agujas. Tomó aire y sus pulmones se hincharon como pequeños globos. Poco a poco, recuperó parte de la tranquilidad que había perdido y la mano dejó de temblar. Repitió la operación, y esta vez la aguja entró sin dificultad. Suspiró aliviado.

—Ahora tira del émbolo un poco, si salen burbujas todo está bien. Si lo que sale es sangre, saca un poco la jeringa, cambia un poco el ángulo y vuélvela a meter.

—Me sale sangre.

Janik sintió pánico y comenzó a respirar de manera acelerada, como si no hubiese aire suficiente en la habitación.

—No pasa nada —lo tranquilizó el ayudante—. Eso es que has pinchado un pequeño vaso sanguíneo. Respira poco a poco o vas a hiperventilar.

—¡Vaya! ¡Qué mala suerte! —exclamó Janik, disimulando su angustia.

—Aprieta el émbolo despacio, el líquido puede romper algunas fibras del músculo.

—¡Joder! Sí que hay que tener cuidado —dijo a punto de perder los nervios.

—Cuando hayas introducido todo el líquido, saca la aguja y ponte un algodón con alcohol, que habrás preparado anteriormente, y aprieta un poco —le indicó el ayudante de El Mago.

—¡Ya está fuera la aguja! —gritó Janik, al límite de su umbral de resistencia.

—Si te duele, puedes masajearte con la palma de la mano. No toques la aguja con nada. Pon la tapa, guárdala en el recipiente y cuando esté lleno lo traes.

—Creo que lo he pillado todo.

La pierna de Janik emitía pequeños fogonazos de dolor y, por un momento, entretuvo la sensación de ahogo que sentía. No tenía tan claro que fuera a superar el tratamiento.

Janik no necesitaba parar después de un entrenamiento duro. Era como si estuviese montado en una montaña rusa. Una vez llegaba abajo y perdía la inercia, una fuerza invisible lo agarraba por los pies, lo llevaba otra vez a la cima y lo lanzaba de nuevo a toda velocidad cuesta abajo. Así, día tras día. A medida que mejoraba los tiempos de entrenamiento, iba recuperando la confianza. Había algo mágico en aquella pócima que hacía de quien la probaba un superhéroe. Janik se sentía poderoso. Conforme mejoraba, creía que no tenía límites. Era una sensación única. Que se cumplieran sus sueños ya no era cuestión de valía, sino de que pasasen los días y llegara el momento en que su calendario estuviera marcado con unas cuantas rayas.

Antes de acostarse, tachaba el número del día y se repetía a sí mismo lo bueno que era.

39

El domingo comenzó bien. Después de la tormenta del día anterior, el cielo apareció limpio de nubes. Laura abrió las ventanas de par en par y el aire cálido y húmedo circuló por la casa. Había dormido de un tirón y se sentía descansada y llena de energía. Decidió quedarse en casa, en pijama, limpiar un poco, leer y ver la televisión. Al mediodía, cuando acabó de recoger la última ropa de la secadora, llamó a la farmacia Vasil. Durante la espera su tensión fue en aumento, oía el tono pero nadie contestaba al otro lado de la línea. Decepcionada al no obtener respuesta, colgó. Deseaba creer que el señor Petrov cumpliría su promesa y le daría las pruebas necesarias para atrapar a los traficantes.

La música de Amy Winehouse sonaba por toda la casa. Siempre que escuchaba algunas de sus canciones le pasaba lo mismo, sentía pena por su muerte. Se preparó la comida, un simple bocadillo y una manzana, y salió al exterior. La tarde era cálida. Se sentó en el porche y observó que había crecido la hierba del jardín. Se prometió a sí misma solucionarlo después de comer. Estaba ensimismada quitando unas malas hierbas cuando una sombra le ocultó la luz del sol, alzó los ojos asustada y vio que era Thomas.

—¡Vaya, vaya, con la jardinera! Creo que se te da mejor abrir cadáveres que zanjas.

—¿Cómo has entrado?

—He dejado el dedo pegado al timbre de tu puerta como cinco minutos, después te he llamado varias veces al móvil, así que me he acercado a la parte trasera de tu casa y he saltado.

—Es ilegal.

—Lo que es ilegal es cómo cuidas el jardín. Déjame la azada —le pidió Thomas.

Se quitó el jersey y lo dejó encima de la mesa de teka. Laura le pasó la herramienta y Thomas, con gran pericia, acabó en unos minutos con las malas hierbas.

—Aquí lo que necesitas es una oveja o una cabra que te corte la hierba y a la vez la abone. Y en ese rincón —añadió—, plantaría unos tomates. Le da todo el día el sol, con muy pocos cuidados recogerías unos ricos tomates para septiembre.

Laura lo escuchaba con una sonrisa. Thomas agricultor. ¡Jamás lo hubiera pensado!

—Y ¿qué más debería hacer según tú? —le preguntó, divertida.

—No te burles, es una pena que en todo este terreno no tengas más que un árbol. Deberías sembrar plantas que no necesiten demasiada agua, así no las tienes ni que regar. Especies mediterráneas, por ejemplo, como la begonia, el lirio o los alelíes, son resistentes a la falta de humedad. De repente calló, alcanzó las tijeras de podar del cesto de mimbre y comenzó a podar el seto que daba a la calle.

—Deberías sembrar plantas aromáticas, huelen muy bien y las puedes utilizar para cocinar.

—Lo dudo —dijo Laura—, no sé cocinar.

Thomas se detuvo y la observó. Laura llevaba puesto el pijama y el pelo recogido en una coleta. En el pantalón, a la altura de las rodillas, tenía dos manchas de barro de forma circular.

—¿Sabes algo del tío de Irina? —le preguntó Thomas de repente.

—Nada. Lo he llamado antes y no había nadie. De todas formas, hoy es domingo y la farmacia cierra. No tiene por qué responder al teléfono.

Después de haber conciliado el sueño a altas horas de la madrugada, Thomas se había despertado muy tarde. Desayunó y sin tomar una dirección concreta se había dedicado a vagabundear por los alrededores. Durante el paseo, entre la soledad de los abetos y los pinos, tomó la decisión de detener a los responsables de la muerte de Úna; no importaba el tiempo que costase, acabaría encontrándolos.

—Volviendo a lo de antes, *mademoiselle* Terraux, ¿es usted capaz de estudiar medicina, hacer la especialidad y llegar a jefa

318

de departamento sin saber cocinar? Es un hecho inadmisible.

—No he tenido tiempo para esas tonterías —se defendió Laura—. Siempre me ha parecido más interesante diseccionar un cadáver que cortar verduritas —argumentó, orgullosa.

—¿A qué te refieres con diseccionar? Supongo que a sacar tripas del cuerpo, serrar cabezas, abrir corazones... Un símil muy apropiado el de las verduritas... —argumentó Thomas con una sonrisa malévola—. Y como supongo que la idea de la cabra no va a prosperar, ¿qué tal si cortas la hierba con la segadora?

—No tengo cortacésped —contestó con altivez.

—Y ¿cómo lo haces?

—Con esto.

Laura le mostró unas tijeras con las hojas más largas de lo normal y dispuestas en ángulo recto.

—Pero... eso es tercermundista.

—Vosotros los yanquis no tenéis ni idea de medio ambiente. Solo se necesita un poco de tiempo y paciencia.

—Para, para, lo primero es que yo no soy yanqui sino irlandés, y lo segundo es que me parece imposible, en plena era tecnológica, que una forense jefe de un hospital tan importante —dijo con una lentitud ensayada recalcando sus últimas palabras— utilice una herramienta de la Edad del Bronce. Desde luego, eso quiero verlo.

Laura se colocó de rodillas y comenzó a cortar la hierba.

—¡Vas a tardar una eternidad!

—Lo suelo hacer por tramos. Hoy, por ejemplo, pensaba cortar la zona que está debajo del sauce.

—Ya... Pienso que la cocina y la jardinería ocupan el mismo puesto en tu vida. Pero podemos hacer un trato, tú lees el informe que mi jefe ha enviado y yo cocino y me ocupo del jardín.

—¿Lo dices en serio?

—Totalmente.

Laura dejó con placer las tijeras en el cesto y subió los dos escalones del porche. Entró en la casa, apagó el CD y se dirigió a su habitación. El espejo le devolvió su imagen. Se contempló horrorizada. El pijama de rayas amarillas y blancas que llevaba parecía un mantel y era varias tallas más grande que la suya. Un vistazo a su cara le recordó que no se la había lavado; una legaña le colgaba del ojo izquierdo. ¿Qué habría pensado Thomas? Él, que parecía siempre sacado de una portada de revista... Se desnudó rápidamente y se metió en la ducha. Al cuarto de hora ya estaba vestida con un pantalón pitillo azul marino de goma ancha en la cintura y una camiseta de algodón de inspiración marinera. Se maquilló los ojos de manera muy suave, con un poco de sombra y rímel gris, después se aplicó el colorete en las mejillas y brillo de color rojo en los labios. Comprobó el resultado satisfecha. El pelo lo dejó tal y como se lo había recogido para la ducha, con un pasador. Fue a la mesa del porche con el ordenador.

—Te he mandado un correo con el informe —le dijo Thomas.

Laura asintió. Se puso las gafas de sol y se sentó ante el ordenador.

—Me siento como una terrateniente. Desde las alturas diviso mis campos y vigilo que mis esclavos trabajen.

Thomas se quitó el sudor con el dorso de la mano y sonrió.

—Sí, *bwana*. Por cierto, mañana me voy a Lyon. Llevo un tiempo sin pasar por la oficina y quiero comprobar en persona cómo marchan las cosas.

—De acuerdo, pero ahora menos charla y más trabajar, si no me veré obligada a sacar mi látigo.

—¿Tienes un látigo? —preguntó Thomas con una mirada pícara.

Laura lo miró extrañada, intentando adivinar si hablaba en serio. Por su gesto socarrón, comprobó que así era. ¿Qué clase de gustos sexuales tenía como para creer que ella poseía un látigo?

—Es una broma, Thomas.

—Ya me parecía a mí...

Thomas prosiguió con su trabajo. En el lugar donde el seto terminaba y empezaba la madera blanca del porche, encontró una bolsa de plástico atada con un nudo.

—Me parece que te has olvidado de tirar la basura —dijo mostrándole la bolsa.

Laura se asomó y vio la bolsa de plástico blanca con rayas rojas.

—Por Dios. ¡Qué asco! Eso no es mío. Yo siempre uso bolsas de basura. Algún gamberro la habrá echado en mi casa. Además, está llena de barro y mugre. Déjala, luego la tiraré al contenedor.

—A sus órdenes, ama. —Thomas dejó caer la bolsa al suelo—. Necesito una cosa, ahora vengo —dijo de repente.

Atravesó el salón y salió por la puerta principal. Al cabo de un rato, apareció con un artilugio largo, en cuyo extremo asomaba una cuerda amarilla de plástico.

—¿Se puede saber qué es eso?

—Ahora mismo lo vas a ver.

Bajó al jardín, se colocó unas gafas protectoras y encendió aquella especie de escoba. Se oyó un ruido ensordecedor y la cuerda amarilla comenzó a girar de manera vertiginosa.

—¡Es una desbrozadora! ¡Se la he pedido a tu vecino! —gritó Thomas.

Ante los ojos asombrados de Laura, las hierbas altas desaparecieron como por arte de magia.

En su descenso, el sol parecía un gran globo naranja. Thomas y Laura observaban el final del día desde el porche. Habían cenado una ensalada, una tabla de quesos, patés y pan de nueces y pasas. El sonido de las cucharillas dando vueltas a sus respectivos chocolates calientes los sumió en una agradable calma.

—¿Puedo preguntarte algo personal? —dijo Laura.

Thomas asintió mientras se balanceaba en la mecedora.

—¿Estás casado?

Desde que lo conoció, Laura se moría de ganas de saberlo.

—Aunque sea una pregunta muy indiscreta, te contestaré. Estoy divorciado.

—Y ¿qué pasó? —preguntó ansiosa por saber más.

—Fue hace muchos años. Nos conocimos en la universidad. Yo estaba en un momento en el que había dejado muchas cosas atrás y me sentía un poco desesperado. Pensé que la quería, pero solo la necesitaba. En las relaciones, el momento es todo en la vida. Y ella llegó en el momento adecuado, cuando más indefenso me sentía; lo que ahora me parece que era claramente una relación abocada al fracaso, antes la veía perfecta. Lo nuestro no funcionaba y acabé liado con una profesora de la universidad veinte años mayor que yo. Al final ella lo descubrió. Fue una equivocación, como tantas otras...

—¿Tuvisteis hijos?

Laura vio cómo se tensaba el cuerpo de Thomas. Sus facciones se endurecieron y su boca se transformó en una mueca.

—No, no tengo hijos.

Tomó un sorbo de chocolate y se meció de nuevo. Hubo un silencio que a Laura le resultó incómodo; no se atrevió a hacerle más preguntas.

—Y tú ¿te has casado? —se interesó Thomas.

—¿Yo? Ni por asomo. Jamás he querido casarme.

—¿No ha habido nadie en tu vida que te haya hecho dudar? —preguntó, incrédulo.

—Mario. Cuando los dos terminamos la carrera de medicina decidimos probar el voluntariado y nos fuimos a ejercer a África.

—¡Vaya! ¡Qué intrépida la doctora!

—Le dije que por él me iría al fin del mundo y se lo tomó al pie de la letra. Nos fuimos a Mali. La experiencia fue horrible. Desnutrición, sida, infanticidio, un machismo exacerbado... Trabajábamos de sol a sol con unas condiciones climáticas horrorosas. Te pasabas una semana alimentando a un niño desnutrido sin resultado alguno. Sospechabas que la causa de que no mejorara podía ser otra diferente a la alimentación, como que tuviera SIDA, pero no teníamos ni para hacerles la prueba de VIH. Al cabo de tres meses finalizó nuestro contrato y volvimos a Suiza. Vivimos juntos, viajamos, disfrutamos de la vida, pero un día Mario me dijo que le habían ofrecido un trabajo en el Congo y que lo iba a aceptar. Yo sabía que no era cierto, que

322

no habían ido en su busca con una oferta de trabajo; él quería ser cooperante y hacía tiempo que había enviado, a mis espaldas, unos currículums.

Laura hablaba mientras contemplaba los últimos rayos del sol ocultándose entre las montañas. Sus ojos brillaban como dos piedras preciosas y su cabello parecía fuego. Thomas la miraba embelesado. En ese instante, parecía una diosa recién salida del Olimpo, bella, altiva, fuera de lugar en ese porche y en ese mundo.

—Yo no quería acompañarlo, y lo peor era que Mario lo sabía. Así que lo que parecía una verdadera historia de amor se terminó en una semana, el tiempo que tardó en recoger sus cosas. Desde entonces he tenido alguna historia, pero nada parecido a lo que sentí por Mario.

—Ningún otro ha estado a su altura.

—Eso es.

Ambos se miraron y sonrieron. Thomas se acercó un poco más a Laura. Ella notó su olor. De manera inconsciente, cerró los ojos un instante para sentirlo más intensamente. Después, contempló los ojos oscuros y atormentados de Thomas. No podía negar que le atraían como dos agujeros negros hacia el abismo. Se dejó llevar y lo besó. Los labios de Thomas eran suaves, y Laura los acarició con su boca de manera lenta y sensual. Notó cómo su cuerpo se excitaba y quería más.

—Thomas... tienes una boca hecha para ser besada.

—No sé si es un cumplido y agradecértelo.

—¿Por qué dices eso? —le preguntó sin entender nada.

—Porque besar no es lo que más me gusta.

Laura notó que el tono de su voz había cambiado, era más cortante; se apartó un poco.

—¿Sales con alguien? —preguntó, visiblemente contrariada por la frialdad de sus palabras.

—Con nadie. No quiero saber nada de mujeres. Ni nada que tenga que ver con el amor, el compromiso y demás historias que van asociadas a una relación.

—Entonces, ¿qué quieres?

—Solo deseo una relación basada en el sexo.

Laura no pudo evitar tragar saliva de manera aparatosa, como si una espina la estuviera asfixiando.

—Te he escandalizado.

—En absoluto.

—No sabes mentir.

—Lo que acabas de decir es infantil y hedonista. Te has puesto la máscara de Casanova, pero a mí no me engañas. En el fondo, todos necesitamos compañía. Ya no se lleva eso del lobo solitario.

—Tú misma. Si quieres creer que soy así para pensar que soy una buena persona, un hombre según tus principios y valores, créelo, pero te equivocas. Ni espero ni deseo que surja una mujer para rescatarme de la soledad de mi vida. Es más, me aburren esas historias de juntos y felices para siempre. Si hurgas un poco, siempre huele raro.

—¿Tanto la querías? —preguntó Laura sin pensar.

Thomas dio un respingo. No se lo esperaba. Miró su reloj y se levantó.

—Perdona, Laura, es tarde y últimamente no duermo bien. Me voy a ir al hotel —se disculpó precipitadamente.

—De acuerdo —contestó ella, sorprendida.

—Mañana hablamos. Y si no te ha llamado el tío de Irina habrá que hacerle una visita. Es la única pista fiable que tenemos por ahora.

Laura asintió sin mirarlo. Le dio la espalda y comenzó a recoger los restos de la cena.

—Espera —dijo Thomas—, ya lo hago yo.

—No hace falta, estás demasiado cansado —respondió, molesta.

—Si te han incomodado mis comentarios, lo siento. No quería que te formaras una imagen romántica de mí. Además, nunca mezclo trabajo y placer.

—Thomas, eres un poco prepotente. Crees que porque esté soltera y libre busco un hombre al que pegarme como a una lapa. Pero olvidas algo obvio, que soy una mujer independiente, con dinero, atractiva y feliz de vivir sola. Cuando he dicho que todo el mundo necesita compañía, no me refería exactamente a una pareja.

—¿A qué entonces? —preguntó Thomas desde el marco de la puerta.

—No sé... a amigos, hijos, perros, gatos, familia, esas cosas.

—Ya, esas cosas. De todo lo que has dicho me quedo con el perro. Creo que es lo ideal para no sentirte solo. ¿Y tú qué eliges?

—Elijo todo, menos un hombre.

—La doctora es exigente, no esperaba menos.

Thomas entró en el salón rumbo a la entrada principal. Laura lo siguió, dejó la bandeja en la cocina y lo acompañó a la puerta.

—Gracias por la cena y por el jardín, está irreconocible.

—De nada, ha sido un placer. Gracias a ti por el beso, ha sido reconfortante.

Laura cerró la puerta de manera más brusca. Reconfortante, ¿qué narices quería decir con reconfortante? ¿Cómo un beso podía describirse como reconfortante?, pensó con ira. Desde luego no podía ser más patético. Se burló de Thomas imitándolo, «me quedo con el perro».

Aspiró con movimientos enérgicos las migas de pan que habían caído al suelo del porche, si no al día siguiente estaría lleno de hormigas. De pronto, se acordó de la bolsa de plástico nauseabunda, que seguía tirada en el seto. Con rabia, descendió los dos escalones del porche, la agarró de las asas con dos dedos y, conteniendo la respiración, salió a la calle y la tiró al contenedor de basura orgánica.

40

Janik llevaba días teniendo escalofríos y calenturas, pero no se lo dijo a nadie hasta que una tarde su orina apareció teñida de rojo y decidió ir a visitar al Mago. El cielo estaba gris y soplaba un viento húmedo. Bajo la bóveda del cielo se extendía Les Diablerets como un enorme pozo rodeado de montañas. Janik, de camino a la abadía, perdió la noción del tiempo y en su mente se mezclaron los trayectos de ida y vuelta que había hecho desde la residencia a la abadía. No hubo semana en la que no ascendiese por aquella grieta del bosque en busca de la poción mágica. Se imaginaba a sí mismo rodeado de periodistas, que le preguntaban: «¿A qué se debe esa progresión tan meteórica?».

El Mago vio a Janik por una pequeña cámara que apuntaba la entrada desde uno de los laterales y le abrió la trampilla.

—Vamos por este otro lado. Hay una chica que está recibiendo tratamiento y no se la puede molestar.

Entraron en su despacho. A Janik le dolía la cabeza. Le contó los síntomas cronológicamente y sin olvidar detalle.

—No tienes de qué preocuparte. Es algo normal. Tu cuerpo está continuamente generando proteínas y a veces reacciona con los síntomas típicos de una gripe.

—¡Pero meo sangre!

—Eso es un exceso de hierro. Tómate esto y verás como mañana estás bien.

Janik pensó que no sabía nada de la vida de El Mago. Solo que su móvil estaba encendido las veinticuatro horas por si había algún problema. Se preguntaba qué hacía cuando no estaba en el laboratorio o en las competiciones, si tendría familia, si pertenecería a una organización. Además, estaba la relación tan extraña con el viejo. Tenía curiosidad por saber dónde se habían conocido y cómo habían llegado a instalar un laboratorio en la abadía.

De pronto, Janik se quedó petrificado. El Mago tenía el mismo acento que Irina. ¿Acaso se conocían? Se acordó de los nombres que había visto en las carpetas y los repasó mentalmente. ¿Tendría alguno que ver con ella? ¿Quizá el nombre de una de sus mascotas o el apodo de un familiar? No podía quedarse de brazos cruzados. Pero ¿qué podía hacer? El Mago no iba a confiarle los nombres de otros atletas. Solo había una manera de averiguarlo; tendría que indagar por su cuenta.

El sol se había ocultado detrás de las montañas. Janik conducía con las ventanillas bajadas. Se acercaba a toda prisa la noche, amiga de cuantos necesitan descanso después de una dura jornada de entrenamiento. Algunas estrellas resplandecían con fugaces e inapreciables destellos. Los músculos de sus piernas también emitían fogonazos acompañados de un leve dolor.

En esos momentos, cuando estaba a solas, volvía a hacerse preguntas incómodas. Preguntas que lo acompañaban al acostarse, pero que desaparecían a la mañana siguiente con la luz del día.

41

Thomas llegó a Lyon a media mañana. En su planta bullía el frenético ritmo que imponía la multitud de pequeños despachos, teléfonos, personal tomando café en el pasillo... También notó que a su paso dejaba tras de sí un rastro de murmullos que sobresalían por encima de los ruidos cotidianos de los trabajadores.

—¿Dónde está Rose? —preguntó después de saludar a Charles, su sustituto mientras durase la investigación.

—Se despidió de manera repentina hace dos días, alegó algo referente a un motivo de salud.

Según la dirección que había conseguido, Rose vivía en el barrio de la Croix Rousse, una antigua zona obrera en la que se concentraba la industria textil. Ese barrio de los arrabales creció gracias a los comerciantes de seda que lo fundaron para huir del rígido sistema lionés, que cerraba las puertas de la ciudad durante la noche e impedía el paso a su interior. También construyeron los famosos *traboules,* pasillos y pasadizos en los edificios que comunicaban unas calles con otras. Comunicaban el viejo Lyon con la Croix Rousse, para que la preciada seda pudiera trasladarse de un lugar a otro sin que fuera dañada por la lluvia.

Pulsó el timbre de un edificio de apartamentos deteriorado en el que, en un rincón del portal, se apilaban botellas y envases de plástico vacíos. Una voz infantil respondió a través del telefonillo:

—*Allô?*

—Perdone, ¿vive aquí Rose Deveroux?

Rose colocaba nerviosa los platitos bajo las tazas. El aroma de café mezclado con canela envolvía la cocina. Oír la voz de su jefe la había descolocado completamente. Todavía temblaba y, aunque trataba de disimularlo sujetándose las manos con fuerza, sus acciones resultaban forzadas, como las de un autómata.

—Yo... Se preguntará qué hago aquí —dijo Thomas.

Rose no respondió y prosiguió con la complicada tarea de verter el café en las tazas sin manchar el estampado de margaritas del mantel. El niño que había respondido al telefonillo seguía absorto en los dibujos animados delante de la televisión del salón.

—Esta mañana, cuando he llegado al trabajo, me han informado de que usted ya no trabaja allí y, la verdad, no logro entenderlo. Si es verdad que está enferma, no tiene más que pedir la baja y asunto solucionado. Es una locura en estos tiempos de crisis dejar un trabajo como el suyo.

Thomas no sabía cómo abordar la cuestión que le preocupaba; que hubiera dejado el trabajo por lo sucedido entre ellos. Observó a Rose mientras se sentaba a la mesa en silencio, tras haber llevado el azucarero y unas pastas de mantequilla.

—No me va tan mal. Cuido de este niño por las mañanas. La semana que viene empezaré por las noches otro trabajo como acompañante de un señor mayor. Si no encuentro nada más, me volveré al pueblo con mi familia.

—¿Dónde vive su familia? —preguntó, aliviado de poder hablar de un tema sin importancia.

—En Berzé-la-Ville. Se dedican al cultivo del vino, de Beaujolais. Trabajan en una cooperativa.

Thomas miraba el pequeño remolino formado en la taza por su cucharilla al disolver el azúcar en el café. Rose lo contempló con tristeza. Intentaba grabar en su mente aquella cara que pronto desaparecería de su vida. ¡Había soñado tantas veces con ese momento! Los dos juntos en la cocina con una taza de café entre las manos, hablando de sus vidas, de sus deseos, de lo tonto que había sido él por tardar tanto tiempo en darse cuenta de que era la mujer de su vida... Por unos instantes, se recreó en la escena, quiso que durara, que no se desvaneciera, y esperó que Thomas pronunciara las palabras mágicas que tanto tiempo llevaba esperando para que su vida diera un vuelco y tomara un nuevo rumbo.

—Por cierto, este café está muy bueno. Nunca lo había tomado con canela —comentó Thomas.

Él no podía imaginar ni de lejos lo que estaba pensando Rose. En un intento de establecer una conversación segura, trataba de buscar un tema adecuado. Pensaba que hablar de vinos no era una mala opción, su familia se dedicaba a ello. Se convenció enseguida, su pensamiento cobarde solía ganar la partida con facilidad.

—¿Para qué ha venido? —preguntó Rose bruscamente.

La pregunta lo pilló desprevenido.

—Solo quería saber cómo se encontraba.

Enseguida se arrepintió de sus palabras, de la forma equivocada en que las había utilizado; se escondía tras ellas. Al instante, notó su efecto en el rostro de Rose. Se sintió culpable por su incapacidad para tratar de una manera clara el motivo de su visita.

—Es mentira —soltó Thomas de pronto—. Creo que se ha despedido por la situación que se creó a partir de la fiesta. Pienso que se ha visto obligada a irse porque se siente incómoda y ha decidido marcharse antes de que yo me incorporara al trabajo. Me siento culpable por ello, en ningún momento la he responsabilizado a usted.

—Yo... —comenzó Rose.

—Adivino —continuó Thomas, cortándola—, más bien sé, que no he actuado correctamente para liberarla del sentimiento de culpa. Le aviso de que no voy a permitir que deje su trabajo como mi secretaria personal. Es usted la mejor secretaria que he tenido nunca y, si persiste en su deseo de abandonar, sepa que me va a afectar profundamente. Así que le ruego que lo reconsidere.

Thomas se detuvo, asombrado y satisfecho de su discurso.

Se levantó, tomó la americana y mientras se la ponía le dijo:

—Es usted maravillosa, por favor, no me deje.

Por un momento, Rose se atrevió a mirarlo de manera limpia y directa. La acometió un deseo urgente de declararle su amor, pero se lo pensó mejor y optó por callar. Solo pudo bajar la cabeza y asentir a las palabras de Thomas, que parecían ser sinceras.

Cuando se quedó a solas, el aire le hablaba de él, de su olor, de su presencia. Recordó los gemidos y el sabor de su piel con un estremecimiento. Resignada, llamó a la hija del anciano para disculparse porque no iba a poder aceptar el trabajo.

Mientras fregaba las tazas de café, guardó las palabras de amor dirigidas a Thomas a la espera de otro momento que, sin duda, llegaría.

42

Desde el día que visitó a El Mago, el veneno de la ira se había instalado en su cuerpo. Era domingo, y la oscuridad de la noche hizo que los pensamientos de Janik fueran aún más negros, así que decidió no esperar e ir a la abadía. Una apresurada brisa proveniente de las montañas arrebataba el calor de la tierra. El bosque le resultaba amenazante, con los matorrales moviéndose con el viento y el balanceo de las ramas que, como zarpas de gigante, se retorcían al compás de las ráfagas. Contra aquella atmósfera, contra los crujidos y los sonidos extraños, no se podía hacer nada. Janik experimentó una agitación que, unos metros más adelante, se convirtió en pavor. Tenía que salir de aquellas sombras si no quería derrumbarse. Por fin, a poca distancia de donde se encontraba, distinguió la abadía.

Golpeó la argolla de la puerta varias veces. Blanc no contestó. Decidió rodear la casa hasta la pequeña puerta de madera que daba acceso a la parte trasera de la vivienda.

—Blanc, ¿eres tú?

—¡Quieto! —gritó una voz conocida—. ¿Quién anda ahí?

—Soy Janik.

Blanc salió de entre la oscuridad, llevaba una linterna en la mano.

—¿Cómo se te ocurre venir por aquí a estas horas?

—Quería preguntarte algo —respondió Janik, intentando recuperar fuerzas—. Te he buscado en la residencia...

—He estado ocupado —dijo Blanc con determinación—. ¿Qué querías?

Janik hizo una pausa y tragó saliva, dándole tiempo a su ira para que se rearmara de nuevo. Además, estaba convencido de que aquel hombre tenía un punto de sentido común. Al final, se armó de valor.

—Era sobre Irina.

—Ya te dije que se la llevó el diablo, pero tú no me creíste.

La cólera volvió a ocupar el alma de Janik.

—¿Estaba en tratamiento?

Blanc levantó su dedo en señal de amenaza y se acercó a él. La luz de la linterna iluminaba el rostro del viejo.

—El diablo está escuchándonos —le susurró al oído—. No tienes ni idea de lo que es capaz de hacer. No pienso contarte nada. No seré yo quien desate su ira.

Janik pensó que estaba jugando con él, pero cuando lo miró a los ojos, vio que su semblante serio no dejaba dudas, creía lo que decía. Fue en ese momento cuando tuvo claro que Blanc le ocultaba la verdad y sintió como si una pequeña esquirla envenenada se clavara en el centro mismo del corazón.

El viejo desapareció por donde había venido y Janik se quedó inmóvil, con la mirada perdida y la certeza de que no descubriría las razones de la muerte de Irina. Sintió una lucidez que nada tenía que ver con los sentimientos. Irina tuvo que traer de su país algo más que su fuerza de voluntad y la obediencia ciega a sus preparadores. Blanc, de alguna manera, lo había descubierto. El viejo creía que era el diablo quien la había matado. Pero ¿acaso su obsesión no podía haber sido utilizada para beneficio de otra persona?, se preguntó Janik.

Por un instante, vio el rostro de Frank Stone pasar ante sus ojos.

43

El teléfono sonó en plena noche, interrumpiendo el sueño profundo de Thomas. Necesitó un tiempo para entender que era el sonido del móvil lo que lo había despertado. A tientas, encendió la lámpara y miró la pantalla que vibraba y se iluminaba de manera intermitente. Contestó con rapidez.

—¡George, por Dios! ¿Sabes qué hora es?

—¿No será, por casualidad, cinco horas menos que en Washington?

—Error.

—Es que a veces me armo un lío con esto de los horarios... Podías vivir como todas las personas que conozco, aquí en Estados Unidos, que es un país muy grande y hay sitio para todos. Pero no, tú tenías que marcharte al culo del mundo. Bueno, como ya estás despierto no importa.

—Juro que me las vas a pagar. No sé cómo, pero me las pagarás.

—Date por pagado, porque me he dedicado en cuerpo y alma a tu caso y he averiguado alguna cosilla. —Hizo una pausa—. ¿Tienes pensado volver por aquí?

Thomas se incorporó en la cama.

—¿Tan importante es?

—Ajá.

—Vamos, cuéntame...

—*Okay*. La joya de la corona se llama Repoxygen. Es una terapia genética patentada por los laboratorios Oxford BioMédica para el tratamiento de la anemia. Se ha experimentado en ratones, que corregían su anemia y recuperaban los valores normales de glóbulos rojos. Según informa la web del laboratorio, el Repoxygen se encuentra todavía en fase de desarrollo preclínico; es decir, no es apto para el uso en seres humanos. Sin embargo, hemos averiguado que ya circula por el mercado negro y lo están utilizando médicos deportivos sin escrúpulos. Su administración permite al organismo disponer de EPO de forma permanente –dijo George sin detenerse.

Thomas no salía de su asombro. Todo vestigio de sueño se había esfumado.

–Parece ciencia ficción.

–Pues no lo es ni por asomo. Ya en 2006 hubo un juicio contra el alemán Thomas Springstein, entrenador y pareja de la atleta Grit Breuer, habitual de los podios mundiales en cuatrocientos metros. En un correo que se presentó como prueba en el juicio, Springstein solicitaba al médico holandés Bernd Nikkels la forma de obtener Repoxygen.

–¿En 2006? ¿Pero no dices que no era apto para humanos?

–Siempre hay gente zumbada. Introducir ADN en el cuerpo de un deportista mediante un virus inactivo puede alterar la conformación genética de una persona y mejorar artificialmente el rendimiento atlético, agrandando los músculos y aumentando el flujo sanguíneo –explicó George–. Y eso es un caramelito para descerebrados, aunque no tenga garantías, ya que no se conocen sus efectos secundarios.

–No puedo creer que lo que cuentas sea cierto –afirmó Thomas, a la vez que alcanzaba una libreta de la mesilla de noche para tomar notas.

–Pues así es. Además, el único modo de descubrir el engaño sería hacer una biopsia de tejido muscular antes de la competición y someter la muestra a complicados análisis genéticos. Pero, claro, esto no sería bien recibido por los deportistas.

–Vale, y ¿qué tienes?

–He husmeado un poco y me ha llegado un chivatazo que tiene muy buena pinta. Voy a hacer una redada con la DEA en la zona sur de Nueva York. Me han dicho que hay un laboratorio ilegal donde elaboran medicamentos. Lo dirigen tus amigos los rusos. Pensé que estarías interesado.

–Ahora mismo saco un billete para Nueva York –dijo Thomas–. En cuanto lo tenga reservado, te llamo.

—Cuando llegues, comprobarás que no hay nada como volver al hogar.

—Seguro. Gracias, George.

—De nada. Ya ves lo que tiene que hacer uno por ver a un amigo.

El vuelo procedente de Zúrich llegó al aeropuerto JFK a las nueve de la mañana. Thomas tomó el primer taxi que vio libre y se dirigió directamente a la sede de la DEA.

La redada se había efectuado de madrugada y, aunque a George le hubiera gustado que Thomas estuviera presente, el miedo a un chivatazo hizo que adelantaran la operación. Habían enviado a los METS, unos equipos móviles de apoyo especializados en este tipo de operaciones, y aunque habitualmente centraban sus esfuerzos en áreas rurales y pequeños núcleos urbanos con pocos recursos, combatir el crimen organizado era algo serio, y más, si se trataba de mafias del Este.

Aunque solo distaban diecisiete kilómetros desde el aeropuerto a la zona metropolitana, el tráfico era tan intenso que Thomas tardó algo más de hora y media en llegar a la ciudad.

—¡Caramba, George! —exclamó al verlo, mientras se colocaba la acreditación en la solapa de la chaqueta—. Si has perdido por lo menos medio kilo...

—Yo también me alegro de verte, franchute de mierda.

Se fundieron en un caluroso abrazo. Desde la reunión de Lyon no habían tenido oportunidad de volver a verse. Thomas se dio cuenta de que echaba de menos a su viejo colega.

—¿Qué tal el viaje? —le preguntó George.

—Estupendo. He dormido todo el vuelo.

—¿Y las azafatas?

—Horrendas y con alianzas de casadas —dijo Thomas con sorna.

—Desde luego, la crisis hace estragos en todos los ámbitos. Ahora recortan hasta en el personal más necesario. No sé dónde vamos a llegar —comentó George con un suspiro.

—¿Qué tal ha ido la redada? ¿Habéis conseguido algo? —preguntó Thomas para cambiar de tema.

George sonrió y levantó su pulgar en señal de triunfo.

—Ven a mi despacho provisional.

Lo condujo a través de un pasillo ancho y largo hasta una de las últimas puertas. La habitación no era más que un pequeño cuadrado con las paredes de color gris claro, con una mesa, un ordenador, un teléfono fijo y un archivador metálico. Una cafetera de la misma marca que el café que anunciaba George Clooney era el único lujo. No tenía ventanas y en su lugar se había colocado unas pequeñas rejillas de ventilación a lo largo de la parte inferior de la pared.

—Deprimente —murmuró Thomas echando un vistazo alrededor.

—Pero práctico. Ven, siéntate, que te cuento.

Thomas obedeció.

—¿Quieres un café? *¿Ristretto, lungo, così?*

—Si no tienes leche, prefiero uno que sea suave —respondió Thomas con una sonrisa ante la sorprendente sofisticación de su amigo.

—Entonces una cápsula del café *così*, que es de intensidad tres. ¿Azúcar?

—Sí, dos, por favor.

George sacó una cápsula de color marrón y la introdujo en la cafetera. Al instante, el aroma del café inundó el cuartucho, que, como por arte de magia, se volvió un poco más acogedor.

—Hemos pillado a todos —declaró George a la vez que le daba la taza de café y se sentaba.

Thomas hizo un gesto de aprobación.

—Tenían filas de sacos listos para cargar en camiones. Los pillamos totalmente desprevenidos. No se lo esperaban. No te imaginas la que tenían montada... Era un antiguo almacén de neumáticos usados. Por fuera, pasaba desapercibido, había un montón de locales iguales, pero dentro... ¡Ay, amigo! Lo habían transformado en un laboratorio con la última tecnología.

—¿Y cómo disteis con él?

—Por el consumo de luz. Su factura era demasiado elevada para ser un simple almacén donde no se fabricaba nada. Hemos detenido a los empleados del laboratorio, a los dos conductores que esperaban dentro de sus camiones, a tres musculitos que cargaban las sacas y, lo mejor, al cabecilla junto con sus dos matones. Respecto al alijo, hasta dentro de un par de días no sabremos la cantidad incautada.

—¿Tanto había?

—No te puedes imaginar. La operación ha sido un éxito total.

—¿Alguno de los detenidos ha hablado?

—No, ni lo harán. A los empleados ucranianos ni se les habrá pasado por la cabeza. Son disciplinados, de la vieja escuela soviética, de los que han recibido entrenamiento militar. —George vio cómo Thomas asentía y se cruzaba de brazos—. No ha habido manera de que soltaran una palabra —prosiguió—. Además, ya les habrán amenazado, estos jefes mafiosos del Este no se andan con tonterías. Si tienen que matar a algún familiar para que no se vayan de la lengua, aunque sea en Ucrania, ningún problema, lo buscan hasta debajo de las piedras y lo hacen. Son fríos, calculadores y, lo peor, muy inteligentes. Ya verás al jefe, impone solo con mirarlo. Detesto tratar con esta gente —concluyó George, que jugueteaba con el cable del teléfono.

»Mi esperanza está en el cabecilla —continuó—. No creo que quiera pasar unos años en la cárcel, así que espero que acepte llegar a algún acuerdo. Si te apetece, vamos a hacerle una visita.

Thomas acogió con alivio la sugerencia, la habitación parecía estrecharse por momentos y amenazaba con aplastarlo.

Las películas reproducían con fidelidad cómo era una sala de interrogatorios. Un gran cristal cubría toda una pared. A Thomas le costaba acostumbrarse al hecho de que él pudiera contemplar con total nitidez la habitación y el detenido solo recibiera el reflejo de su propia imagen. Sentado y esposado a la silla, se hallaba un pequeño individuo que, de espaldas, debido a su delgadez y su baja estatura, hubiera parecido un muchacho. Tenía el pelo claro cortado al estilo militar; la palidez de su cara contrastaba con sus labios gruesos, de un rojo intenso. No llevaba camiseta y en su torso desnudo se marcaban las hileras de costillas. Thomas se sorprendió al ver que no llevaba tatuajes.

—Ivan Puskin —leyó George de unas hojas—, nacido en Tallín hace treinta y ocho años. Con catorce se fue de casa y deambuló por las calles robando todo lo que podía hasta que lo trincaron. Pasó dos años en un correccional del que se escapó. Fue detenido nuevamente, esta vez por el asesinato de una mujer, y encarcelado en Kiev. Tras nueve años, salió en libertad condicional. Se sabe que trabajó como mercenario en Chechenia, después volvió a su país. No sabemos a qué se dedicó allí, pero durante ese tiempo se licenció en filología inglesa y estudió física. —George alzó una ceja en un gesto de incredulidad.

—A mí me parece un ejemplo de superación —bromeó Thomas visiblemente incómodo. Nunca le habían gustado los centros de detención preventiva ni las salas en las que se interrogaba a los sospechosos. En un instante, una persona se transformaba en un animal acorralado sin escapatoria.

—¡Estos cabrones…! Ya te dije que eran listos —prosiguió George, mirando a Thomas en busca de complicidad—. No ha vuelto a tener problemas con la justicia hasta hoy. Nuestros agentes me han informado que llegó de forma legal a Estados Unidos, con una beca de investigación. ¡Qué bueno! Se le pierde la pista hace cuatro años. Desde entonces, su nombre circula como uno de los cabecillas de la mafia rusa. Se sospecha que es el responsable de la muerte de al menos cinco compatriotas que fueron encontrados maniatados y quemados en febrero de 2011.

—¡Vaya con el angelito! —exclamó Thomas.

Un compañero de George se acercó y le susurró:

—Llevamos siete horas de interrogatorio y no ha dicho nada. Quizá podríamos meterlo un rato en el calabozo, puede que allí se haga una idea de lo que le espera los siguientes años y se decida a colaborar.

—Me parece bien —dijo George—. Pero vigiladlo de cerca. Quiero la celda monitorizada las veinticuatro horas.

El hombre asintió. Dio una orden a sus compañeros y entraron en la sala. Thomas vio cómo tres hombres rodeaban al ruso, quitaban las esposas de la silla y se las volvían a colocar en las muñecas. El detenido pasó cerca de Thomas y él no pudo evitar pegarse a la pared de cristal para apartarse. Al llegar a su altura, Ivan Puskin se detuvo un instante frente a Thomas y, durante lo que a este le pareció una eternidad, sus miradas se cruzaron; la del detenido era fría y cortante. A continuación, Iván le sonrió. Un escalofrío recorrió la médula espinal de Thomas.

44

En las solitarias sesiones de meditación se le aparecían, como fogonazos, momentos del pasado al lado de Irina. Janik se recreaba en pequeñas cosas, en especial en aquellos aspectos de su personalidad que le parecían más interesantes, la armonía de sus movimientos o la mesura de sus palabras. Utilizaba el mismo mecanismo que le servía para imaginar encuentros sexuales con las chicas años atrás. Ahora Irina era la única protagonista de sus fantasías. A veces sentía vergüenza, o remordimientos, y otras, se despertaba en él un deseo irresistible. Lo perseguían sus recuerdos allá donde se encontrase. Descubrió que esa obsesión lo ayudaba en sus objetivos. Su recuerdo lo lanzaba en los entrenamientos como a un galgo cuando ve la liebre de metal deslizarse sobre su guía. Pensaba en ella cuando se pinchaba las piernas dentro del baño conteniendo las ganas de gritar en el momento en el que la aguja atravesaba su piel. Pensaba en ella en mitad de la noche, cuando lo despertaba la alarma del pulsómetro avisándole de que tenía las pulsaciones tan bajas que si no hacía un poco de ejercicio la sangre se estancaría. Por supuesto, no se lo contaba a nadie. Cuando ganaba una carrera, miraba al cielo y dedicaba la victoria a Irina; quizá lo estuviese observando como una espectadora de excepción.

Janik pensaba que podía exprimir su cuerpo hasta conseguir la última gota de su talento. ¡Qué equivocación! Se había dejado convencer por Frank, el mismo Frank que le repugnaba. Lo había hecho por pagarle la residencia a su madre, por Irina, por competir en igualdad de condiciones que los demás. Golpeó la pared con el puño cerrado. ¿Cómo iba a decir que no a un pódium en un campeonato de Europa? Qué fácil le parecía ahora. Ethan tenía razón en todo lo que le dijo en el hospital. Golpeó de nuevo la pared, esta vez con más rabia. Tenía que dejar de pensar o se iba a volver loco. Es injusto, es injusto, se repitió como un eco dañino.

45

Laura se despertó con un escueto mensaje de Thomas en el que le explicaba que se iba a Nueva York siguiendo una pista relacionada con el caso.

–Pues que te vaya bien –dijo en voz alta con un tono de rencor, porque no se había molestado en llamarla ni en invitarla a acompañarlo, ni siquiera se había despedido.

Todavía podía sentir el roce de sus labios en la boca. Se había lanzado a sus brazos como una insensata, sin sopesar las consecuencias. Pensó en sus manos y en sus hombros anchos y fuertes; sin lugar a dudas, lo que más le atraía de su físico. Y luego estaba ese lado travieso y malvado que lo hacía tan irresistible. Estaba claro, quería acostarse con él. Ya no se engañaba, después de lo que había pasado el día anterior, resultaba inútil luchar contra la evidencia. Puede que parte de la culpa la tuvieran las hormonas y que llevara unos meses sin hacer el amor con nadie, pero aun así, le había gustado lo que le dijo Thomas de mantener una relación con una mujer basada solo en el sexo. El muy ingenuo había interpretado su reacción como pudor cuando la verdad era que la había excitado. Laura decidió que se acostaría con él en cuanto terminara el caso y volviese a su trabajo.

Bajó a la cocina y mientras exprimía el zumo de una naranja marcó el número del señor Petrov con la mano que tenía libre. Le respondió una voz femenina que de forma educada le informaba de que el número estaba apagado o fuera de cobertura. Pensativa, se bebió el zumo de pie, después se acercó al calendario y marcó con una cruz el nuevo día. Parecía una carrera de obstáculos en el que la meta era la casilla señalada con un gran círculo verde. Sintió que dentro de su estómago se tejía una telaraña de nervios. De manera instintiva, se acarició el vientre.

Sabía que era su imaginación, pero a veces tenía la sensación de que algo estaba creciendo allí dentro. Una lágrima rodó furtivamente por su mejilla. Se la limpió con mano temblorosa. Se emocionaba solo de pensar en la idea de ser madre.

Cuando terminó de leer el informe del señor Neuilly, era tarde. Comió algo y salió de casa a toda prisa, en dirección a la farmacia del tío de Irina. Tomó un taxi. Al entrar en la *vielle ville* de Montreux, el taxista vio que habían cerrado el paso.

—Perdone, señora, pero es imposible pasar. La única calle por la que podemos acceder está cortada. Si le parece, me detengo aquí, es lo más cerca que puedo dejarla.

—Está bien, no se preocupe, continuaré andando.

Laura torció hacia la zona peatonal. Al comienzo de la calle vio a un gendarme de brazos cruzados. Caminó hacia él.

—*Excusez-moi,* ¿podría decirme qué ha ocurrido? —le preguntó.

—Se ha producido un incendio.

—¿Dónde?

—Lo siento, señora, pero si usted no vive en esta calle no puedo dejarla pasar ni darle más información.

—¿Sabe si el sargento Fontaine está por aquí? Por favor, ¿podría llamar y preguntar? Soy la doctora Terraux, forense del hospital de Chablais.

—Un momento, por favor —respondió el gendarme tras un instante de duda.

El policía se volvió y apretó un botón situado en su hombro. Torció la cabeza para hablar a través del altavoz del *walkie* prendido en el lado superior del pecho. La respuesta debió de ser afirmativa puesto que la dejó traspasar la valla de seguridad amarilla que cerraba la callejuela.

—En la siguiente esquina, a la derecha, encontrará al sargento Fontaine.

—*Merci beaucoup.*

El espectáculo que Laura vio ante sus ojos era dantesco. Sintió un escalofrío que le paró el corazón y le congeló las manos. La farmacia Vasil había sido pasto de las llamas. De manera instintiva, se tapó la boca.

El sargento Fontaine caminaba con gesto decidido a su encuentro.

—¿Cuándo ha sido el incendio? —le preguntó Laura desde la distancia.

El sargento esperó hasta llegar a su altura para contestar.

—Esta noche de madrugada. A las tres de la mañana se recibió una llamada en el servicio de emergencias advirtiendo de un incendio. Para cuando llegaron los bomberos, poco se podía hacer, el fuego había consumido buena parte de la casa.

—Y ¿el señor Petrov?

Patrick negó con la cabeza.

—No se ha hallado ningún cuerpo en el interior de la farmacia. Todavía se desconoce el paradero del farmacéutico. Lo que sí sabemos es que el fuego fue intencionado. Rociaron con gasoil la farmacia y le prendieron fuego con una bengala lanzada desde el exterior.

Caminaban a la par en dirección a la farmacia. Los servicios de emergencia ya se habían retirado. Por la calzada aún corrían regueros de agua. Varias personas que estaban asomadas a las ventanas cuchicheaban. En una bocacalle unos cuantos curiosos contemplaban asombrados el efecto del fuego.

—Hemos ido puerta por puerta interrogando a los vecinos. Por la hora en que se produjo el incendio, va a ser complicado averiguar algo. Ya veremos. Toca esperar.

Laura asintió con la mirada fija en lo que había sido el hogar hasta no hacía mucho de Irina.

—¿Qué cree que le ha ocurrido al señor Petrov?

—Si le soy sincero, no tenemos de momento ninguna teoría. Todos los agentes están en alerta. El coche no estaba en el garaje, así que les hemos dado la descripción de Petrov y las características del vehículo. Hemos contactado con todos los hospitales y centros ambulatorios de la zona. Como ya le he comentado, es cuestión de tiempo que sepamos algo.

Laura no se detuvo y siguió avanzando. Le llegó el olor que sigue a un incendio; el espeso hedor a plástico quemado. Cruzó la cinta que delimitaba el escenario, el olor a humo era cada vez más intenso. La ceniza que flotaba en el aire se le pegaba a la piel, al mismo tiempo que los cristales crujían bajo sus pisadas. Caminaba como hipnotizada. Le costaba creer que aquello era la farmacia Vasil. El suelo estaba cubierto de barro ennegrecido por el hollín y el agua. Las paredes exteriores se alzaban en pie orgullosas, tiznadas por el humo; las llamas habían destruido el techo, solo quedaban unas vigas negras que lo cruzaban de lado a lado. El mobiliario prácticamente había desaparecido, o al menos lo que había sido su forma original; por todas partes, se esparcían trozos de madera quemada que formaban extrañas figuras. Laura respiraba con dificultad y su boca sabía a carbón.

Laura comenzó a toser aparatosamente. En ese momento, el sargento la agarró por la cintura y con suavidad la condujo fuera.

—Vamos, Laura, aquí ya no queda nada que ver.

Volvió a casa preocupada. Algo iba mal y solo podía empeorar.

Y el maldito Thomas en Nueva York, pensó con rabia, sin llegar a entender por qué no estaba donde se le necesitaba.

El día en la Gran Manzana transcurrió con más pena que gloria. No se había producido ningún avance respecto a los detenidos y la investigación policial seguía su curso. George dio rienda suelta a su vena de actor en la conferencia de prensa, y Thomas no podía hacer otra cosa que mantenerse al margen. Decidieron comer algo antes de que Thomas se fuera al hotel en el que ambos se alojaban. Quería darse una ducha e intentar dormir un poco.

En la calle Cuarenta y cuatro, a la vuelta de la esquina del Centro Internacional de Fotografía, se encontraba el Café Un Deux Trois. Un local que siempre estaba muy animado y que conservaba el encanto de un restaurante de época. Asientos corridos de cuero marrón, mesas circulares con sillas de madera antiguas, arañas de cristal y, lo que más le gustaba a Thomas, aquellas columnas rematadas con capiteles de motivos vegetales.

—Hoy me salto el régimen —declaró solemne George—, pero no se te ocurra decir ni una palabra a Catherine.

—Prometido. —Para dar solemnidad al momento, Thomas levantó la mano derecha en actitud de jurar ante un tribunal.

—Eres un payaso.

—No puedo evitar imitarte.

Se sentaron en una mesa cerca de la barra, alrededor de un impoluto mantel blanco con servilletas de tela y una pequeña vela en el centro.

—Como no es una comida romántica, la quito —dijo George agarrando la vela—. Me dan repelús las velas, me recuerdan las películas de terror que veía de niño.

—Estás de broma.

—Para nada. Además, estas delicadezas las dejo para ti y tus conquistas.

El camarero se acercó para tomar nota. No les hizo falta leer la carta, ambos tenían decidido de antemano lo que querían.

—Yo tomaré *Boeuf Bourguignon* y una ensalada verde —dijo Thomas.

—Y yo quiero una hamburguesa de cordero con curry, comino y cilantro —añadió George.

—Y ¿qué prefiere como guarnición? —preguntó el camarero—. ¿Cebollas perla y setas salteadas o patatas fritas?

George dudó un instante, miró su tripa y, lanzando un suspiro, se decidió por las patatas fritas. Para beber, Thomas pidió una botella de Pinot Noir y George una coca-cola.

—Tengo una noticia bomba, que pronto saldrá a la luz —dijo George excitado.

—¿De qué se trata?

—Cuando al ciclista Floyd Landis le quitaron el Tour de Francia en 2010, denunció que Lance Armstrong se dopaba.

—Imposible. Es un héroe nacional, no solo ha vencido un cáncer sino que tiene una fundación que lucha contra él. Lo he visto pedalear con algún presidente, incluso pensó presentarse como candidato a gobernador de Texas.

—Ya, ya, pero lo que no sabes es que el FBI creyó a Landis y nombró al agente federal Jeff Novitzky responsable de la investigación. Este Novitzky es un cazador nato, cuando huele a su presa ya no la suelta. Comenzó a interrogar a todas las personas relacionadas con Armstrong y, con ayuda de otros agentes federales, presentó los hallazgos ante un jurado de Los Ángeles, que se inhibió.

—Pero ¿adónde quieres llegar? —preguntó Thomas, intrigado, mientras probaba el vino.

—Pues que no se han dado por vencidos y han seguido recogiendo testimonios como el de su masajista, que declaró que se inyectaba cortisona, o de varios exciclistas que juraron que Armstrong consumía EPO y testosterona y que le realizaban transfusiones de sangre.

En ese momento el camarero llevó el estofado de carne con champiñones en salsa de vino tinto con patatas cocidas para Thomas y la hamburguesa, que George contempló ensimismado.

—No hay nada como una hamburguesa —dijo—. Mira qué tamaño, qué color, qué olor...

Thomas sonrió, su amigo parecía un niño ante un escaparate navideño.

—Y ¿qué va a suceder?

—Lo desconozco. El tribunal federal lo ha absuelto, pero creo que cuando la historia llegue al gran público Lance Armstrong estará acabado. En breve, le van a quitar los siete Tours y eso va a ser un escándalo.

—Increíble. Pero, que yo sepa, nunca ha dado positivo en un control antidopaje —dijo Thomas.

—Exacto. Pero se sabe que se ha dopado por lo menos desde 2005. No me extraña nada que la gente de la calle sospeche de los deportistas profesionales. Los jugadores de la NBA o los futbolistas de la liga española, por ejemplo, no se someten a análisis de sangre. Los primeros porque su sindicato se opone, los segundos, porque su federación aduce que son controles muy caros —argumentó George antes de atacar la hamburguesa.

—Entonces nadie habrá dado positivo de EPO.

George tenía la boca llena de patatas fritas, y Thomas tuvo que esperar a que tragara para obtener una respuesta.

—Eso es. Incomprensiblemente, el fútbol y el baloncesto han quedado al margen del pasaporte biológico impulsado por la UCI y la Federación Internacional de Atletismo, con la colaboración de la Agencia Mundial Antidopaje.

—¿Qué es eso del pasaporte biológico? —preguntó Thomas, mientras cortaba la carne.

—Es un modelo de predicción en materia forense, similar al que los del CSI utilizan para identificar el ADN en lugares donde se ha cometido un crimen. Un programa informático guarda los resultados de los análisis de sangre y orina que se le hacen al deportista. Cuando el sistema detecta algún cambio excesivo en el historial biológico, lo pone en conocimiento de las autoridades —explicó George a la vez que untaba una patata frita en la salsa.

—Creo que todo deportista de élite debería tener ese pasaporte y el que se negara quedaría vetado por las competiciones oficiales —adujo Thomas.

—Estoy totalmente de acuerdo.

—Y, por cierto, volviendo a lo de Armstrong, ¿la UCI no hacía controles?

—Armstrong donó una cierta cantidad de dinero a la UCI. Y se comenta que sobornó a un laboratorio cuando dio positivo en la vuelta a Suiza.

—¡Vaya con el héroe nacional!

—Y ahora, Thomas, vamos a hablar de cosas serias. Cuéntame con todo lujo de detalles ese asuntillo tuyo del trío.

El hotel Dylan estaba situado entre Madison Avenue y Park Avenue, frente a la mayor estación del mundo, la Grand Central Station. A Thomas le agradaba la mezcla de clasicismo y diseño del hotel, entre las prisas de la Gran Manzana y la relajación de un sillón de orejas al calor de la chimenea. Parecía un lugar secreto, al abrigo del Rockefeller Center, de Times Square y del Empire State Building.

Una vez en la habitación, pensó telefonear a Laura, pero tenía poco que contarle y aplazó la llamada para el día siguiente. Puede que también tuviera que ver el beso inesperado. Le ponía en una tesitura molesta. Tan solo el hecho de pensarlo perturbaba su, hasta ahora, idílica relación con la doctora. Nunca permitía que se interpusiesen las relaciones personales a las profesionales; cuando se traspasaba esc límite, lo único que se conseguía era que ambas acabaran. Pensó que podía prescindir de la doctora, puesto que la investigación transcurría despacio y sin grandes hallazgos. Estaba cansado y no deseaba pensar en Laura, Maire o Úna, tan solo quería darse una buena ducha y dormir un poco.

Se despertó sobresaltado. En la habitación reinaba la calma. Abrió los ojos en la oscuridad y tardó varios segundos en comprender dónde se encontraba. Se levantó de la cama y, desnudo, se acercó a la ventana. La luz mortecina del cielo con los diferentes colores del atardecer difuminados pacificaba el ordenado caos que era Manhattan a esas horas. Se sintió bien, descansado. Permaneció inmóvil contemplando el ir y venir de las personas que, como hormigas, se movían a cámara rápida con una misión que cumplir. Miró el reloj, comprobó sorprendido que había dormido dos horas.

Encendió la televisión y puso las noticias. Al rato se acordó de Gina, su vecina de Greenwich Village. Los años que vivió en Nueva York habían sido sin duda más agradables gracias a ella. Imitaba de manera notable a Marilyn en un club del Upper West Side. Sus curvas exuberantes, unidas a unos pechos enormes, provocaban que la gente se parara a mirarla. Mecía las caderas a cada paso marcando el ritmo con el repique de unos finos tacones de aguja. No salía de casa sin pintarse los labios de carmín rojo y un lunar en la cara. Antes de irse a Lyon, Thomas le había regalado todas sus plantas. Marcó su número y no obtuvo respuesta. Le dejó un mensaje en el buzón de voz, avisándole de su presencia en la ciudad y sus deseos de verla. Fue a afeitarse, pero se lo pensó mejor, no le quedaba nada mal la barba de un día; le daba un aspecto de tipo duro y bohemio. Se vistió con rapidez con un traje gris oscuro y una camisa blanca. Faltaba hora y media para su cita con George y sabía cómo aprovechar el tiempo que le quedaba.

Entró en Central Park a través de la Quinta Avenida, entre la Ciento cuatro y la Ciento cinco, por la puerta Vanderbilt. El Conservatory Garden era su sitio preferido de Nueva York. Era un elegante jardín que ocupaba seis acres, lleno de fuentes y árboles decorativos con una gran variedad de flores, sobre todo tulipanes y azaleas. Tenía que aprovechar el tiempo, pronto aparecería el guarda para decirle que cerraban. El jardín estaba diseñado con tres zonas bien diferenciadas: una de estilo inglés, otra, italiano y la tercera, de estilo francés. La parte central, el jardín italiano, era una enorme extensión de césped con una fuente en un extremo. Nada más entrar, el tiempo y el ruido del tráfico neoyorquino se detuvieron y, poco a poco, desaparecieron por completo. Thomas bajó el ritmo de sus pasos, en sintonía con el lugar donde se hallaba. El frenético caminar de hacía un momento, propio de las calles de Nueva York, allí resultaba ridículo, fuera de lugar. Se dirigió al jardín del sur, el de estilo inglés, que destacaba por su gran variedad de árboles de hoja perenne y sus macizos de narcisos. Admiró de lejos la ondulada cuesta de la hierba recién cortada. Pequeños insectos revoloteaban sobre los exiguos rayos del sol mortecino. La quietud del parque lo colmaba. Vio a un hombre que estaba sentado cerca del pequeño estanque construido en recuerdo de la escritora Frances Hodgson Burnett, autora de *El jardín secreto*. Llevaba un pantalón vaquero y una camisa blanca que resaltaba en la penumbra. Observaba a Thomas con interés y despreocupación, sin molestarse en disimular. Thomas no podía ver su rostro con claridad, pero comprobó que era bajito, moreno, con unos kilos de más. Sin dejar de mirarlo, se dirigió a él. El hombre no reaccionó al ver que se acercaba, pero Thomas sabía que lo estaba estudiando con atención; podía sentir el peso de su mirada. Aceleró el paso, estaba a poca distancia del desconocido.

El hombre retrocedió y se escabulló entre los árboles. Thomas no podía dejar que ese tipo se le escapara sin saber por qué lo espiaba. Empezó a correr tras él. Sus zapatos italianos no eran el mejor calzado para iniciar una persecución por la hierba, varias veces se resbaló y estuvo a punto de caer al suelo. En las zonas de sombra, el césped era escaso y había más tierra, por lo que Thomas multiplicaba la velocidad de su carrera. Lo vio durante un segundo, su camisa blanca era un faro en la oscuridad incipiente. Se adentró en el pequeño bosque del jardín francés, compuesto por cientos de hayas y fresnos. Las ramas se entrelazaban impidiendo que la escasa luz llegase al interior. Las raíces de los árboles más antiguos brotaban del suelo adueñándose del lugar. Thomas tropezó, se agarró a una rama baja en un intento de no caer al suelo; la rama no aguantó y se quebró con un fuerte ruido seco. Antes de caer, se sujetó a un tronco. Recuperó el equilibrio, levantó la mirada, pero ya no vio ni rastro del hombre.

Continuó caminando, esta vez sin saber hacia dónde dirigirse. Un par de veces creyó ver de manera fugaz un destello entre las sombras, pero debía de ser un efecto de la luz o su propia mente. Cerró los ojos en un intento de oír unos pasos entre las hojas o un ruido delator, como el crujido de una rama. No oyó nada. Después de unos minutos, abandonó el bosque, cruzó la explanada del jardín inglés y salió por la puerta norte del Conservatory Garden. El ruido y el bullicio volvieron de repente, sin previo aviso. Aturdido, se detuvo en la acera. Respiró profundamente preguntándose dónde se habría metido aquel hombre y por qué razón lo seguía. Se sentó en un banco ajeno al trasiego de las personas que pasaban a su lado. No podía tratarse de su imaginación. Ese hombre, por alguna causa que no alcanzaba a comprender, lo estaba siguiendo. Y aquello no le gustaba nada. De hecho, lo primero que iba a hacer era llamar a George e informarle de lo sucedido.

Mientras Thomas se alejaba, un Audi de alta gama de color negro avanzó despacio por la Quinta Avenida a la altura de la calle Ciento cinco. Redujo aún más su velocidad a medida que se acercaba a él. Los espejos tintados de la parte trasera del coche comenzaron a descender; el hombre de la camisa blanca alzó la comisura del lado izquierdo de la boca en una siniestra sonrisa.

46

Blanc entró en la cocina. Llevaba en la mano unas bolsas llenas de plantas medicinales secas. Abrió la portezuela de la botica y vació el contenido en unos cuencos de madera. La habitación se llenó de un olor a hojas de limón verbena, hinojo, hojas de menta, melisa y hojas de espino blanco. Con añoranza, pensó que ningún aroma podía superar al de Hanna Berg, la elegida por el diablo. Guardó las hierbas, separando las hojas de los tallos en tarros de porcelana. Su abuelo le había enseñado que el gordolobo servía para la tos, la milenrama curaba las heridas y la caléndula combatía los calambres estomacales.

Durante la mañana, mientras recogía las plantas del secadero había pensado un poema para Hanna Berg. Cada vez que se cruzaba con ella por los pasillos, cerraba los ojos y abría las fosas nasales en un intento por captar su aroma. Aún conservaba una débil impresión de ese olor grabada en el cerebro, y tenía que darse prisa si quería plasmarla antes de que desapareciese por completo.

> La tenue y parpadeante sensación que permanece conmigo
> me sabe a ti otra vez más,
> otra vez más tu fragancia dura, intermitente, a mi lado,
> y la aspiro al momento, ávido de la ausencia prolongada.

Se sentó decidido a acabar su poema. Al diablo no se le podía hacer esperar.

47

La noche era suave y oscura. El aire se hallaba en calma y los sonidos, incluso el del agua golpeando el muelle, llegaban amortiguados. El lago se extendía negro y misterioso bajo el cielo sin luna. El chico se detuvo un momento para descansar antes de continuar su pedaleo. Una franja de pinos le impedía ver su destino. A los diez minutos llegó a la playa. Dejó la bicicleta escondida entre unos arbustos, junto con sus zapatillas de loneta roja, y se deslizó por la pequeña duna. Llevaba una linterna acoplada a la cabeza, que iluminaba sus pasos y poco más. La arena estaba fría; era agradable porque le masajeaba las plantas de los pies después de pedalear tantos kilómetros. Sophie no había llegado todavía. El chico sintió el impulso de mojarse y se acercó al agua. Los granos de arena dieron paso a pequeños guijarros puntiagudos que se le clavaban. La primera ola le cubrió los tobillos y casi le moja los pantalones que previamente se había remangado. El agua estaba helada y su primer contacto hizo que contuviera la respiración, después de un rato se acostumbró a la temperatura. Chapoteó, contento, se notaba que no hacía mucho que había abandonado la niñez; de vez en cuando, se detenía para mirar si aparecía una luz y, con ella, Sophie.

Se levantó viento y barrió las nubes más negras. De pronto, como en un truco de magia, apareció la luna creciente. El chico dudó, quizá habían quedado en el pinar. Sabía que, a la derecha de donde se encontraba, existía un estrecho camino que llevaba hasta él. Caminó con dificultad por los guijarros hasta llegar a la arena. Se dirigió hacia la punta de la playa e inició el ascenso por el sendero que discurría entre las rocas; parecían enormes estatuas semienterradas por la arena. La débil luz plateada de la luna creaba sombras amenazadoras. Bajó el foco en dirección a sus pies e iluminó el camino. El haz de luz se topó con un trozo de tela a su derecha. Movido por la curiosidad, se desvió del sendero. Fue entonces cuando lo vio.

Una cara deformada lo miraba fijamente. La contempló paralizado, con una mezcla de miedo e incredulidad. Ni en sus peores pesadillas hubiera imaginado un rostro como el que tenía delante. El chico no podía apartar la vista del cadáver. Estaba tumbado en una depresión natural del terreno, semienterrado en la arena y tapado de manera burda con unas hierbas. El muerto yacía boca arriba con el rostro vuelto hacia él, con las cuencas hundidas y los ojos fuera de sus órbitas. Le recordó los ojos de plástico que vendían en las tiendas de artículos de broma. Él se había comprado unos con el iris verde y grandes venas azules; llevaban unos muelles pegados a la montura de las gafas que se movían para atrás y para delante. Sin embargo, aquellos ojos no le hacían ninguna gracia. El rostro del cadáver tenía una herida profunda en la mejilla. Un manojo de hierba se había pegado en la sangre que salía del corte. El chico tuvo el impulso casi irresistible de acercarse y retirárselo.

De repente, tuvo miedo. No recordaba haber visto huellas en la playa, pero la marea estaba baja y, aunque no creía que hubiera llegado hasta donde se encontraba el cadáver, probablemente las hubiera borrado. Supuso que el asesino había pasado por el mismo camino que él. Un escalofrío le recorrió la columna. Puede que, amparado por las sombras, al abrigo de los árboles, el asesino siguiera allí al acecho, en busca de otra víctima. Despacio, el chico volvió lentamente sobre sus pasos. Las agujas caídas de los pinos se clavaban en sus pies descalzos. De una cosa estaba seguro: si el asesino seguía allí, nadie podría ayudarlo. Armándose de valor, se dio la vuelta y corrió como el diablo hacia su bicicleta. Definitivamente, nunca olvidaría su cita fallida con Sophie.

Laura contestó la llamada, levantándose de la cama como impulsada por un resorte invisible.

—Han encontrado el cuerpo sin vida del señor Oleg Petrov —dijo el sargento Fontaine con voz seria—. Ya se ha procedido al levantamiento del cadáver por parte del juez instructor y se ha trasladado al hospital de Chablais para la autopsia. Yo estoy aquí, en el hospital, esperando su llegada.

—La causa de la muerte... —susurró Laura casi en estado de *shock*.

—No es natural, casi con toda seguridad se trata de homicidio. Lo encontró un chico que había quedado con su novia cerca del pinar de La Tour-de-Peilz.

—Son las seis y cuarto... En media hora estaré en el hospital. Dígales, por favor, que no inicien la autopsia hasta que yo llegue. No sé quien estará de guardia, pero que espere.

Laura colgó sin despedirse de Fontaine. Como una sonámbula, caminó hacia el baño donde abrió el grifo de la ducha. El agua caliente no evitó que dejara de temblar.

A las siete menos veinte caminaba por los pasillos de disección en dirección a la sala de autopsias. Fontaine se acababa de marchar al recibir por radio el aviso de que habían encontrado el coche del farmacéutico. Comprobó con alivio que Henry estaba de guardia y que Julien era su técnico.

—Buenos días, jefa. ¿A qué debemos este placer? —preguntó Julien contento de verla.

—Si no os importa, quiero ayudaros en la autopsia. Como sabéis, tiene relación con el caso que investigo.

—Buenos días, doctora Terraux —dijo el patólogo forense—. Estaremos encantados de que nos ayude. Llevamos casi veinticuatro horas de guardia y estoy deseando terminar e irme a mi casa a dormir.

—Buenos días, Henry. Cuando quiera, empezamos —respondió Laura sin ganas de hablar.

Los forenses se situaron a ambos lados de la mesa e iniciaron el examen visual. Laura se recogió un mechón de pelo en el interior del gorro verde. Henry comenzó leyendo el informe previo realizado en el lugar donde se había encontrado el cadáver.

—Varón de sesenta y un años de raza blanca, encontrado semienterrado en la arena. La temperatura del aire era de dieciocho grados. Herida corta punzante en la mejilla izquierda, realizada con un objeto con varias aristas cortantes y hoja plana bicortante. Se sugiere la introducción de parafina en el bloque de la herida para ver la sección. Lesión con hemorragia abundante e infiltración de sangre en los tejidos de alrededor. Las lesiones consisten en equimosis en mucosas externas; ha habido propulsión de lengua y ojos, emisión de heces y orina y manchas hipostáticas intensas como resultado de una muerte por asfixia.

Laura observó el rostro sin vida del señor Petrov. Un sentimiento de dolor se sobrepuso a la ira o al miedo. Recordó las últimas palabras incoherentes del farmacéutico, fruto del temor que le causaba hablar sobre la muerte de su sobrina. Ella nunca sospechó que estuviese en una situación de peligro tan extrema. Siempre había pensado que el dopaje o el tráfico de medicamentos eran un asunto menor, inofensivo.

—Compruebo que la causa de la muerte se ha producido por el taponamiento de la faringe por el hioides y la base de la lengua —apuntó Laura, y prosiguió con la inspección de la garganta—. Como lesiones externas, destaca el surco en el cuello con la piel estirada, sugilaciones abundantes en zonas declives, rostro cianótico, y contusiones en el cuerpo por movimientos de defensa, además de la fractura del hioides y las cervicales. Por las equimosis y erosiones debajo del surco y las livideces en lugares diferentes, la asfixia se ha producido en vivo.

—Es obvio que la forma de la muerte ha sido homicidio —confirmó el forense.

De los minutos posteriores, Laura no conservaba ningún recuerdo, tan solo lo que le habían contado. De pronto, se desmayó. Con una rapidez inaudita, Henry le quitó la mascarilla de la boca y abrió el cuello de la bata. Julien le subió un poco los pies y los apoyó en un pequeño taburete de madera y acero que solía utilizar una técnico de baja estatura para acceder a sitios altos. En la caída, se había hecho una herida en la rodilla. Cuando volvió en sí estaba en la sala de estar del equipo forense.

Allí tenían una pequeña cocina de madera blanca con lo imprescindible: un microondas para calentar la comida que traían de casa, un frigorífico y una cafetera. En el centro de la sala, se situaba una mesa también blanca con varias sillas alrededor y, pegado a la pared, un mullido sofá gris de tres plazas. Al volver en sí, Laura vio que estaba tumbada sobre él. Su primera intención fue huir, escapar de aquella gente que la rodeaba entre una neblina. Contempló sus movimientos lentos, le pesaban los brazos y su cuerpo no obedecía las órdenes del cerebro. Después, la visión borrosa se disipó y pudo reconocer el entorno familiar y a las personas que la acompañaban. Se relajó y la invadió una intensa calma. Las voces decían su nombre y, con cara de preocupación, trataban de ayudarla. Vio que Henry le tomaba la tensión y Julien le curaba el rasguño de la rodilla con un poco de algodón empapado en Betadine.

—¿Qué tal está mi forense preferida? —preguntó Julien cuando terminó de pegarle la tirita.

—Estoy bien... No sé qué me ha pasado —contestó Laura a la vez que se incorporaba.

—Una bajada de tensión, está en ocho/cinco. He preparado café para que se lo tome con bastante azúcar y un chorrito de licor —informó Henry ofreciéndole una taza humeante.

—Gracias, ya me encuentro bien.

Se sentó en el sofá y agarró la taza con las dos manos. El calor traspasaba la cerámica y la calentaba. Agradecida, tomó un sorbo de café. El forense volvió a tomarle la tensión; los valores se habían estabilizado y estaba recuperando la normalidad.

—Será mejor que se marche a casa y descanse un poco. Nosotros tenemos que seguir practicando la autopsia. La Policía ha insistido en la urgencia del caso.

Un escalofrío le sacudió el pecho. Con un gesto instintivo, Laura sujetó con más fuerza la taza. Asintió en silencio y bajó la cabeza pensativa. Antes de seguir a Henry, Julien se arrodilló frente a ella.

—¿Estás bien, de verdad? Puedo decirle al técnico de las ocho que me sustituya y te acompaño a casa.

Laura lo miró agradecida. Julien se había cortado el pelo y sus hermosos rizos rubios se hallaban a medio hacer dispersos y alborotados por la espesa cabellera. Admiró su tatuaje del cuello y esta vez no se resistió a recorrerlo con la yema del dedo índice. Cuando terminó la caricia apartó la mano.

—Me gusta tu corte de pelo, ahora tienes cara de pícaro. Gracias por el ofrecimiento, mi querido David de Miguel Ángel, pero me encuentro bien y puedo conducir sin problemas —dijo, y se terminó de dos tragos el café.

—De todas formas, por favor, llama si necesitas algo —insistió Julien con un deje de decepción en sus palabras.

—Así lo haré —contestó Laura agradecida, y le dio un casto beso en la mejilla.

Después de hablar con George, Thomas recogió su americana del respaldo del banco. En el horizonte, el día llegaba a su fin. Las nubes adquirían un tono azul oscuro, salvo en el oeste, donde aún perduraba un intenso, pero fugaz, color carmín que contrastaba con los perfiles de los edificios que rodeaban Central Park West. Las farolas ya estaban encendidas. Thomas caminó por la calle hasta que llegó a la Quinta Avenida con la Ciento cinco y se detuvo a esperar que apareciera un taxi entre el tráfico de coches y autobuses que enfilaban la avenida en dirección norte.

Veinte minutos después, entraba en las oficinas de la DEA con paso decidido. George lo esperaba en el vestíbulo del edificio; su semblante era serio y una leve arruga en la frente denotaba su preocupación.

—Hola, Thomas —lo saludó George, a la vez que le daba un apretón en el hombro—. Hemos hecho progresos. Tenemos un nombre, Serguei. Mano derecha de Ivan en Europa. El tipejo se largó de la costa española, donde vivía como un marqués, y se mudó a San Petersburgo. Trabaja de relaciones públicas y de mediador entre las grandes multinacionales que quieren establecerse en el país y el Gobierno ruso, que las recibe con los brazos abiertos. Además, suministra drogas y prostitutas a personalidades de todos los ámbitos de la sociedad en eventos internacionales, ya sean de carácter político, cultural o deportivo. —Hizo una pausa y añadió con una sonrisa—: Claro que eso no aparece en su currículum. Ven, quiero que conozcas a un colega mío experto en medicina legal.

—De acuerdo —dijo Thomas.

Se introdujeron por un laberinto de pasillos y despachos.

—Respecto al hecho de que te hayan seguido o te estén siguiendo, de momento, poco podemos hacer; eso sí, anda con cuidado. No quiero que vayas solo por ahí.

—Después de cenar he quedado con Gina en su apartamento.

—¿Con Marilyn?

—Ajá. Su espectáculo termina a las doce. Necesita que le eche un vistazo a las plantas del balcón, están mustias.

—Vaya, ahora se llama así a echar un polvo. ¡Qué elegante!

—Estás celoso, George.

—Por supuesto, esas enormes tetas deben de hacer maravillas... —dijo dando rienda suelta a su imaginación. Cuando se dio cuenta de donde estaba se aclaró la voz y continuó—: Pero no me parece conveniente que vayas a su casa. Llévala a nuestro hotel, es más seguro.

Thomas asintió, habían llegado a su destino. Entraron en un modesto pero amplio despacho, situado en la zona exterior del ala de administración. Este, a diferencia del de George, tenía dos pequeñas ventanas. Un hombre fornido de mediana edad, afroamericano, más parecido a un jugador de rugby que a un médico, se acercó y le tendió la mano de manera amistosa. Se presentó como Adam. Thomas respondió con un breve apretón de manos enérgico. Se sentaron en una mesa redonda de madera oscura situada en una esquina del despacho. Le llamó la atención la cantidad de fotos que había colgadas de las paredes. Predominaban las de paisajes en lugares exóticos desde donde el doctor aparecía con una amplia sonrisa y mostraba sus dotes para la aventura. También se fijó en el potos situado en lo alto de una recia estantería. Las hojas estaban marchitas y lacias.

—Perdona, Adam, pero veo que no tienes mucho aprecio por el potos.

—Me lo regaló mi hija para el despacho. No hay manera de que salga adelante, y eso que me aseguró que era la planta más fácil de cuidar de la floristería.

—Lo que le pasa a tu potos es que lo riegas mucho. Cuando tienen exceso de agua empiezan a amarillear las hojas, pierden fuerza y al final acaba por pudrírseles la raíz.

George se dejó caer pesadamente en una de las sillas giratorias mientras lanzaba un suspiro. Sin querer, impulsó la silla hacia atrás hasta que la detuvo la pared. Thomas lo ignoró y prosiguió.

—Yo lo pulverizaría durante unos días para recuperar esas hojas, tenlo siempre a la sombra y ya verás que crece muy fácil. Si alguno de los bultitos que le salen en las ramas toca el agua, o el suelo húmedo, enseguida saca raíz y lo puedes plantar en otro tiesto.

—Y ¿la tierra? ¿Qué te parece la que tiene?

Thomas se levantó y la tocó.

—Mejor, más ligera. Yo que tú compraría un saco de sustrato universal que contiene turba negra, guano, calcio y varios componentes más. Luego lo mezclas con arena y arcilla. Si, además, una vez al mes le pones abono líquido, tendrás un potos estupendo y frondoso.

George asistía asombrado al diálogo entre el doctor y su amigo. Conocía la afición de Thomas a la jardinería desde su época de perfilador en Washington; de hecho, le había ayudado en el diseño de su jardín, pero no alcanzaba a comprender tanto interés por una planta fea y medio muerta.

—¿Qué tal si dejamos de hablar de hierbajos y vamos a lo importante?

—Claro —dijo Thomas con una sonrisa, y tomó asiento.

—Adam lleva tiempo tras la pista del dopaje genético y está al tanto de lo que se cocina en los laboratorios. En este momento, dirige el análisis de las sustancias que hemos incautado.

—Bueno, sé que estás inmerso en una complicada investigación para tratar de esclarecer la muerte de seis deportistas, y sospechas que, aunque el informe forense ha dictaminado causa natural, tienes razones más que fundadas para decir que la verdadera causa ha sido el dopaje —resumió el doctor.

—Exacto, nuestra línea de investigación se basa en que el consumo de eritropoyetina provocó las muertes de las chicas.

—He echado un vistazo a los informes de George y creo que no puede ser casualidad que las seis procedieran de Europa del Este, residieran en la misma zona y murieran por un coágulo masivo que les causó la muerte de forma súbita.

—Perdona, Adam —interrumpió George—. Cuéntale a Thomas qué habéis encontrado en los sacos del puerto.

—Ten paciencia, antes quiero explicaros algo. El problema de los métodos actuales de dopaje es que se administran a los deportistas sustancias extrañas a su cuerpo que actúan aumentando el rendimiento atlético y que, en teoría, podrían ser detectadas en análisis. Pero, señores y señoras —dijo el médico de una manera teatral—, ya están aquí las técnicas de terapia génica al dopaje que permiten eludir los medios de detección más sofisticados. El cuerpo logra producir una mayor cantidad de sustancias para fomentar el crecimiento de los músculos o para frenar su degradación. Por tanto, no hay manera de distinguir los efectos de este dopaje de la actividad normal de los músculos.

—Pero ¿cómo actúa? —preguntó Thomas, interesado.

—Es sencillo de explicar. La regeneración y el crecimiento de los músculos están regulados por varias proteínas. Normalmente, este crecimiento lo estimulan las pequeñas roturas que produce el ejercicio en las fibras, lo que promueve el crecimiento del músculo. Otras proteínas inhiben un crecimiento desmesurado del músculo. Si se bloquea su actuación, como ocurre en algunos animales mutantes, los músculos llegan a alcanzar un porcentaje elevadísimo del peso corporal.

—¿Nos estás diciendo que, hipotéticamente, uno puede convertirse en un culturista con una pastilla? —inquirió Thomas bastante escéptico.

—Esto no es una teoría—sentenció Adam con una mirada paciente—. A unos ratones de laboratorio se les inyectó en sus músculos el gen de un factor de crecimiento muscular encapsulado en un virus, el virus adenoasociado, VAA. Este virus infecta fácilmente los músculos, pero no provoca enfermedades. Los resultados han sido bastante satisfactorios: la masa muscular total y el ritmo de crecimiento era un treinta por ciento superior a los valores normales, aunque se tratara de individuos sedentarios.

—¿Quieres decir que sin practicar ningún tipo de ejercicio han desarrollado musculatura? —preguntó George.

—Exacto. Estos resultados son muy interesantes para los deportistas que no quieran dejarse la piel en los entrenamientos. La masa muscular aumenta aunque no se realice ejercicio. También se pierde más lentamente tras realizar ejercicio y suspenderlo. La detección de estos fraudes es casi imposible, ya que la proteína generada es la misma que produce el organismo. La detección de los virus en los músculos no sería determinante, pues podrían encontrarse allí por causa de una infección natural.

—Pero... esto es una maravilla —dijo George—. Yo odio practicar deporte.

—¡Ah! Pero eso no es todo —continuó el médico—. Ha aparecido una manipulación más radical y peligrosa del tejido muscular. Para que lo entendáis de manera sencilla, las fibras musculares se clasifican en rápidas o lentas, según posean una forma rápida o lenta de la miosina, la proteína contráctil que flexiona los músculos. Los corredores de maratón poseen una gran proporción de fibras lentas en sus músculos, y los velocistas, de fibras rápidas.

El doctor se acercó a su mesa del despacho sobre la que había un botellín de agua. Bebió un trago y volvió a sentarse.

—Lo siento, ando con las cuerdas vocales fastidiadas. De joven cantaba en un coro de Gospel y, aunque fueron unos años fabulosos, llegamos a cantar incluso en Alemania, me dejó esta lesión de por vida.

Bebió otro sorbo de agua y continuó.

—La genética ya está investigando cómo modificar la proporción natural de fibras lentas y rápidas en los músculos para conseguir deportistas a la carta, diseñados para cada tipo de prueba. Incluso se especula con la posibilidad de activar formas de la miosina aún más rápidas, que están presentes en las células musculares humanas, pero no se manifiestan. Proceden de épocas en que los antepasados de los humanos estuvieron sometidos a presiones elevadas de depredación.

—No puedo creer que esto no tenga consecuencias para la salud —inquirió Thomas.

—No te falta razón. Estas técnicas pueden ser bastante peligrosas para los deportistas. Los músculos pueden llegar a desarrollar tal potencia que, durante el esfuerzo, quizá se lleguen a romper los tendones e incluso los huesos.

—Recuerdo la terapia génica utilizada en 2003 en Francia para curar a niños que padecían una inusual enfermedad inmunológica. Aunque el tratamiento logró corregir este defecto, les provocó leucemia —añadió Thomas.

El doctor asintió.

—Cuéntale a Thomas qué regalitos habéis encontrado en el laboratorio de nuestros amigos rusos —intervino George.

—Ya veo que estás impaciente. —Adam sonrió—. Desde esta tarde parece un tigre encerrado en una jaula, no sabe qué hacer para soltarlo a los cuatro vientos.

—Tú, cuenta, que no se lo va a creer.

—Estoy en ascuas —aseguró Thomas invitando al médico con un gesto de la mano a que prosiguiera su exposición.

—De acuerdo, una de las moléculas que hemos hallado es la del factor de crecimiento IGF-1, que desarrolla el músculo. Otra de las sustancias es el Repoxigen, un vector viral que multiplica la fabricación de EPO; provoca la activación de la síntesis de EPO cuando el músculo deja de recibir el oxígeno que necesita. Este principio permite la creación de EPO de manera endógena, lo que hace prácticamente imposible su detección. Y la tercera sustancia que hemos encontrado es la relacionada

con la Miosina IIb. Su aumento permite una importante poten-
ciación muscular y facilita la mejora de ciertas fibras.

—Esto es una locura. —Thomas no daba crédito a lo que estaba
oyendo—. ¿Me estás diciendo que, en un futuro, en el deporte
de élite tal vez la competición no se produzca en los estadios
sino en los laboratorios biotecnológicos?

—No es en un futuro, Thomas, no es en un futuro —respondió de manera lúgubre el médico.

48

Desde que fue a visitar a Blanc en busca de respuestas, no había noche que no se despertase con el cuerpo pegado a las sábanas por el sudor. Se preguntaba si debía llamar a ese poli de la Interpol para contarle sus sospechas sobre Frank Stone. Pero le retenían sus ansias de ganar, ahora que había probado los efectos del cóctel. Además, Irina estaba muerta y Frank tenía muchos contactos. Janik se convenció de que lo mejor que podía hacer era cumplir el deseo de Irina, ganar una medalla en los próximos Juegos Olímpicos. Pensó en Nicola. La relación se había enfriado. Se comunicaban a través del WhatsApp, pero los enamorados necesitan tocarse. La vida de Janik era lo más parecida a la de un monje de clausura. La triple sesión de entrenamiento, las competiciones, los test, las visitas al laboratorio, los masajes y el tiempo que pasaba en la cámara hipobárica le ocupaban casi todo el día. Nicola lo visitaba un fin de semana al mes. Se encerraban en un pequeño hotel del pueblo de Les Diablerets del que apenas salían. Desde la última vez, habían pasado dos meses y decidió visitarla.

Estaba muy guapa. No sabría decir qué clase de maquillaje se había puesto, pero sus ojos brillaban y sus labios parecían estar recubiertos de azúcar.

—Tenemos el piso para nosotros solos. Mis compañeras no tardaron en organizar un viaje cuando se enteraron de que venías —le dijo.

—Vaya —respondió Janik con un tono de decepción en la voz.

—¡Qué pasa! ¿No te hace ilusión? —le preguntó ella al ver su reacción.

Había quedado el domingo por la mañana en las pistas de Monthey para hacer unas series de ochocientos metros, pero no era el momento de contárselo.

—Claro que me hace ilusión —rectificó enseguida—. ¡Espera! Tengo algo para ti.

Le había comprado su colonia preferida. Al verla, Nicola le dio un abrazo y le llenó la cara de besos.

—Estuve a punto de regalarte la mía —le dijo—. Así podrías olerla todos los días.

—¡Vaya con este chico, si es un poeta! —exclamó ella con sorna—. ¿Qué te parece si vamos a mi piso y me rocías con tu colonia todo lo que quieras?

Cuando dos personas que se aman se ven después de un tiempo, se desbordan los sentimientos, se tapan los defectos y se ensalzan las virtudes. Palabras que parecen salidas de los versos de Neruda o Shelley salen a flote. Las palabras son un paréntesis entre los besos y las caricias, que ese sábado ocuparon buena parte del tiempo. Nada más llegar al apartamento se desnudaron y se tumbaron en el sofá del salón tan juntos, que no cabía entre los dos una hoja de papel. Cuando el deseo les dio un descanso pararon a comer.

—Cada vez estás más delgado. Un día de estos me vas a clavar una costilla —dijo Nicola con tono de cachondeo.

—Que sepas que eso es un piropo para un atleta.

—Con unos kilos de más estarías aún más guapo.

—Ya puedes acostumbrarte, por lo menos durante unos años.

—Janik, ¿te parezco...? —le preguntó mientras señalaba su trasero.

—Tienes un culo precioso. Creo que ya te lo he dicho hoy unas cuantas veces.

—Últimamente paso mucho tiempo sentada. Tendré que empezar a hacer algo de ejercicio o se me va a poner tan blando como la plastilina.

—*Mens sana in corpore sano*.

—Yo soy la mente y tú el músculo. Hacemos una buena pareja.

—¿Me estás llamando bobo?

—Tengo una sorpresa para ti, bobo. Te he preparado un pequeño *tour* por los alrededores y he reservado un *jacuzzi* al aire libre.

Janik se sentó con las piernas cruzadas y la miró con cara de haberla traicionado.

—¿Qué pasa? ¿Por qué me miras así? —preguntó Nicola.

Janik desvió su mirada. Se levantó y le dio la espalda. El estado de alegría dio paso a un estado de angustia.

—Mañana he quedado a las doce para entrenar —confesó.

Nicola se levantó y se sentó en el sofá dejando caer la manta.

—Llevamos casi dos meses sin vernos y ¿me dices ahora que mañana a las doce tienes que ir a entrenar?

—Mi deporte no entiende de fiestas o de compromisos. Ya lo sabías cuando nos conocimos.

—Si me hubieras contado que iba a verte tan poco, me hubiera pensado salir contigo —aseguró Nicola enfadada. Se reclinó en el sofá y apartó su mirada de Janik.

—No es justo. Tú tienes tu beca. Si tuvieses que ir al extranjero por una temporada, yo lo entendería —se justificó él.

—¡No! Si me hubiese ido al extranjero no hubiera salido contigo.

—Cómo sois los científicos, actuáis como economistas...

—Vaya tontería acabas de decir —se enfadó Nicola—. No se te ocurre nada mejor para justificar que eres un cretino. Quizá sea verdad que eres bobo.

—Eso no es propio de ti —le dijo Janik.

—Ya te has olvidado de cuando empezamos...

—Estaba lesionado y tenía todo el tiempo del mundo para verte —la interrumpió.

—Janik, ahora mismo me siento utilizada.

Nicola se tapó con la manta sin mirarlo. Janik tuvo la impresión de que estaba confeccionando una lista mental de los pros y contras de su relación.

—Será mejor que te vayas —le dijo con semblante serio.

Janik sintió un malestar repentino. Una tristeza conocida. Le dieron ganas de abrazarla. La miró. Su cuerpo se mostraba tan a la defensiva que solo fue capaz de preguntarle qué estaba pensando.

—No lo sé, Janik. Me has hecho daño y no puedo tomar una decisión si estás aquí. Necesito que te vayas.

Janik se acercó y le rodeó la cara con las manos.

—Te quiero, Nicola.

—No me basta. Si ahora que estamos empezando me haces esto... Yo valgo más que tus carreras. Ahora, por favor, recoge tus cosas. Ya hablaremos por teléfono.

De camino a la residencia, Janik hizo una parada y la llamó, pero Nicola no respondió al teléfono. Se acordó de lo que le repetía Ethan de vez en cuando, eso de que los atletas de élite solo pueden salir con atletas. Seguro que Irina lo hubiera entendido.

Pasaron los meses. A veces se acordaba de días más alegres cuando no estaba solo y Nicola permanecía a su lado, cuando las yemas de los dedos buscaban su piel. Ahora cualquier parte de su cuerpo le hubiera bastado, un brazo, el surco de la nuca; ansiaba su calor.

49

Thomas se despertó angustiado. Se incorporó de manera brusca y, alarmado, esperó que su respiración se acompasara al ritmo normal. Un miedo irracional se había apoderado de él. ¿De dónde procedía?, se preguntó confundido. Estaba convencido de que algo lo había despertado y de que la sensación de peligro no era fruto de su imaginación. La habitación se encontraba en completa oscuridad. Con la palma de la mano, tocó la piel cálida de Gina. Poco a poco, a la vez que su corazón se tranquilizaba, su entorno se hacía reconocible. Adivinó, en la oscuridad, las formas del escritorio sobre el que había dejado el ordenador, de la televisión colgada en la pared, del traje tirado en la silla. Sin embargo, por alguna razón, no lograba quitarse los malos presagios que le rondaban. Aguzó el oído. La respiración suave de Gina dormida tapaba otra... Alguien lo estaba observando. Alargó el brazo y pulsó el interruptor de la lámpara de la mesilla. Aunque la luz era suave, Thomas entrecerró los ojos. Vislumbró a un hombre sentado en la butaca pegada a la pared. Su cara le resultó familiar; era el tipo al que había perseguido en el Conservatory Garden.

—¿Qué quieres? —preguntó Thomas fingiendo una seguridad que no sentía.

—Vengo a proponerte un trato magnífico que te va a encantar, pero antes quiero que llames a tu amigo George para que se una a la fiesta.

Thomas lo miró fijamente. Más que un matón parecía un gnomo sacado de un cuento infantil: era feo, pequeño y redondo. Con ese aspecto, la gente del hampa difícilmente lo tomaría en serio, pensó Thomas. La luz despertó a Gina. Al principio hundió su cabeza en la almohada para protegerse de la claridad, luego se tapó con el edredón.

—Dile a tu putita que se largue.

Thomas llamó a George con el móvil. Dos habitaciones más allá, llegó amortiguado el sonido de su llamada. El buzón de voz saltó al quinto tono. Thomas lo intentó de nuevo, esta vez con éxito.

—Como me hayas llamado porque necesitas un condón, o no se te levanta, o Marilyn está borracha, te mato.

—Necesito que vengas a mi habitación.

Thomas no dijo más, pero sí lo hizo su silencio tenso, profundo, atroz.

—Voy ahora mismo —respondió George, sabiendo que algo iba mal.

El gnomo asintió mostrando una amplia sonrisa. Thomas metió la cabeza dentro del edredón y susurró al oído de Gina unas palabras. La mujer se levantó como un resorte. Sin atreverse a mirar al hombre de la butaca, recogió con rapidez su ropa esparcida por la moqueta y se encerró en el baño.

—Esa zorra te tiene que haber costado cara.

Thomas ignoró el comentario y se vistió con un pantalón y una camiseta. A los pocos minutos se oyó un golpe en la puerta. El gnomo le dio la orden con la cabeza para que abriera. Gina aprovechó para salir del baño, recoger el bolso del suelo, pasar entre los dos amigos y huir por el pasillo.

Antes de cerrar la puerta, George se fijó de reojo en el tipo sentado.

—¿A qué debemos este placer? —preguntó de manera despreocupada.

—Un intercambio de favores.

—Habla —ordenó George.

—Me envía mi jefe con una propuesta.

—¿Quién es tu jefe?

—Ivan Puskin.

—En cuanto me entere de quién es, voy a detener al poli que le ha suministrado un móvil para llamarte —dijo George.

—Me parece bien, su nombre podemos incluirlo en el trato.

—¿Qué trato?

—Mi jefe quiere que lo liberéis. Si queréis, acusadlo de algún cargo menor, tampoco es cuestión de llamar la atención. A cambio, os ofrece información sobre la situación de dos laboratorios clandestinos en Europa, os entrega a Serguei, su amigo del alma, y no mata a la forense Laura Terraux.

Thomas se acercó al matón, lo agarró por las solapas de la americana, lo levantó y lo acercó a escasos centímetros de su cara.

—Repite lo que has dicho —le ordenó.

—Vamos, guapetón, no te enfades, si ni tan siquiera te la has tirado.

—Quiero oírlo de nuevo —insistió Thomas. Su voz sonó ronca y profunda.

—Vale, vale... La doctora forma parte del trato. Y ahora, si no te importa, suéltame porque no me gustan demasiado las alturas.

Thomas lo alzó un poco más y después lo tiró contra la butaca.

—Dile a tu amigo que se relaje —dijo el hombre, dirigiéndose a George—. Me parece que no sabe cómo se hacen los tratos entre colegas. Además, estamos perdiendo un tiempo precioso. No lo digo por mí, claro, que estoy en tan agradable compañía, si no por la doctora, que en estos momentos está peor acompañada.

Thomas se frotó la cara con las manos, desesperado.

—Déjame a mí —le susurró George, acercándose a él. Levantó la silla de la mesa y se sentó enfrente del matón.

—Cuéntame todo. Te escucho.

—Ya os lo he dicho. Sueltas al jefe a cambio de información y la vida de la doctora.

—Tengo que saber que ella está bien. Déjame que la llame —le pidió George.

—Negativo. Esto no funciona así. Olvídate de las películas que has visto. Vosotros hacéis lo que yo os digo y nosotros cumplimos nuestra parte.

Solo con mirarlo, a Thomas se le revolvía el estómago. Con gusto le borraría de un plumazo su estúpida sonrisa bobalicona.

—¡Ah!, se me olvidaba —añadió el matón—. Los amigos que acompañan a la doctora están esperando la orden de matarla o de darle una paliza.

—¿De qué estás hablando? —Thomas escupió las palabras con desprecio.

—¿Qué esperabais? —preguntó, desafiante— ¿Marcharos de rositas? Habéis metido las narices donde nadie os llamaba y os merecéis un escarmiento.

El hombre hizo una pausa y se alisó la solapa de la chaqueta.

—Pensamos en tus padres, los señores Connors —continuó—, pero, ¡qué casualidad! Están en un crucero por las islas griegas que tú, como buen hijo, les has regalado. Desde luego, los chicos prefieren a la doctora. Dentro de dos minutos —amenazó mirando el reloj— comenzará la paliza. Vosotros decidís cómo termina.

Laura aparcó el Suzuki en el garaje y caminó hasta la puerta de entrada. El aire frío de la mañana era reconfortante. El desmayo en la sala de autopsias la había dejado débil, pero lo peor era el agotamiento mental. Le costaba creer que el señor Petrov estuviera muerto. Entró en su casa y cerró la puerta con llave. Encendió la luz de la entrada. Se hallaba a unos pasos de la escalera cuando notó un movimiento a sus espaldas y se volvió. Dos hombres salieron de la cocina. Eran jóvenes, altos y fibrosos. Se pararon a pocos pasos de ella, le dedicaron una amplia sonrisa y uno de ellos le sacó la lengua de modo obsceno. Laura se quedó paralizada ante aquella aparición. El estupor dio paso a la rabia y después al pánico. Echó a correr escaleras arriba subiendo los peldaños de dos en dos. Jadeaba, y por encima de su jadeo los oía acercarse. Reían y hablaban entre ellos. Pensó que quizá podría llegar a su dormitorio y, una vez allí, entrar en el baño y cerrar con el pestillo.

Al llegar al rellano de la escalera, cuando ya veía la puerta de su habitación, la agarraron por el pelo y tiraron de ella. Laura chilló y trató de zafarse. Estaba al borde del pánico. Unas manos la agarraron de la cintura. Ella pataleó y mordió el brazo que la sujetaba. Su corazón latía con fuerza. Entre los dos hombres, la tumbaron boca abajo sobre la alfombra de lana gris. En un segundo, la agarraron por los brazos, los pasaron por detrás de su espalda y unieron las muñecas con cinta aislante de color plata.

No sabía qué hacer. Oía sus gritos desgarradores mezclados con los sollozos. Ellos charlaban tan tranquilamente en un idioma desconocido. Rápidamente, le taparon la boca con otro trozo de cinta. Laura temblaba como si estuviera sumergida en agua helada. El pelo de la alfombra se introducía en sus fosas nasales y le impedía respirar. Volvió el rostro hacia un lado intentando tomar aire. Su llanto se había transformado en gemidos ahogados. Uno de los atacantes le sujetó los hombros, mientras el otro le subía el vestido. Histérica, se movió en un intento inútil de escapar. Después, impotente, dejó de moverse. Tenía que tranquilizarse si quería salir lo mejor parada posible. No opondría resistencia. Podían hacer con ella lo que quisieran. Se quedó quieta.

Thomas comenzó a caminar nervioso por la habitación. Tres pasos hasta la pared y vuelta.

—De acuerdo —dijo George—, aceptamos el trato. Pero tiene que haber zonas intocables. Conozco a los de tu calaña y un golpe mal dado acaba en muerte.

—Me parece justo. Elegid la zona que queréis salvar.

A Thomas aquello le parecía una locura. Algo así no podía estar ocurriendo. Trató de calmarse y analizar de forma fría la situación. No ayudaba dejarse llevar por los sentimientos. Se detuvo y miró al tipo de la amplia sonrisa. Sabía lo que tenía que hacer.

—De cintura para arriba ni tocarla. Ya puedes dar la orden. —Luego miró a su amigo y le dijo—: George, por favor, prepara el papeleo para soltar a su jefe. Seguro que sabes cómo hacerlo, no es la primera vez que se libera a un detenido a cambio de información.

—De acuerdo.

George y el matón hicieron sus respectivas llamadas.

—Ya está —anunció el ruso cerrando la tapa del móvil—. Por mi parte, he acabado. Sé que ustedes, mis queridos agentes de la ley, cumplirán la suya.

Thomas le quitó el móvil y de forma rápida marcó los números de emergencia.

—Quiero que manden una ambulancia a la Rue Le Mousquetaire, 6, en la localidad de Monthey. Una mujer se halla herida de gravedad. Es urgente.

A continuación, realizó otra llamada.

—Allô? —respondió una voz al tercer tono.

—Sargento Fontaine, soy Thomas Connors, de la Interpol. Por favor, quiero que se dirija a la casa de la doctora Terraux sin pérdida de tiempo —dijo Thomas en francés.

—¿Qué ha ocurrido? —preguntó el sargento.

—Unos matones le han propinado una paliza. No se preocupe, los servicios de urgencia están avisados. Por favor, en cuanto sepa algo llámeme.

Thomas colgó sin esperar la respuesta del sargento y, lleno de rabia, lanzó el móvil contra la pared. Trozos de vidrio y metal volaron por la habitación.

—¡Eh! —protestó el matón—. ¡Que es de los buenos!

—Y ahora, Thomas, si no te importa, voy a quitarle esa sonrisa a nuestro inesperado huésped. Te garantizo que tardará meses en volver a aparecer —le susurró George con voz tensa.

—Me parece bien.

En un movimiento rápido, George le quitó la pistola al hombre y le disparó un tiro en la rodilla.

El matón soltó un grito como un aullido largo y chirriante.

—Tienes que tener más cuidado, las armas son peligrosas —dijo George con sorna.

Limpió el arma de huellas y se la introdujo dentro del pantalón.

—¿Está calentita, eh? —preguntó dándole una palmadita en la mejilla.

Mientras tanto, Thomas había metido sus cosas en la maleta. Sin preocuparse de los sollozos y las amenazas, cerraron la puerta de la habitación y se dirigieron a la de George.

—Thomas, en este momento, por muy duro que sea, no puedes hacer nada. Solo queda esperar.

Thomas se obligó a serenarse y se derrumbó en el sofá. Le parecía mentira que sus peores sueños se hicieran realidad. En ellos, intentaba ayudar a alguien querido, intentaba correr, pero sus pies permanecían pegados al suelo.

La cara de Laura apareció en su mente, tenía el color pálido de Úna.

—He avisado a la central, en un par de minutos sabremos algo. Hay que esperar —volvió a repetir George.

—No puedo quedarme aquí quieto, me estoy volviendo loco. Vamos a la comisaría, necesito hablar con el ruso antes de que lo suelten.

—Como quieras.

Cuando estaban dentro del taxi, el móvil de George vibró con fuerza. Los dos amigos se miraron con gesto serio. George contestó. Era de la centralita, un tal sargento Fontaine preguntaba, en un precario inglés, por el agente de la Interpol, Thomas Connors. George le pasó el teléfono. Thomas no pudo reprimir un ligero temblor. Su corazón retumbaba. Miró el móvil como si fuese una bomba que en cualquier momento pudiera estallar entre sus manos. Lo cierto es que tenía miedo.

—*Allô,* soy Connors, dígame, ¿cómo está la doctora Terraux? —Thomas contuvo la respiración.

—Siento si la comunicación no es buena. Voy detrás de la ambulancia camino del hospital —dijo el sargento Fontaine.

—¿Cómo está? —insistió Thomas.

—No lo sé. He sido el primero en llegar y... bueno, estaba desnuda en el pasillo, maniatada. Es evidente que tiene las piernas rotas por varios sitios. Se las han roto con un bate de béisbol, los muy cabrones. —Su voz translucía un enorme pesar cargado de ira—. No tuvieron problemas en dejarlo tirado en el suelo. Hasta que le realicen un escáner, no sabremos si tiene heridas internas. Le han golpeado el rostro y tiene el labio partido.

—¿Estaba consciente? —quiso saber Thomas.

—Desgraciadamente, sí. Le he cortado la cinta aislante de la boca y de las muñecas, pero no me he atrevido a moverla. No sabía qué hacer... Le he acariciado el pelo, ya sé que resulta un gesto inútil, pero... —El sargento dejó en el aire la frase inacabada.

Thomas no sabía qué decir.

—Gracias, sargento, le agradezco que haya acudido a su casa. No lo molesto más.

—Cuando estemos más tranquilos tiene que contarme qué está pasando con la investigación que tienen entre manos. Hace unas horas encontramos el cadáver de Oleg Petrov y no sé si sabe que su farmacia ha sido incendiada.

Thomas se quedó un instante callado asimilando la noticia.

—No sabía nada... —dijo—. Pero descuide, en unas horas tomo el vuelo hacia Zúrich. Por favor, no deje de informarme del estado de la doctora Terraux. Tome nota de mi número de teléfono.

Thomas colgó y cerró los ojos. El resplandor de las farolas se sucedía como faros intermitentes en mitad de la ciudad y atravesaba sus párpados. Una inmensa tristeza se apoderó de él. Había subestimado la investigación. La había considerado algo menor, y sin ningún tipo de peligro. Tantos años persiguiendo delincuentes para descubrir lo que quizá ya sospechaba, que se le daba mejor la docencia. Se vio a sí mismo como un impostor alardeando frente al mundo de varios diplomas, contactos a alto nivel y buena presencia física. Sin embargo, no había sabido leer las señales del caso y las consecuencias no podían ser peores: el farmacéutico muerto y Laura camino del hospital.

—¿Qué ha pasado? ¿Va todo bien? —preguntó George, preocupado.

—Está viva —respondió Thomas sin abrir los ojos—. Necesito un rato a solas con Ivan Puskin. ¿Lo podrás arreglar?

—Claro, pero no te meterás en problemas ni me los causarás a mí.

—No.

—Entonces, dalo por hecho.

Ivan Puskin lo miraba con gesto serio. Thomas sabía que las esposas sujetas a la estantería de metal del despacho de George, un zulo por mucho que su amigo se empeñara en considerarlo un lugar ideal para la meditación, le hacían daño en las muñecas. Estaban solos. Thomas se sentó en una silla y, deslizándose con ayuda de las ruedas, se situó a pocos centímetros del ruso. Se despojó de la americana y de la corbata y se remangó las mangas de la camisa. Conocía el peligro que entrañaba su acción. Sabía que era una insensatez, pero también que lo haría de todos modos, sin importarle demasiado las consecuencias. Dejó de escuchar los ruidos procedentes del exterior. Un sentimiento de miedo lo inundó como una tromba de agua, recorrió su pecho y llegó a lo más profundo de su ser. Se despidió con pesar de las personas que más quería, incluido él mismo. El recuerdo de ninguna de ellas podía acompañarlo en este momento, pues solo lo hundiría.

—Quiero que tengas claro que de aquí no vas a salir hasta que respondas a todas mis preguntas. No tengo prisa —dijo de forma tranquila.

El ruso lo miró a los ojos, y a Thomas no le gustó lo que vio. En ellos había determinación y, algo peor, desafío. Intentó vislumbrar un atisbo de temor o de ira, pero no lo encontró. En su profesión era importante manejar los sentimientos de las personas y él, en ese aspecto, era un genio. Si había llegado tan lejos era porque sabía interpretar como nadie los deseos y miedos ajenos. Era un lector de caras nato. Se anticipaba a la avaricia, la angustia, el orgullo, y los transformaba en su propio beneficio, pero en ese momento estaba perdido.

—Veo que no has tenido suficiente con tu amiga. No sé qué debo hacer para que entiendas que no te convengo como enemigo. Quizá tus padres te lo puedan explicar mejor.

—Es lo menos que podía esperar de ti —dijo Thomas con una sonrisa—. Desde luego, no me has defraudado. Seguramente mis padres me lo aclararían, sobre todo mi madre. Te puedo asegurar que no tiene una buena opinión de la mafia. Pero no te preocupes, en cuanto pueda, se lo pregunto. De todas formas, creo que tu familia también me lo podría explicar.

—No sabes lo que estás haciendo —respondió el ruso con voz gutural.

—Lo sé perfectamente —dijo con aplomo Thomas—. Hasta la persona más mierda —añadió, hundiendo su dedo en el pecho de Ivan— tiene alguien a quien quiere y no le desea ningún mal.

—¿Me estás amenazando? —preguntó, incrédulo.

—Exacto.

—Despídete de tu familia, puto poli.

—Ya lo he hecho.

Ivan comprobó que no se había equivocado con el tipo. No encontraba ninguna fisura por la que entrar. Si alguien no tiene miedo de nada, ni de perder su vida, lo mejor es unirse a él o matarlo.

—Te repito que no sales de aquí hasta que me digas todo lo que quiero saber —lo amenazó Thomas.

—No tengo nada para ti. He cumplido mi parte del trato. Tu amigo el gordo ya tiene lo que necesita para colgarse una medalla ante sus superiores.

—Quiero saber quién mató a las seis deportistas en Suiza, cómo lo hizo y por qué.

Ivan soltó una sonora carcajada. Thomas esperó sin inmutarse a que dejara de reír.

—Ya puedes soltarme, porque de eso no sé una mierda —contestó a la vez que sus facciones se endurecían—. No me jodas, tío, todo este montaje para preguntarme esa mierda.

—Te lo repito otra vez. No te irás hasta que contestes a mis preguntas —le aclaró Thomas con voz suave.

—Que te den. Yo estoy muy cómodo; creo que incluso voy a dormir un poco.

—¿Por qué no llamas a tu abuela? A estas horas seguro que está despierta. Creo que en Kiev son las once de la mañana.

La cara de Iván se transformó en una mueca de espanto. Thomas sonrió para sus adentros.

—Estás muerto —sentenció el ruso.

—Tienes razón, llevo muerto mucho tiempo. Pero no hablemos de mí, yo no tengo la menor importancia. Cuéntame cómo os lo montabais en Europa para fabricar los medicamentos, distribuirlos, y qué personas se encargaban de administrarlos a las chicas. También quiero saber qué salió mal y por qué murieron; cuántos deportistas están en este momento consumiendo ese tipo de dopaje y cuántas jóvenes han muerto de forma natural con vuestros productos.

—¿Algo más? —preguntó Ivan con ironía.

—Desde luego, esto es solo un entrante.

—Llama a mi abuela.

—Por supuesto. Toma, marca su número.

Thomas sacó el móvil del bolsillo de la americana y lo apoyó encima de sus muslos.

—Con este lápiz puedes marcar sin problemas.

Ivan se lo puso en la boca no sin antes echarle una mirada de odio, y fue marcando con la punta del lapicero los números de teléfono.

—Espera, que pongo el manos libres —se ofreció Thomas, solícito.

No hubo que esperar ni dos tonos. Una voz de hombre respondió. Thomas no sabía de qué hablaban, pero el tono de Ivan fue subiendo. Iba enfadándose cada vez más mientras la otra voz hablaba de manera nerviosa y atropellada.

Thomas guardó el móvil y observó a Ivan. Mantenía desde hacía un rato los ojos cerrados, acompasando su respiración de manera pausada y profunda.

—Quiero a los culpables entre rejas. El emplazamiento exacto del laboratorio, los nombres de los traficantes, los médicos corruptos, los mánager que captaban a las chicas, los entrenadores; en fin, todos los detalles del entramado. Además, a ti no te interesa estar a malas conmigo. Primero, porque tengo a tu abuelita; segundo, porque te voy a mandar rumbo a tu país y te van a quitar la nacionalidad estadounidense que tanto esfuerzo te ha costado conseguir; tercero, vas a ser para la Interpol un código rojo, es decir, no vas a poder cometer ni una infracción de tráfico. ¿Quieres que siga?

Ivan abrió los ojos y dijo:

—Te estás dando de cabezazos contra una pared y no te das cuenta.

—Habla —ordenó Thomas.

—Creo que se me ha dormido esta mano —dijo Ivan moviéndose, incómodo.

—Si hablas, podrás irte a tu casa —insistió Thomas sin prestarle atención.

—No vas a hallar justicia en este caso. Los culpables son demasiado poderosos, por tanto, inalcanzables. Hasta un poli como tú lo va a entender.

—Sigue.

—El dopaje está organizado, controlado y dirigido por el Gobierno ruso. Existen varias redes organizadas al más alto nivel que operan amparadas por la ley y los políticos. Su objetivo no solo es demostrar la superioridad de su población, sino alejar la atención de problemas más importantes. Cuando un deportista gana una medalla en unas Olimpiadas, es el país el que gana, es tu nación y la gente de la calle siente suya esa victoria. El deporte es el nuevo opio del pueblo. Muchos países lo utilizan como una manera de hacer política, como exaltación de sus logros —explicó con tranquilidad sin abandonar su actitud hostil.

—A ver si lo entiendo. ¿Me estás diciendo que es el propio Gobierno ruso el que está detrás de la red de dopaje?

—Exacto. ¿No te parece sospechoso que el país que organiza unos Juegos Olímpicos aumente de forma espectacular su posición en el medallero? —preguntó Ivan, a la vez que movía los dedos dormidos de la mano derecha—. Hace ocho años, Rusia descubrió los parabienes del deporte en sus Olimpiadas. La sociedad se sintió orgullosa de ser rusa, fue un factor de cohesión y de integración social. Desde entonces, no ha querido parar. Las muertes son solo daños colaterales perfectamente camuflados. Nunca podrás demostrar que no son naturales.

Thomas estaba anonadado. Le costaba asimilar las consecuencias de esta revelación.

—La sociedad se siente en deuda con los deportistas —continuó Ivan—. Si se duda de ellos, se duda del país. Si hablas de dopaje, no solo cuestionas su integridad moral, sino la legitimidad de las victorias. Mientras se iza la bandera, el poder la mira con satisfacción y los espectadores sacan pecho sin hacerse preguntas.

—¿Por qué diste la paliza a mi compañera si la mafia no tenía nada que ver con el caso?

—Me detuvisteis. Quien me jode, se arrepiente. La elección fue solo por azar.

—Y ¿qué sucede con las chicas muertas?

—No va a pasar nada. Eran mayores de edad. Sabían lo que hacían, eran conscientes de los riesgos y eligieron la gloria.

—¿Por qué matasteis al farmacéutico?

—Sí, ya me he enterado. Era cuestión de tiempo. Tenía pruebas que podían relacionar las muertes con el dopaje. Tengo que reconocer que en eso los ayudé. Me pidieron a alguien de confianza que realizara el trabajo. Les di algún nombre. Ya sabes, hay que estar a buenas con los poderosos. Aunque matar no es una palabra que me entusiasme, yo prefiero decir que interrumpieron su vida. —Ivan sonrió para sí mismo.

Thomas tenía el cuerpo encorvado, con la mirada fija en el suelo. Observaba con aparente interés un punto fijo situado entre sus zapatos.

—Y ¿los que dopaban a las chicas? ¿Qué ha pasado con ellos? —preguntó con voz trémula sin alzar la vista.

—La red suiza se ha desplazado a otro lugar, ya no opera allí. Los que quedan lo hacen de manera individual, poca cosa, algún médico, unos cuantos deportistas, algún mánager, como Frank Stone... Por cierto, pronto se le va a acabar su idílica vida.

—Lo conozco.

—No solo va a dejar de tener el monopolio de futuras estrellas atléticas, sino que su proveedor de morfina, coca y putas, Serguei, está detenido. —Ivan bajó la voz llegando al nivel de un susurro. Con sorna añadió—: Alguien lo ha delatado. Uno no se puede fiar de nadie.

De pronto Thomas se acordó de un nombre.

—Dame también a Hugo Keller. Sabes que es basura como tú, pero vestido de esmoquin.

—No seas ridículo. ¿Tú sabes la pasta que maneja esa familia? —preguntó con desprecio mientras trataba de incorporarse para aliviar su dolor—. El heredero al trono de la multinacional Poche ya está al corriente de esta redada y su historial intachable quedará impoluto. Además, si lo llaman a declarar, dirá que solo conoce a Frank por ser compañeros de golf y, que yo sepa, no es delito practicar un deporte. Aunque no te negaré que a veces me dan ganas de partirle el palito de golf en la cabeza a ese niñato prepotente. —De pronto, alzó la voz—: Creo que ya hemos terminado.

Thomas no quería soltar a aquel tipo. Le costaba creer que no hubiera nada más. Deseaba golpear su cara de niño engreído hasta dejársela como la de un viejo. Pero poco podía hacer. George cumpliría su trato, y él, muy a su pesar, tenía la solución del caso.

—Dentro de una hora, tu abuela volverá de la peluquería. Uno de nuestros agentes la ha acompañado. Fue fácil engañarla —dijo Thomas.

—Mataré a mis hombres. Tengo tres personas las veinticuatro horas para protegerla.

—Me parece bien, se lo merecen. Son unos incompetentes.

—No vuelvas a cruzarte en mi camino. Por esta vez estamos en paz.

—No te prometo nada —dijo Thomas, y salió de aquella habitación sin ventanas.

50

Janik estaba en su cuarto esa tarde. Había cerrado la puerta con pestillo. Alrededor, el laberinto de salas, pabellones, gimnasios, habitaciones y pasillos parecía desierto, pero era solo un espejismo. Un observador metódico habría podido escuchar el sonido de los televisores, los ordenadores, los móviles y las consolas de los deportistas. Si ese observador hubiese podido acercarse tanto como para oír los latidos del corazón de los deportistas, habría escuchado un ritmo cada vez más lento y reposado. Era la hora del descanso. Los músculos habían recibido la dosis de la mañana, unos, sumergidos en el agua; otros, bajo los techos del gimnasio o de los pabellones, o en las pistas exteriores. Estirándose, soportando el peso del cuerpo o el de las máquinas, repetían los mismos movimientos una y otra vez, sin apenas descanso, para recuperarse. Si un observador hubiera podido meterse bajo la piel de los deportistas, habría visto los músculos hincharse como los neumáticos de una bicicleta.

Aprovechó que Viktor estaba en Monthey para inyectarse la hormona de crecimiento. Era tan frágil como una pompa de jabón, y necesitaba ser protegida de la luz y del calor. Sacó el vial de IGF-1 de la nevera. Era polvo liofilizado. Tenía que reconstituir la droga, o lo que era lo mismo, añadir vitamina B12 o agua bacteriostática para que hiciera su efecto. Así evitaba que el agua se contaminara y que estuviera disponible hasta tres semanas. Ese mes se había inyectado diez veces en días alternos, aún no se había acostumbrado a pincharse y lo hacía mirando las paredes de la habitación. Había veces, como aquella, que Janik rehuía su mirada en el espejo.

Su reflejo le devolvía un rostro con el ceño fruncido que lo interrogaba. ¿Quién eres? Había creído saber quién era, el niño que ansiaba correr lejos de su casa y elevarse tan alto que pudiera tocar a su padre, pero ahora no conocía la respuesta.

51

Thomas llegó al hospital a las siete de la tarde. Caminaba cansado por el largo viaje y la falta de sueño. Deambuló entre el zumbido de la luz fosforescente y las máquinas que, aparcadas en la entrada de las habitaciones, esperaban su turno. Una enfermera lo condujo hasta una sala de espera, donde aguardó inquieto que terminase la visita del médico. Mientras ojeaba el número antiguo de una revista, pensó que pese a la claridad cegadora, no había nada más tenebroso que un hospital. Pronto se vio rodeado de personas extrañas de rostros apagados que, como él, esperaban. Se levantó y miró por un ventanal que se abría a un pequeño jardín, en cuyo centro se alzaba un portentoso abeto. Las ramas se extendían y casi tocaban el cristal. De manera difusa, vio su rostro reflejado en la superficie. Tenía miedo. Era un temor que solo tenía que ver consigo mismo. Una enfermera con una mascarilla azul colgada del cuello lo llamó y le informó de que disponía de cinco minutos de visita.

Thomas entró en la habitación de Laura. Durante un segundo, pensó que se había equivocado y que la mujer que yacía dormida en la cama era otra. Se quedó de pie a su lado, inmóvil, intentando detener el temblor que recorría el centro de su pecho y amenazaba con extenderse por el resto de su cuerpo. Contempló el rostro de Laura, hinchado y cubierto de moratones. Dormía tranquila, su respiración era sosegada. Una leve sonrisa había quedado congelada en medio del sueño; dulcificaba los rasgos de su cara de una manera extraña. Vio en su piel la palidez mortal de Úna, y durante un instante, esa imagen espectral revoloteó sobre la cama. Debajo de la sábana adivinó los hierros y tornillos con los que le habían unido los huesos rotos de las piernas.

De repente, abrió los ojos. Miró a Thomas, primero recelosa; después, cuando entendió que era él, relajada. Thomas le agarró la mano que no tenía la vía del suero puesta. Su calor lo reconfortó. No hablaron. Sobre el ruido de fondo de las máquinas, un silencio leve inundó la habitación y los mantuvo unidos. Laura cerró los ojos con aquella sonrisa aún mas pronunciada en su rostro. Cuando terminó su tiempo, Thomas cerró la puerta y se dirigió al mostrador donde esperaba el médico.

—Doctor, soy Thomas Connors, amigo de la doctora Terraux. Me gustaría saber cómo se encuentra.

—Bueno, acabo de comentarle a su familia, en concreto a su hermana y su padre, que nos encontramos con un problema delicado debido a su estado actual.

Thomas se sorprendió al conocer que tenía familia y que estaba allí. Se dio cuenta de que no sabía nada de Laura, ni tan siquiera le había interesado su vida. ¿Cuándo se había vuelto así?, se preguntó. ¿En qué momento su manera de relacionarse con las personas se convirtió en pasar de puntillas por sus vidas? ¿Por qué sus sentimientos se diluían y quedaban empequeñecidos hasta desaparecer tan rápidamente?

—Perdone, ¿de qué problema añadido me habla? —preguntó aturdido.

—Por supuesto, no es un problema, pero su embarazo nos impide realizar ciertas pruebas radiológicas. Además, tenemos que tener mucho cuidado con la medicación para que, en la medida de lo posible, no traspase la placenta.

El día aún no había llegado a su fin, pero las primeras sombras de la tarde se agolpaban en lo profundo del bosque que rodeaba el hospital de Chablais. Thomas las adivinaba agazapadas entre el entramado de ramas y arbustos. Conforme se adentraba, la luz se escapaba por las copas de los árboles y un tono azul oscuro envolvía la vegetación. Una angustia inmensa pesaba sobre su cuerpo. Su carga le impedía respirar con facilidad. Arrastraba los pies y a su paso dejaba un rastro de helechos pisoteados.

No había tenido nada que perdurase, nada, pensó entristecido. A su lado, el fantasma de Úna se colgaba de su cuello impidiéndole avanzar. Al final, derrotado, se detuvo. Se dejó caer en el suelo húmedo cubierto de hojas. Jirones de nubes, parecidos al cabello de una anciana, se envolvían entre las ramas. Cerró los ojos y el cielo se apagó. Se abandonó a las voces que desde el pasado le susurraban que volviera. Vio a Maire embarazada mientras limpiaba pescado en el lago, con las manos sucias y el alma destrozada, esperando su llamada que nunca llegaría. Sintió la soledad y la confusión que había dejado al marcharse. Suspendida en el aire áspero del bosque, apareció Úna; recortaba con gesto serio una foto para luego guardarla en su cofre del tesoro. De pronto, se volvió y miró sorprendida al intruso. Thomas contuvo el aliento; a su alrededor el silencio ficticio del bosque atravesó el aire como un látigo; Úna lo observaba, gélida y transparente. El cielo parecía una sábana tendida al viento. Su claridad era inmensa y profunda. Thomas lo contemplaba mientras Albert y Úna caminaban de la mano hasta más allá del horizonte que se adivinaba tras los árboles. Aquel cielo de papel descargaba una lluvia fina que empapaba sus cuerpos con rapidez y arrancaba un susurro de las hojas secas del suelo, del viento, del musgo sobre las piedras.

Thomas miró hacia ese cielo invisible mientras lo envolvía una misteriosa paz. De pronto, tuvo la absoluta certeza de que allí estaba su lugar, de que en algún rincón de ese espacio solitario encontraría lo que hasta entonces se había negado.

52

En el estadio, la ceremonia de entrega de medallas del 1.500 estaba a punto de comenzar. Janik se encontraba encima del podio, en el lugar más alto. El calor de los miles de espectadores atravesaba las pistas y le llegaba en ondas de admiración. El presidente de la federación suiza le colgó la medalla de oro alrededor del cuello. El himno comenzó a sonar por los altavoces. Fue en ese momento cuando el sentimiento más intenso de su vida apareció mezclado con las notas musicales y los recuerdos. Embriagado por aquella sensación, se dejó llevar. La emoción ocupó cada hueco de su cuerpo entrenado, primero le llenó el corazón, luego le hinchó las venas, saturó los músculos y, por último, explotó en el cerebro. Unas lágrimas rodaron por sus mejillas. El himno dio paso a los aplausos y el sentimiento se distrajo durante unos momentos.

El agua del río Támesis había adquirido un tinte verde pálido por el reflejo de las luces de la ciudad. Exhausto y aturdido, llegó a la habitación, se quitó la medalla de oro y la metió en la maleta al lado de la última foto que tenía de Irina al salir de la ría de obstáculos. Miró la fotografía. Pequeñas gotas de agua brillaban sobre su cuerpo iluminadas por el *flash* de la cámara. El brazo izquierdo de Janik rodeaba su estrecha cintura. Cerró los ojos y, a lo lejos, escuchó la voz de su padre. La misma voz que aquella tarde en la orilla del río, cuando Janik era todavía un niño, lo levantó y lo llevó hacia lo desconocido.

Agradecimientos

Para Augusto Apastegui, maravillosa persona que antepone la amistad a los triunfos, aunque su grupo de atletas será siempre recordado como único.

Luis Antonio Rubio, buen consejero y magnífico profesor.

Ignacio Santamaría, excelente entrenador y todo un caballero, se adelantó a los tiempos e incorporó el pulsómetro a los entrenamientos.

Esteban Gorostiaga, gran médico deportivo, defensor del deporte limpio y de la mejora del umbral de lactato como máxima deportiva.

Josefina Modrego, mujer valiente y tenaz que acompañó a su hijo en los momentos malos y se alegró en los buenos.

Demetrio Remón, un mecenas del deporte, fundador del club popular de atletismo Beste Iruña. Ha participado en veintinueve maratones y a sus casi ochenta años todavía le quedan muchas millas por recorrer.

Para Alberto Olano, que nos dejó, aunque la luciérnaga que portaba entre las manos aquella noche en la playa todavía ilumina mi camino.

A mis hermanos, porque juntos atravesamos el desierto y sobrevivimos; en especial, a mi hermana Laura, que desde aquella noche en la India no dejó de animarme y de ser la mayor fan de la novela.

A Socorro Medina, por su inmenso amor.

A Adrián listillo y Asier peluche, porque ¡chicos, sois los mejores!

A mi gran amiga Cristina Fernández por su apoyo, su amistad y, por supuesto, sus fabulosos apuntes de patología forense.

A Laura Arnedo, filóloga y poeta, por sus acertados consejos.

A Carlos Adanero, magnífico farmacéutico, inmisericorde con la corrupción.

A Víctor Hugo, alias Popeye, porque su crítica fue la más romántica que tuve.

A la Agencia Pontas, sobre todo a Ricard, por su pálpito, y a Marina, por su manera de ser tan dulce, quizá sea por su sangre irlandesa.

También quiero agradecer a Carlos Arribas por su artículo «Adictos al dopaje»; Loles Vives blog; Jordi Segura, director del Laboratorio de Control Antidopaje de Barcelona; Fundación Miguel Indurain; Randy Alonso, periodista cubano, director del portal Cubadebate; a los habitantes de Les Diablerets. Por último, muchas gracias al Departamento de Prensa de la Oficina de Lyon de la International Criminal Police Organization (Interpol) por su inestimable ayuda.